KB085783

세상이 변해도 배움의 즐거움은 변함없도록

시대는 빠르게 변해도
배움의 즐거움은
변함없어야 하기에

어제의 비상은
남다른 교재부터
결이 다른 콘텐츠
전에 없던 교육 플랫폼까지

변함없는 혁신으로
교육 문화 환경의 새로운 전형을
실현해왔습니다.

비상은 오늘, 다시 한번
새로운 교육 문화 환경을 실현하기 위한
또 하나의 혁신을 시작합니다.

오늘의 내가 어제의 나를 초월하고
오늘의 교육이 어제의 교육을 초월하여
배움의 즐거움을 지속하는 혁신,

바로, 메타인지 기반 완전 학습을.

상상을 실현하는 교육 문화 기업 비상

내신 성적을 쑥쑥~ 올리는!!

내공의 힘

중등사회 2·1

STRUCTURE 구성과 특징

I. 인권과 헌법

01 인권 보장과 기본권

내공 1 인권의 의미와 인권 보장의 중요성

1 인권의 의미
(1) 인권: 인간이 마땅히 누려야 할 기본적인 권리
(2) 인권의 의의: 인간이기 때문에 누구나 존중받으며 살아갈 권리가 있음

2 인권 보장의 중요성
(1) 인권의 특성

자연권	국가에서 법이나 제도로 보장하기 이전에 인간에게 자연적으로 부여된 권리
천부 인권	인간이 태어날 때부터 본래 지닌 권리
보편적 권리	인종, 성별, 사회적 지위, 재산 등에 관계없이 모든 사람이 동등하게 누릴 수 있는 권리
불가침의 권리	국가 권력이 함부로 침해할 수 없는 권리

(2) 인권 보장의 중요성: 인권이 보장될 때 인간이 인격적 존재로서 존중받으며, 최소한의 인간다운 삶을 살 수 있음

3 인권 보장의 역사적 전개
(1) 근대 이전: 신분제 체제 속에서 왕과 소수 귀족은 많은 특권을 누린 반면, 대다수 평민은 억압과 차별을 받았음

세계 인권 선언
제1조 모든 사람은 태어날 때부터 자유롭고, 존엄하며, 평등하다. 모든 사람은 이성과 양심을 가지고 있으므로 서로에게 형제애의 정신으로 대해야 한다.
제2조 모든 사람은 인종, 피부색, 성별, 언어, 종교 등 어떤 이유로도 차별받지 않으며, 이 선언에 나와 있는 모든 자유와 권리를 누릴 자격이 있다.
제3조 모든 사람은 자기 생명을 지킬 권리, 자유를 누릴 권리, 그리고 자신의 안전을 지킬 권리가 있다.
—— 자유권, 평등권 중심의 인권 사상이 반영되어 있어.

세계 인권 선언은 모든 사람의 인권이 보장되어야 함을 국제적으로 선언한 최초의 문서로, 다양한 영역에서의 인권 보장을 강조하고, 인권 보장을 위한 국제 협력을 추구하고 있다.

(4) 인권의 확대: 인권 보장은 오랜 기간 시민들이 부당한 국가 권력, 제도에 맞서 싸워서 이루어 낸 것 → 인권은 시민의 노력과 참여에 의해 지속적으로 확대되고 있음

내공 2 헌법에서 보장하는 기본권

1 인권과 헌법의 관계

내공 1 단계 | 차근차근 내용 짚기

핵심 개념만 뽑아 단기간에 공략! 꼭 알아두어야 할 교과 내용을 도표와 시각 자료로 이해하기 쉽게 정리했습니다.

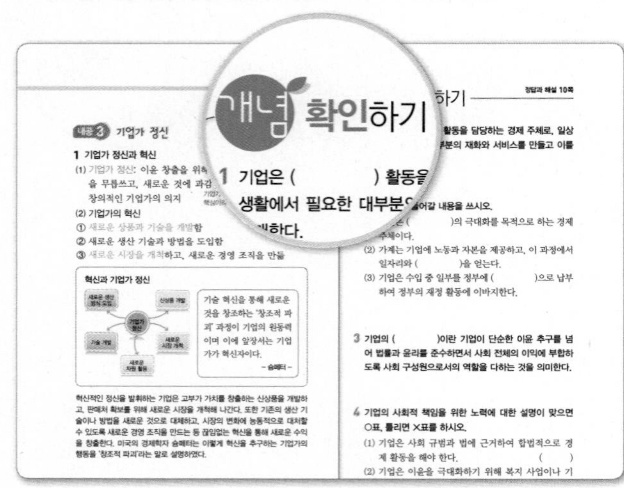

개념 확인하기

정답과 해설 10쪽

내공 3 기업가 정신

1 기업가 정신과 혁신
(1) 기업가 정신: 이윤 창출을 위해 … 을 무릅쓰고, 새로운 것에 과감 … 창의적인 기업가의 의지
(2) 기업가의 혁신
① 새로운 상품과 기술을 개발함
② 새로운 생산 기술과 방법을 도입함
③ 새로운 시장을 개척하고, 새로운 경영 조직을 만듦

혁신과 기업가 정신

기술 혁신을 통해 새로운 것을 창조하는 '창조적 파괴' 과정이 기업의 원동력이며 이에 앞장서는 기업가가 혁신자이다. - 슘페터 -

혁신적인 정신을 발휘하는 기업은 고부가 가치를 창출하는 신상품을 개발하고, 판매처 확보를 위해 새로운 시장을 개척해 나간다. 또한 기존의 생산 기술이나 방법을 새로운 것으로 대체하고, 시장의 변화에 능동적으로 대처할 수 있도록 새로운 경영 조직을 만드는 등 끊임없는 혁신을 통해 새로운 수익을 창출한다. 미국의 경제학자 슘페터는 이렇게 혁신을 추구하는 기업가의 행동을 '창조적 파괴'라는 말로 설명하였다.

1 기업은 (   ) 활동을 담당하는 경제 주체로, 일상생활에서 필요한 대부분의 재화와 서비스를 만들고 이를 … 하다.

… 들어갈 내용을 쓰시오.
…)의 극대화를 목적으로 하는 경제 주체이다.
(2) 가계는 기업에 노동과 자본을 제공하고, 이 과정에서 일자리와 (   )을 얻는다.
(3) 기업은 수입 중 일부를 정부에 (   )으로 납부하여 정부의 재정 활동에 이바지한다.

3 기업의 (   )이란 기업이 단순한 이윤 추구를 넘어 법률과 윤리를 준수하면서 사회 전체의 이익에 부합하도록 사회 구성원으로서의 역할을 다하는 것을 의미한다.

4 기업의 사회적 책임을 위한 노력에 대한 설명이 맞으면 ○표, 틀리면 ×표를 하시오.
(1) 기업은 사회 규범과 법에 근거하여 합법적으로 경제 활동을 해야 한다. (   )
(2) 기업은 이윤을 극대화하기 위해 복지 사업이나 기

내공 2 단계 | 개념 확인하기

핵심 개념을 잘 이해했는지 확인하는 단계! 학습한 내용을 바로바로 확인할 수 있도록 단답형 문제로 구성하였습니다.

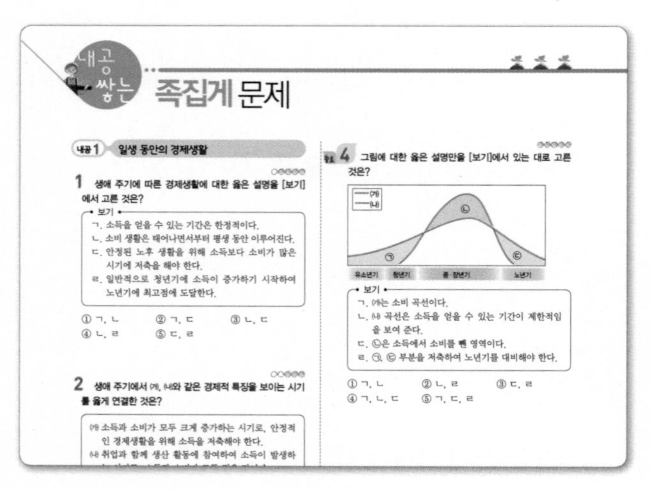

내공 쌓는 족집게 문제

내공 1 일생 동안의 경제생활

1 생애 주기에 따른 경제생활에 대한 옳은 설명을 [보기]에서 고른 것은?

보기
ㄱ. 소득을 얻을 수 있는 기간은 한정적이다.
ㄴ. 소비 생활은 태어나면서부터 평생 동안 이루어진다.
ㄷ. 안정된 노후 생활을 위해 소득보다 소비가 많은 시기에 저축을 해야 한다.
ㄹ. 일반적으로 청년기에 소득이 증가하기 시작하여 노년기에 최고점에 도달한다.

① ㄱ, ㄴ ② ㄱ, ㄷ ③ ㄴ, ㄷ
④ ㄴ, ㄹ ⑤ ㄷ, ㄹ

2 생애 주기에서 (가), (나)와 같은 경제적 특징을 보이는 시기를 옳게 연결한 것은?

(가) 소득과 소비가 모두 크게 증가하는 시기로, 안정적인 경제생활을 위해 소득을 저축해야 한다.
(나) 취업과 함께 생산 활동에 참여하여 소득이 발생하

4 그림에 대한 옳은 설명만을 [보기]에서 있는 대로 고른 것은?

보기
ㄱ. (가)는 소비 곡선이다.
ㄴ. (나) 곡선은 소득을 얻을 수 있는 기간이 제한적임을 보여 준다.
ㄷ. ㉡은 소득에서 소비를 뺀 영역이다.
ㄹ. ㉠, ㉢ 부분을 저축하여 노년기를 대비해야 한다.

① ㄱ, ㄴ ② ㄴ, ㄹ ③ ㄷ, ㄹ
④ ㄱ, ㄴ, ㄷ ⑤ ㄱ, ㄷ, ㄹ

내공 3 단계 | 내공 쌓는 족집게 문제

내신에 강해지는 길은 기출 문제를 많이 풀어 보는 것! 학교 기출 문제를 철저히 분석하여 출제 가능성이 높은 유형의 문제들로 구성하였습니다.

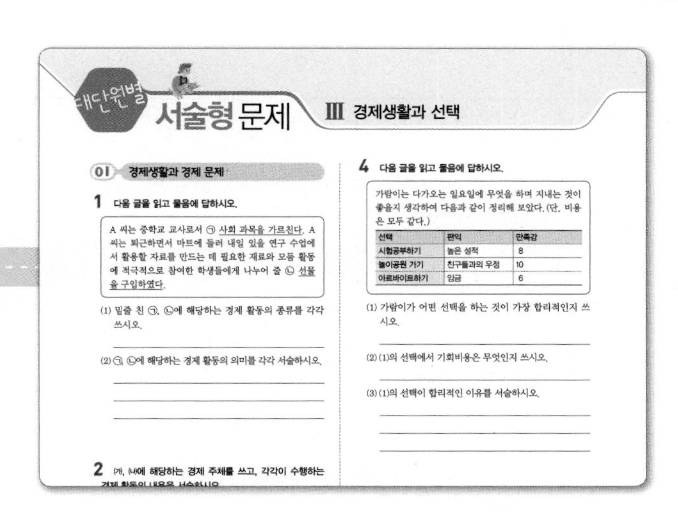

내공 점검 | 내공 5 단계

마지막 최종 점검 단계! 지금까지 쌓은 내공을 모아모아 실력을 최종 점검할 수 있도록 대단원별로 실전 문제를 구성하였습니다. 단원 통합형 문제와 서술형 문제로 내신 만점을 확실하게 준비할 수 있습니다.

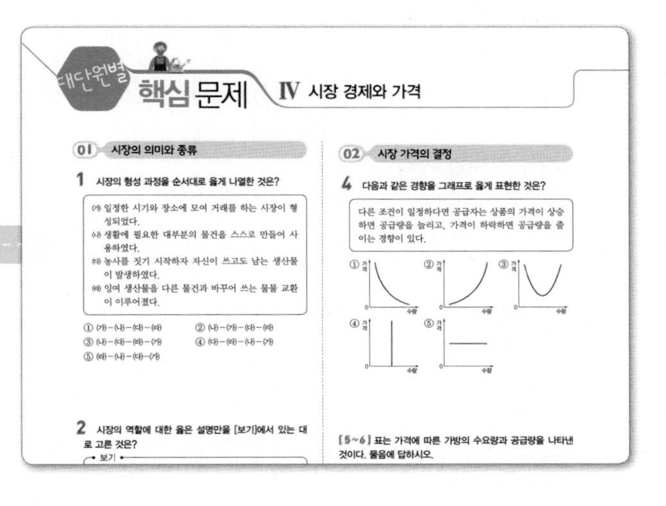

서술형 문제 | 내공 4 단계

교과서 핵심 주제와 자료를 선별하여 학교 시험에 자주 출제되는 유형의 서술형 문제로 구성하였습니다.

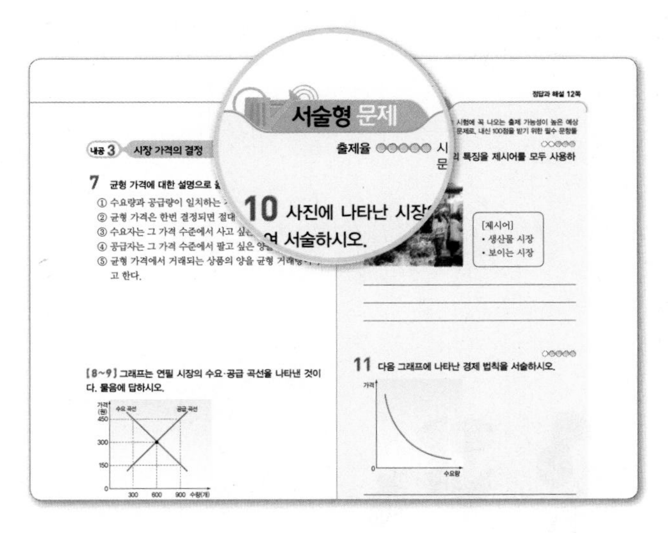

내공과 내 교과서

단원 비교

단원	소단원	내공	비상교육	미래엔	천재교육
I 인권과 헌법	01 인권 보장과 기본권	8~13	10~15	12~16	12~17
	02 인권의 침해 및 구제	14~17	16~19	17~21	18~23
	03 근로자의 권리와 노동권 침해 및 구제	18~21	20~23	22~25	24~27
II 헌법과 국가 기관	01 국회	22~25	28~31	30~33	32~35
	02 행정부와 대통령	26~29	32~35	34~37	36~39
	03 법원과 헌법 재판소	30~33	36~41	38~43	40~45
III 경제생활과 선택	01 경제생활과 경제 문제	34~37	46~51	48~53	50~57
	02 기업의 역할과 사회적 책임	38~41	52~55	54~57	58~61
	03 금융 생활의 중요성	42~45	56~61	58~61	62~67
IV 시장 경제와 가격	01 시장의 의미와 종류 ~ 02 시장 가격의 결정	46~49	66~73	66~73	72~81
	03 시장 가격의 변동	50~53	74~79	74~79	82~87
V 국민 경제와 국제 거래	01 국내 총생산과 경제 성장	54~57	84~87	84~87	92~95
	02 물가와 실업	58~61	88~93	88~91	96~101
	03 국제 거래와 환율	62~67	94~99	92~97	102~107
IV 국제 사회와 국제 정치	01 국제 사회의 이해 ~ 02 국제 사회의 모습과 공존 노력	68~73	104~113	102~109	112~119
	03 우리나라의 국가 간 갈등 문제	74~78	114~117	110~115	120~123

Textbook

천재교과서	동아	지학사	금성	박영사
12~15	12~15	12~17	12~17	10~13
16~21	16~21	18~21	18~21	14~18
22~25	22~25	22~27	22~25	19~23
30~35	30~33	32~35	30~33	28~31
36~39	34~37	36~39	34~37	32~36
40~45	38~41	40~45	38~41	37~41
50~53	46~53	50~55	48~53	46~50
54~57	54~57	56~59	54~57	51~54
58~63	58~61	60~65	58~61	55~59
68~77	66~73	70~79	66~75	64~71
75~81	74~79	80~83	76~79	72~77
86~89	84~87	88~91	84~87	82~85
90~93	88~91	92~97	88~93	36~90
94~101	92~97	98~101	94~97	91~97
106~117	102~111	106~113	102~111	102~110
118~121	112~115	114~119	112~115	111~115

CONTENTS 차례

인권과 헌법

II

헌법과 국가 기관

경제생활과 선택

시장 경제와 가격

국민 경제와 국제 거래

국제 사회와 국제 정치

내공 점검

CONTENTS

01 인권 보장과 기본권

내공 1 인권의 의미와 인권 보장의 중요성

1 인권의 의미

(1) 인권: 인간이 마땅히 누려야 할 기본적인 권리

(2) 인권의 의의: 인간이기 때문에 누구나 존중받으며 살아갈 권리가 있음

2 인권 보장의 중요성

(1) 인권의 특성

자연권	국가에서 법이나 제도로 보장하기 이전에 인간에게 자연적으로 부여된 권리
천부 인권	인간이 태어날 때부터 본래 지닌 권리
보편적 권리	인종, 성별, 사회적 지위, 재산 등에 관계없이 모든 사람이 동등하게 누릴 수 있는 권리
불가침의 권리	국가 권력이 함부로 침해할 수 없는 권리

(2) 인권 보장의 중요성: 인권이 보장될 때 인간이 인격적 존재로서 존중받으며, 최소한의 인간다운 삶을 살 수 있음

3 인권 보장의 역사적 전개

(1) 근대 이전: 신분제 체제 속에서 왕과 소수 귀족은 많은 특권을 누린 반면, 대다수 평민은 억압과 차별을 받았음

(2) 근대 이후

① 시민 혁명: 계몽사상의 영향을 받은 시민들이 절대 군주의 억압에 대항하여 일으킨 혁명 예 프랑스 혁명 등

② 관련 문서: 인간과 시민의 권리 선언(1789년) 등

③ 시민 혁명의 결과: 시민의 자유와 평등이 제도적으로 보장되기 시작하였음

인간과 시민의 권리 선언(프랑스 인권 선언)

제1조 인간은 자유롭고 평등하게 태어나 생활할 권리를 가진다. 사회적 차별은 공익을 위해서만 가능하다.

제2조 모든 정치적 결사의 목적은 인간의 자연적이고 소멸될 수 없는 권리를 보전하는 것이다. 그 권리는 자유, 재산, 안전 및 압제에 대한 저항이다.

제3조 주권은 국민에게 있다. 어떠한 단체나 개인도 국민에게서 나오지 않는 권력을 행사할 수 없다.

제6조 법은 일반 의지의 표현이다. …(중략)… 모든 시민은 법 앞에 평등하므로 그 능력, 품성과 재능에 의한 차별 이외에는 평등하게 공적인 지위와 직무를 동등하게 맡을 수 있다.

프랑스 혁명 과정에서 선포된 「인간과 시민의 권리 선언」에서는 천부 인권, 자유권, 평등권, 저항권, 참정권 등을 규정하였으며, 인간의 천부적 권리는 시간과 장소를 초월하여 보편적임을 선언하였다.

(3) 제2차 세계 대전 이후: 세계 인권 선언을 발표하여 인권이 전 인류가 추구해야 할 보편적 가치임을 선포함 (국제 연합(UN)에서 채택되었어.)

세계 인권 선언

제1조 모든 사람은 태어날 때부터 자유롭고, 존엄하며, 평등하다. 모든 사람은 이성과 양심을 가지고 있으므로 서로에게 형제애의 정신으로 대해야 한다.

제2조 모든 사람은 인종, 피부색, 성별, 언어, 종교 등 어떤 이유로도 차별받지 않으며, 이 선언에 나와 있는 모든 자유와 권리를 누릴 자격이 있다.

제3조 모든 사람은 자기 생명을 지킬 권리, 자유를 누릴 권리, 그리고 자신의 안전을 지킬 권리가 있다.

— 자유권, 평등권 중심의 인권 사상이 반영되어 있어.

세계 인권 선언은 모든 사람의 인권이 보장되어야 함을 국제적으로 선언한 최초의 문서로, 다양한 영역에서의 인권 보장을 강조하고, 인권 보장을 위한 국제 협력을 추구하고 있다.

(4) 인권의 확대: 인권 보장은 오랜 기간 시민들이 부당한 국가 권력, 제도에 맞서 싸워서 이루어 낸 것 → 인권은 시민의 노력과 참여에 의해 지속적으로 확대되고 있음

내공 2 헌법에서 보장하는 기본권

1 인권과 헌법의 관계

(1) 헌법: 국민의 기본적 인권을 규정하고, 국가 기관을 어떻게 조직하고 운영할 것인지를 정하는 한 나라의 최고 법

(2) 인권을 보호하는 헌법: 대부분의 민주 국가에서는 헌법에 기본적 인권을 규정함 (헌법은 인권을 보장하는 법적 장치로서의 역할을 해.)

(3) 우리나라 헌법과 인권 보장: 우리 헌법은 인권을 국민의 기본권으로 규정하고, 국가는 국민의 기본권을 보장할 의무가 있음을 밝힘

2 헌법과 기본권

(1) 기본권: 헌법에 보장된 기본적인 인권 → 우리 헌법은 인간의 존엄과 가치, 행복 추구권을 토대로 기본권을 보장함

(2) 인간의 존엄과 가치 및 행복 추구권: 인간으로서의 존엄과 가치를 가지며 행복을 추구할 권리 → 모든 기본권이 궁극적으로 지향하는 근본 가치

우리 헌법에 나타난 인간의 존엄과 가치 및 행복 추구권

제10조 모든 국민은 인간으로서의 존엄과 가치를 가지며, 행복을 추구할 권리를 가진다. 국가는 개인이 가지는 불가침의 기본적 인권을 확인하고 이를 보장할 의무를 진다.

헌법 제10조는 인간은 존중받아야 하며, 물질적 풍요뿐만 아니라 정신적 만족을 동시에 추구할 수 있는 포괄적 권리를 가지고 있음을 밝히고 있다. 이것은 헌법에 보장된 다른 모든 기본권의 토대가 된다. 또한 우리 헌법은 인권을 실질적으로 보장하기 위해 국가가 국민의 기본권을 보장할 의무가 있음을 강조하고 있다.

3 기본권의 종류와 내용

(1) 자유권

① 의미: 국가 권력의 간섭을 받지 않고 자유롭게 생활할 수 있는 권리

② 특징: 국가의 역할을 제한함으로써 보장되는 권리 → 소극적 성격을 띰

③ 내용

신체의 자유	불법한 체포·구속 등으로부터의 자유
정신적 자유	학문과 예술의 자유, 양심의 자유, 종교의 자유, 언론·출판, 집회·결사의 자유 등
사회·경제적 자유	재산권 보장, 거주 이전의 자유, 직업 선택의 자유 등

(2) 평등권

① 의미: 인종, 성별, 종교, 장애 등에 의해 부당한 차별을 받지 않고 동등하게 대우받을 권리

② 특징: 민주 국가의 기본 가치이자 다른 기본권을 실현하기 위한 전제 조건

③ 내용: 모든 국민은 법 앞에 평등하며, 누구든지 성별·종교 또는 사회적 신분에 의하여 차별받아서는 안 됨

(3) 사회권

① 의미: 국민이 인간다운 생활의 보장을 국가에 요구할 수 있는 권리 → 적극적 성격을 띰

② 특징: 국가의 적극적인 개입이 필요한 권리 → 현대 복지 국가에서 강조되고 있음

③ 내용: 교육을 받을 권리, 근로의 권리, 인간다운 생활을 할 권리, 쾌적한 환경에서 살 권리 등

(4) 참정권

① 의미: 국민이 국가의 의사 결정 과정에 참여할 수 있는 권리

② 특징: 국민 주권주의를 실현하는 수단

③ 내용: 선거권, 공무 담임권, 국민 투표권 등

선거권	국민의 대표를 뽑을 수 있는 권리
공무 담임권	국민이 국가나 지방 자치 단체의 구성원이 되어 공직을 맡을 수 있는 권리
국민 투표권	국가의 중요한 정책에 대해 국민이 직접 찬반의 의견을 표시하여 결정할 권리

(5) 청구권

① 의미: 국가에 대해 일정한 행위를 요구할 수 있는 권리

② 특징: 다른 기본권을 보장하기 위한 수단적 성격을 띰

③ 내용: 청원권, 재판 청구권, 국가 배상 청구권 등

청원권	국민이 국가에 어떤 일을 해 달라고 문서로 요구할 수 있는 권리
재판 청구권	국가에 신속하고 공정한 재판을 요구할 권리
국가 배상 청구권	공무원의 직무상 불법 행위로 인해 피해를 입은 국민이 국가에 대해 손해 배상을 청구할 수 있는 권리

우리 헌법에 규정된 국민의 기본권

제11조 ① 모든 국민은 법 앞에 평등하다. 누구든지 성별·종교 또는 사회적 신분에 의하여 정치적·경제적·사회적·문화적 생활의 모든 영역에 있어서 차별을 받지 아니한다. – 평등권

제12조 ① 모든 국민은 신체의 자유를 가진다. – 자유권(신체의 자유)

제15조 모든 국민은 직업 선택의 자유를 가진다. – 자유권(사회·경제적 자유)

제21조 ① 모든 국민은 언론·출판의 자유와 집회·결사의 자유를 가진다. – 자유권(정신적 자유)

제25조 모든 국민은 법률이 정하는 바에 의하여 공무 담임권을 가진다. – 참정권

제26조 ① 모든 국민은 법률이 정하는 바에 의하여 국가 기관에 문서로 청원할 권리를 가진다. – 청구권

제34조 ① 모든 국민은 인간다운 생활을 할 권리를 가진다. – 사회권

제37조 ① 국민의 자유와 권리는 헌법에 열거되지 아니한 이유로 경시되지 아니한다.

우리 헌법에서는 인간의 존엄과 가치 및 행복 추구권을 기초로 하여 자유권, 평등권, 사회권, 참정권, 청구권 등 다양한 기본권을 보장하고 있다. 이 밖에도 인간의 존엄과 가치를 실현하는 데 필요한 기본적인 권리라면 헌법에 명시되지 않아도 보장된다.

내공 3 기본권의 제한과 한계

1 기본권의 제한

(1) 기본권 제한의 내용

목적 및 범위	국가 안전 보장, 질서 유지, 공공복리를 위해 필요한 경우에 한하여 제한할 수 있음
방법	국회에서 제정한 법률로써만 제한할 수 있음

(2) 기본권 제한의 필요성: 타인의 기본권을 침해하는 행위나 공익에 해를 끼치는 행위 방지, 모든 공동체 구성원의 기본권 존중

국가 안전 보장	국가의 존립, 영토의 보존, 헌법 질서의 유지 등
질서 유지	타인의 권리를 침해하지 않고 공공질서를 지킴
공공복리	사회 구성원 전체에게 공통되는 이익

2 기본권 제한의 한계

(1) 기본권 제한의 정도: 기본권 제한으로 인한 국민의 피해를 최소로 해야 하며, 이를 통해 달성하려는 공익이 침해되는 사익(개인의 이익)보다 커야 함

(2) 기본권 제한의 한계: 자유와 권리의 본질적인 내용을 침해할 수 없음

(3) 기본권 제한의 한계를 정한 이유: 국가 권력의 남용을 방지함으로써 국민의 자유와 권리를 더욱 충실히 보장하기 위함

우리 헌법의 기본권 제한 규정

제37조 ② 국민의 모든 자유와 권리는 국가 안전 보장·질서 유지 또는 공공복리를 위하여 필요한 경우에 한하여 법률로써 제한할 수 있으며, 제한하는 경우에도 자유와 권리의 본질적인 내용을 침해할 수 없다.

우리 헌법은 국가가 국민의 기본권을 제한하는 경우에 그 한계를 분명히 정하여 국가 권력이 함부로 국민의 기본권을 침해할 수 없도록 하고 있다.

정답과 해설 2쪽

1 인간이 인간답게 살기 위해 마땅히 누려야 할 기본적인 권리를 (   )이라고 한다.

2 인권의 특성과 그 내용을 옳게 연결하시오.

(1) 자연권 •   • ㉠ 모두가 동등하게 누리는 권리
(2) 천부 인권 •   • ㉡ 태어날 때부터 하늘이 부여해 준 권리
(3) 보편적 권리 •   • ㉢ 국가 권력이 함부로 침해할 수 없는 권리
(4) 불가침의 권리 •   • ㉣ 법으로 보장하기 이전에 자연적으로 주어진 권리

3 다음 설명에 해당하는 기본권을 [보기]에서 찾아 기호를 쓰시오.

보기
ㄱ. 사회권   ㄴ. 자유권   ㄷ. 참정권
ㄹ. 청구권   ㅁ. 평등권

(1) 국가의 의사 결정 과정에 참여할 수 있는 권리 (   )
(2) 국가에 대해 일정한 행위를 요구할 수 있는 권리 (   )
(3) 부당하게 차별받지 않고 동등하게 대우받을 권리 (   )
(4) 국가 권력의 간섭 없이 자유롭게 생활할 수 있는 권리 (   )
(5) 국가에 인간다운 생활의 보장을 요구할 수 있는 권리 (   )

4 다음 설명이 맞으면 ○표, 틀리면 ×표를 하시오.

(1) 헌법에 보장된 기본적 인권을 기본권이라고 한다. (   )
(2) 기본권을 제한하는 경우에는 자유와 권리의 본질적 내용도 침해할 수 있다. (   )
(3) 헌법에 기본권 보장을 명시하는 것은 인권을 실질적으로 보장하기 위해서이다. (   )
(4) 기본권 제한의 한계를 엄격하게 정함으로써 국가 권력의 남용을 방지할 수 있다. (   )
(5) 기본권은 국가 안전 보장, 질서 유지, 공공복리를 위해 규칙으로써만 제한할 수 있다. (   )

족집게 문제

내공 1 인권의 의미와 인권 보장의 중요성

중요 **1** 인권에 대한 설명으로 옳지 않은 것은?

① 인간이 태어나면서부터 갖는 권리이다.
② 국가 권력이 함부로 침해할 수 없는 권리이다.
③ 국가가 법으로 보장해야만 주어지는 권리이다.
④ 인간이라는 이유만으로 누릴 수 있는 권리이다.
⑤ 인간의 존엄성을 유지하기 위한 기본적인 권리이다.

2 (가), (나)에 해당하는 인권의 특성을 옳게 연결한 것은?

(가) 국가에서 법으로 보장하기 이전에 자연적으로 주어진 권리
(나) 인종, 성별, 지위 등을 초월하여 모든 사람이 동등하게 누리는 권리

	(가)	(나)
①	자연권	천부 인권
②	자연권	보편적 권리
③	보편적 권리	천부 인권
④	보편적 권리	불가침의 권리
⑤	불가침의 권리	보편적 권리

3 인권의 발달 과정에 대한 옳은 설명을 [보기]에서 고른 것은?

보기
ㄱ. 근대 이전부터 인권에 대한 시민들의 관심이 매우 높았다.
ㄴ. 시민 혁명 과정에서 인권 보장에 관한 문서들이 등장하였다.
ㄷ. 인권은 국가의 노력에 의해 자연스럽게 확대되고 보장되었다.
ㄹ. 세계 인권 선언은 인권 보장을 위한 국제적인 기준을 제시하였다.

① ㄱ, ㄴ   ② ㄱ, ㄹ   ③ ㄴ, ㄷ
④ ㄴ, ㄹ   ⑤ ㄷ, ㄹ

출제율 ●●●●● 시험에 꼭 나오는 출제 가능성이 높은 예상 문제로, 내신 100점을 받기 위한 필수 문항들

○○●●●

4 다음 인권 보장 문서의 내용 중 천부 인권 사상이 가장 잘 드러난 것은?

① 법은 일반 의지의 표현이다.
② 인간은 자유롭고 평등하게 태어나 생활할 권리를 가진다.
③ 어떠한 단체나 개인도 국민에게서 나오지 않은 권력을 행사할 수 없다.
④ 모든 사람은 인종, 피부색, 성별, 언어, 종교 등 어떤 이유로도 차별받지 않는다.
⑤ 모든 사람은 이성과 양심을 가지고 있으므로 서로에게 형제애의 정신으로 대해야 한다.

○○●●●

5 다음 세계 인권 선언의 조항에 나타난 인권의 특성만을 [보기]에서 있는 대로 고른 것은?

> **제1조** 모든 사람은 태어날 때부터 자유롭고, 존엄하며, 평등하다. 모든 사람은 이성과 양심을 가지고 있으므로 서로에게 형제애의 정신으로 대해야 한다.
> **제2조** 모든 사람은 인종, 피부색, 성별, 언어, 종교 등 어떤 이유로도 차별받지 않으며, 이 선언에 나와 있는 모든 자유와 권리를 누릴 자격이 있다.

보기
ㄱ. 자연권　　ㄴ. 천부 인권
ㄷ. 보편적 권리　　ㄹ. 차등적 권리

① ㄱ, ㄴ　② ㄱ, ㄹ　③ ㄷ, ㄹ
④ ㄱ, ㄴ, ㄷ　⑤ ㄴ, ㄷ, ㄹ

주관식

○○●●●

6 ㉠에 공통으로 들어갈 용어를 쓰시오.

> 대부분의 민주 국가에서는 (㉠)에 인권을 기본권으로 규정한다. (㉠)은/는 국가의 최고 법으로 국민의 기본적 인권을 보장하는 법적 장치이다.

○●●●●

7 헌법에 대한 옳은 설명만을 [보기]에서 있는 대로 고른 것은?

보기
ㄱ. 국민의 기본적 인권을 규정하고 있다.
ㄴ. 법 체계에서 가장 높은 상위의 법이다.
ㄷ. 국가 기관의 조직 및 운영 방법을 명시한다.
ㄹ. 기본권 보장의 의무가 국가가 아닌 개인에게 있음을 규정한다.

① ㄱ, ㄴ　② ㄱ, ㄹ　③ ㄷ, ㄹ
④ ㄱ, ㄴ, ㄷ　⑤ ㄴ, ㄷ, ㄹ

○●●●●

8 인권을 보호하는 헌법의 역할로 옳지 <u>않은</u> 것은?

① 개인이 가지는 기본적인 인권을 규정한다.
② 국가나 다른 집단의 인권 침해 행위를 방지한다.
③ 인권을 보장하기 위한 법적 장치의 역할을 한다.
④ 인권을 국가 기관이 함부로 침해할 수 없는 권리로 규정한다.
⑤ 국가가 헌법에 보장된 기본적인 권리만을 보장하도록 명시한다.

내공 2 헌법에서 보장하는 기본권

●●●●●

중요 **9** 우리나라 헌법에서 밑줄 친 부분과 같이 규정하고 있는 목적으로 가장 적절한 것은?

> **제10조** 모든 국민은 인간으로서의 존엄과 가치를 가지며, 행복을 추구할 권리를 가진다. <u>국가는 개인이 가지는 불가침의 기본적 인권을 확인하고 이를 보장할 의무를 진다.</u>

① 인권을 실질적으로 보장하기 위해
② 국가의 강제력 행사를 정당화하기 위해
③ 국가 권력의 행사를 편리하게 하기 위해
④ 인권을 제한할 수 있는 범위를 확대하기 위해
⑤ 국민의 자유와 권리를 무제한으로 보장하기 위해

10 ㉠, ㉡에 들어갈 내용을 옳게 연결한 것은?

> 우리 헌법이 보장하는 다양한 기본권 중에서 자유권은 국가의 역할을 제한함으로써 얻을 수 있는 권리라는 점에서 (㉠) 성격을 가지는 기본권이고, 청구권은 국가에 대해 일정한 행위를 요구할 수 있는 권리로 다른 기본권을 보장하기 위한 (㉡) 성격을 가지는 기본권이다.

	㉠	㉡		㉠	㉡
①	소극적	보편적	②	소극적	수단적
③	수단적	적극적	④	적극적	목적적
⑤	적극적	수단적			

11 다음 내용에 해당하는 기본권과 관련 있는 헌법 조항으로 가장 적절한 것은?

> • 신체의 자유 • 정신적 자유
> • 사회·경제적 자유

① 모든 국민은 법 앞에 평등하다.
② 모든 국민은 인간다운 생활을 할 권리를 가진다.
③ 모든 국민은 법률이 정하는 바에 의하여 선거권을 가진다.
④ 모든 국민은 언론·출판의 자유와 집회·결사의 자유를 가진다.
⑤ 모든 국민은 법률이 정하는 바에 의하여 국가 기관에 문서로 청원할 권리를 가진다.

중요 **12** 다음 사례들과 관련 있는 기본권과 그에 대한 설명이 옳게 연결된 것은?

> • 수능 시험에서 시각 장애인을 위한 음성 지원 프로그램이 제공되었다.
> • 17세 이상부터 21세 미만이라면 남녀 구분 없이 육군사관학교에 입학할 수 있다.

① 사회권 – 다른 기본권을 포함하는 포괄적 권리
② 평등권 – 차별받지 않고 동등하게 대우받을 권리
③ 참정권 – 다른 기본권을 보장하기 위한 수단적 권리
④ 청구권 – 국가의 의사 결정 과정에 참여할 수 있는 권리
⑤ 자유권 – 국가 권력의 간섭 없이 자유롭게 생활할 수 있는 권리

13 다음 내용에서 설명하는 기본권에 해당하는 권리를 [보기]에서 고른 것은?

> 국민이 국가에 인간다운 생활의 보장을 요구할 수 있는 권리로, 복지 국가의 등장과 함께 강조되었다.

• 보기 •
ㄱ. 국민 투표권 ㄴ. 근로의 권리
ㄷ. 재판 청구권 ㄹ. 교육을 받을 권리

① ㄱ, ㄴ ② ㄱ, ㄷ ③ ㄴ, ㄷ
④ ㄴ, ㄹ ⑤ ㄷ, ㄹ

14 (가), (나) 사례와 관련 있는 기본권을 옳게 연결한 것은?

> (가) A 씨는 국회 의원이 되어 정치에 참여하고자 국회 의원 선거에 후보자로 등록하였다.
> (나) 고령과 질병으로 움직임이 불편한 B 씨는 국가에서 운영하는 제도의 혜택을 받아 방문 간호를 받았다.

	(가)	(나)
①	사회권	청구권
②	자유권	평등권
③	참정권	사회권
④	청구권	참정권
⑤	평등권	자유권

15 (가)~(다) 사례에서 침해당한 기본권을 옳게 연결한 것은?

> (가) 건설 회사의 공사 때문에 발생한 소음과 먼지로 인해 주변 지역 주민들은 스트레스와 불면증에 시달리고 있다.
> (나) A 씨는 경찰에 체포될 때 불리한 진술은 거부할 수 있고 변호인의 도움을 받을 수 있다는 것을 고지받지 못했다.
> (다) 장애인인 B 군은 진학하고 싶은 학교에 지원했지만, 학교 측에서는 학교에 장애인을 위한 편의 시설이 없다며 B 군의 입학을 허락하지 않았다.

	(가)	(나)	(다)
①	사회권	자유권	평등권
②	자유권	사회권	참정권
③	참정권	자유권	청구권
④	청구권	평등권	사회권
⑤	평등권	자유권	청구권

내공 3 기본권의 제한과 한계

16 다음은 사회 수업 시간의 판서 내용이다. ㉠~㉢에 들어갈 내용을 옳게 연결한 것은?

〈기본권 제한의 목적〉
(1) (㉠): 사회 구성원 전체에게 공통되는 이익
(2) (㉡): 국가의 존립이나 헌법의 기본 질서 등을 보호하는 것
(3) (㉢): 사회의 공공질서, 도덕적 질서, 타인의 권리 등을 유지하는 것

	㉠	㉡	㉢
①	공공복리	질서 유지	국가 안전 보장
②	공공복리	국가 안전 보장	질서 유지
③	질서 유지	공공복리	국가 안전 보장
④	질서 유지	국가 안전 보장	공공복리
⑤	국가 안전 보장	질서 유지	공공복리

17 다음은 국민의 기본권 제한을 규정하고 있는 헌법 조항이다. 밑줄 친 ㉠~㉤ 중 옳지 않은 것은?

제37조 ② 국민의 모든 자유와 권리는 ㉠ 국가 안전 보장·㉡ 질서 유지 또는 ㉢ 공공복리를 위하여 필요한 경우에 한하여 ㉣ 대통령의 명령으로써 제한할 수 있으며, 제한하는 경우에도 ㉤ 자유와 권리의 본질적인 내용을 침해할 수 없다.

① ㉠ ② ㉡ ③ ㉢ ④ ㉣ ⑤ ㉤

중요 **18** 다음 사례에서 주민들의 권리가 제한되고 있는 사유로 가장 적절한 것은?

학교 주변에는 학교 환경 위생 정화 구역을 두고 있다. 이 구역 내에 거주하는 주민들은 자신의 건물이라 할지라도 학생들에게 유해한 시설이나 건축물을 마음대로 건립할 수 없다.

① 공공복리를 위해
② 국가의 안전 보장을 위해
③ 지역의 균형 발전을 위해
④ 학생의 자유권 보호를 위해
⑤ 건물주의 재산권 보호를 위해

서술형 문제

19 다음 내용이 설명하는 개념을 쓰고, 그 의미를 서술하시오.

• 자연권 • 천부 인권
• 보편적 권리 • 불가침의 권리

20 다음 헌법 조항을 읽고 물음에 답하시오.

제27조 ① 모든 국민은 헌법과 법률이 정한 법관에 의하여 법률에 의한 재판을 받을 권리를 가진다.
제29조 ① 공무원의 직무상 불법 행위로 손해를 받은 국민은 법률이 정하는 바에 의하여 국가 또는 공공 단체에 정당한 배상을 청구할 수 있다.

(1) 위 헌법 조항들과 관련된 기본권을 쓰고, 그 의미를 서술하시오.

(2) (1)의 기본권의 특징을 서술하시오.

21 빈칸에 들어갈 용어를 쓰고, 밑줄 친 목적과 방법을 서술하시오.

〈( ) 제한의 요건〉
• 제한하는 목적이 정당할 것
• 제한하는 방법이 적절할 것
• 제한으로 인한 피해를 최소화할 것
• 제한을 통해서 보호하려는 공익이 침해되는 사익보다 클 것

인권의 침해 및 구제

내공 1 일상생활 속 인권 침해

1 인권 침해의 의미와 유형

누구에게나 일어날 수 있으며, 정신적·물질적 피해를 모두 포함해.

(1) 인권 침해: 개인이나 단체 또는 국가 기관이 다른 사람의 인권을 침범하여 해를 입히는 행위

(2) 인권 침해의 원인: 고정 관념, 편견, 사회의 잘못된 관습이나 관행, 불합리한 법과 제도 등

(3) 인권 침해의 주체별 유형

① 국가 기관에 의한 침해: 정부가 정당한 이유 없이 시민의 일상을 감시하는 것 등

정부가 공권력을 부당하게 행사하거나 필요한 공권력을 행사하지 않을 경우 기본권이 침해돼.

② 개인이나 단체에 의한 침해: 폭력적인 시민이 다른 무고한 시민을 일방적으로 폭행하는 것 등

(4) 인권 침해의 양상: 인종 차별, 여성 차별, 사회적 약자의 보호 문제 등 일상생활 전반에서 다양한 형태로 나타남

① 가정: 노인과 아동의 방치로 인한 피해 등

② 학교: 집단 따돌림, 집단 괴롭힘, 체벌 등

③ 직장: 채용과 임금 등에서의 차별 대우 등

④ 사회: 폭행, 학대, 명예훼손 등

일상생활에서 나타나는 인권 침해 사례

(가) 청각 장애 2급 판정을 받은 A 씨는 전세 계약을 하기 위해 건물주와 부동산 중개소에서 만났다. 계약 도중 A 씨에게 청각 장애가 있다는 사실을 알게 된 건물주는 "청각 장애로 의사소통이 어려울 수 있기 때문에 A 씨에게 건물을 임대하지 않겠다."라고 했다.

(나) ○○ 회사는 신입 사원 채용 공고에 지원 가능한 나이를 35세로 제한하였고, 서류 심사 과정에서 지원자들이 특정 지역 출신이라는 이유로 혜택 또는 불이익을 주기도 하였다. 또한 면접 심사 과정에서 지원자의 외모를 평가하거나, 특정 대학 출신이라는 이유로 지원자를 무시하였다.

(가)에서 건물주가 임차인이 장애인이라는 이유로 임대 계약을 하지 않는 것은 장애인의 평등권과 경제생활의 자유를 침해한 것이다. (나)에서 회사는 유능한 직원을 채용할 권리가 있지만, 업무 능력과 무관한 출신 지역, 외모 등을 이유로 차별 대우를 하는 것은 입사 지원자의 평등권을 침해한 것이다.

2 인권 보장을 위한 바람직한 자세

(1) 인권 감수성: 나와 다른 사람이 가지는 권리의 소중함을 인식하고 인권 침해에 민감하게 반응하는 것 → 인권 감수성을 키우고 어떤 인권 침해가 발생하는지 살펴야 함

(2) 인권에 대한 이해와 관심: 인권의 내용을 제대로 파악하고 인권 침해 문제에 관심을 가짐

(3) 정당한 권리 회복 노력: 인권 침해 시 법에 정해진 방법과 절차에 따라 적극적으로 해결하려고 노력함

내공 2 인권 침해에 대한 구제 방법

1 인권 침해에 대한 구제 방법

(1) 국가 기관의 인권 침해에 대한 구제 방법

구분	내용
헌법 소원 심판 청구	공권력의 행사 또는 불행사에 의해서 기본권이 침해된 국민이 헌법 재판소에 권리 구제를 요청함
행정 심판, 행정 소송	행정 기관의 잘못으로 권리를 침해당한 경우 행정 소송을 제기하거나 행정 심판을 제기함
상소 제도	사법 기관의 잘못된 법 적용으로 인해 기본권이 침해되었다고 판단될 경우에 상급 법원에 다시 재판을 청구하는 제도
입법 청원	국회가 법 제정을 하지 않거나 불충분한 법을 제정할 경우 국회에 원하는 법률을 문서로 제출하여 제정되길 요구함
진정	국가 기관에 자신의 사정을 말하고 어떤 조치를 취해 줄 것을 요청함

(2) 개인이나 단체의 인권 침해에 대한 구제 방법

구분	내용
고소, 고발	범죄 행위로 기본권을 침해한 사람이나 단체의 대표를 처벌해 달라고 수사 기관에 요청할 수 있음
민사 소송	개인이나 단체에 의한 기본권 침해로 입은 재산적 손해나 정신적 피해에 대해 소송을 제기하여 손해를 배상받을 수 있음
국가 인권 위원회에 진정	성별, 종교, 장애 등을 이유로 차별을 받으면 국가 인권 위원회에 진정할 수 있음

2 인권 보장을 위한 국가 기관의 역할

(1) 법원의 의미와 역할

① 법원: 법을 적용하여 각종 분쟁을 해결하고, 국민의 침해받은 권리를 구제해 주는 국가 기관

② 법원의 역할: 재판 → 침해된 권리와 이익을 구제하기 위한 가장 보편적인 수단임

③ 재판을 통한 분쟁 해결: 국가 기관 또는 개인이나 단체에 의해 권리와 이익을 침해당한 사람은 법원에 민사·형사·행정 소송 등 다양한 재판을 청구할 수 있음

법원을 통한 인권 침해 구제 사례

지적 장애 2급인 13세 B 양은 부모님과 함께 놀이동산에서 놀이 기구를 타려고 했으나 놀이동산 직원이 "지적 장애인은 부모와 함께 탑승하더라도 놀이 기구 이용이 금지된다."라며 하차를 요구했다. B 양과 부모는 해당 놀이동산을 상대로 손해 배상 소송을 제기하였다. 법원은 지적 장애인에 대한 안전사고의 위험성이 비장애인보다 특별히 높다고 보기 어렵다며 놀이동산은 B 양에게 위자료를 지급하라고 판결하였다.

(2) 헌법 재판소의 의미와 역할

① 헌법 재판소: 헌법에 규정되어 있는 기본권이 충실히 보장되도록 하는 독립된 헌법 기관

② 헌법 재판소의 역할

위헌 법률 심판	법원의 재판 과정에서 전제가 되는 법률이 기본권을 침해하여 헌법에 위반되는지 여부가 문제가 될 때 그 법률의 위헌 여부를 심판함
헌법 소원 심판	공권력 또는 법률로 인해 헌법상 기본권을 침해당한 국민이 권리 구제를 청구하면 이를 심판함

헌법 재판소를 통한 인권 침해 구제 사례

A 씨는 주민 등록 번호가 불법 유출되어서 관할 지방 자치 단체장에게 주민 등록 번호를 변경해 줄 것을 신청했지만 지방 자치 단체장은 A 씨의 신청을 거부하였다. A 씨는 헌법 재판소에 헌법 소원 심판을 청구하였다. 이에 대해 헌법 재판소는 주민 등록 번호의 변경을 허용하지 않는 현행 주민 등록법은 개인의 기본권을 과도하게 침해하여 헌법에 합치되지 않는다고 결정하였다.

(3) 국가 인권 위원회의 의미와 역할

① 국가 인권 위원회: 인권과 관련된 전반적인 문제를 다루는 독립적인 국가 기관 (입법, 사법, 행정의 어디에도 소속되지 않는 독립된 국가 기구야.)

② 국가 인권 위원회의 역할

인권 침해 관련 법령, 제도의 개선 권고	인권 침해의 소지가 있는 법령, 제도의 문제점을 발견하여 이에 대한 개선을 권고함
인권 침해 사례의 조사 및 구제	국가 기관이 국민의 인권을 침해하거나 법인, 단체 등이 개인의 평등권을 침해할 경우에 이를 조사하여 구제함

(4) 국민 권익 위원회의 의미와 역할

① 국민 권익 위원회: 행정 민원의 처리와 공직 사회의 부패 예방 등을 통해서 국민의 권리를 보호하는 국가 기관

② 국민 권익 위원회의 역할

국민의 고충 처리	행정 기관의 잘못된 법 집행으로 인해 피해를 입은 국민의 고충 민원을 해결함
행정 심판 처리	국민이 행정 심판을 제기하면 이를 조사하여 행정 기관의 잘못된 처분을 취소하거나 무효로 만듦

(5) 기타

① 한국 소비자원: 소비자 보호 시책을 보다 체계적이고 효율적으로 추진하기 위해 설립된 기관

② 대한 법률 구조 공단: 경제적으로 어렵거나 법의 보호를 충분히 받지 못하는 국민의 권익 보호를 위해서 설립된 법률 복지 서비스 기관

③ 언론 중재 위원회: 언론 보도로 인한 분쟁을 중재하고, 언론의 인권 침해에 관한 사항을 심의하기 위해 설립된 기관

3 인권 침해의 구제를 위한 자세 인권 침해 문제에 적극적으로 대응해야 하며, 국가 기관에 도움을 요청해야 함

개념 확인하기

정답과 해설 4쪽

1 다음 설명이 맞으면 ○표, 틀리면 ×표를 하시오.

(1) 인권은 헌법에 기본권으로 정해져 있으므로 인권 침해는 발생하지 않는다. ( )

(2) 국민 권익 위원회의 주된 역할은 국민의 고충 민원 해결과 행정 심판 처리이다. ( )

(3) 성별, 나이를 이유로 채용 시 불이익을 받는 것은 인권 침해에 해당하지 않는다. ( )

(4) 국가 인권 위원회는 인권 침해와 관련된 문제를 다루는 국회에 소속된 국가 기관이다. ( )

(5) 국가 기관에 의해 부당하게 차별을 당한 사람은 수사 기관에 행정 심판을 제기할 수 있다. ( )

2 인권 침해에 대한 구제 방법과 관련 기관을 옳게 연결하시오.

(1) 상소 제도 •   • ㉠ 국회

(2) 입법 청원 •   • ㉡ 상급 법원

(3) 행정 소송 •   • ㉢ 수사 기관

(4) 고소, 고발 •   • ㉣ 행정 법원

(5) 헌법 소원 심판 청구 •   • ㉤ 헌법 재판소

3 다음 빈칸에 들어갈 내용을 쓰시오.

(1) 사법 기관의 잘못된 법 적용으로 기본권이 침해되었을 경우에는 (   ) 제도를 이용할 수 있다.

(2) 다른 모든 절차를 거쳤는데도 권리를 구제받지 못한 국민은 헌법 재판소에 (   )을 청구할 수 있다.

(3) 행정 기관의 잘못된 처분 등으로 권리나 이익을 침해받은 국민은 국민 권익 위원회에 (   )을 제기할 수 있다.

4 다음 괄호 안의 내용 중 알맞은 말에 ○표를 하시오.

(1) 오늘날 인권 침해의 범위는 (축소, 확대)되고 있다.

(2) (법원, 국가 인권 위원회)에서는 인권 침해의 소지가 있는 법령이나 제도의 문제점에 대해 시정을 권고한다.

(3) 개인이나 단체에 의한 인권 침해로 입은 재산적 손해에 대해서 (민사 소송, 행정 소송)을 제기하여 손해 배상을 요구할 수 있다.

(4) (위헌 법률 심판, 헌법 소원 심판)은 재판의 전제가 된 법률이 헌법에 위반되어 기본권을 침해하는지 여부를 헌법 재판소가 심판하는 것이다.

족집게 문제

내공 1 일상생활 속 인권 침해

1 인권 침해에 대한 옳은 설명을 [보기]에서 고른 것은?

보기
ㄱ. 인권 침해는 사회적·경제적 약자에게만 발생한다.
ㄴ. 인권 침해는 개인과 개인 간의 관계에서만 발생한다.
ㄷ. 정신적으로 피해를 입는 것도 인권 침해에 포함된다.
ㄹ. 다른 사람의 인권 침해에 관해서도 관심을 가져야 한다.

① ㄱ, ㄴ ② ㄱ, ㄷ ③ ㄴ, ㄷ
④ ㄴ, ㄹ ⑤ ㄷ, ㄹ

2 인권 보장을 위해 가져야 할 자세로 옳은 것은?

① 자신의 인권보다는 타인의 인권을 소중히 여기고 존중해야 한다.
② 인권의 내용과 인권 침해 시 구제 방법을 정확히 알아두어야 한다.
③ 공권력 행사에 따른 인권 침해는 불가피하므로 무조건 수용해야 한다.
④ 자신의 인권을 보장받기 위해 타인의 인권을 침해하는 것도 감수해야 한다.
⑤ 인권 침해를 사전에 예방하는 것보다 사후에 구제하는 것을 더 중요시해야 한다.

내공 2 인권 침해에 대한 구제 방법

3 국가 기관에 의해서 침해당한 인권을 구제받을 수 있는 방법을 [보기]에서 고른 것은?

보기
ㄱ. 헌법 재판소에 입법 청원을 한다.
ㄴ. 수사 기관에 고소 또는 고발한다.
ㄷ. 사법부에 의한 침해의 경우 상소 제도를 이용한다.
ㄹ. 행정부에 의한 침해의 경우 행정 심판을 제기한다.

① ㄱ, ㄴ ② ㄱ, ㄷ ③ ㄴ, ㄷ
④ ㄴ, ㄹ ⑤ ㄷ, ㄹ

4 인권 침해가 발생했을 때 구제 방법으로 옳지 않은 것은?

① 다른 사람이 인권을 침해한 경우에는 민사 소송을 통해 구제받을 수 있다.
② 기본권을 침해하는 법률에 대해 대법원에 위헌 법률 심판을 청구할 수 있다.
③ 소비자로서의 권리를 침해당했을 때에는 한국 소비자원에 조정을 신청할 수 있다.
④ 행정 기관의 잘못으로 권리를 침해받았을 때에는 법원에 행정 소송을 제기할 수 있다.
⑤ 하급 법원이 법을 잘못 적용한 판결로 인권을 침해한 경우에는 상급 법원에 상소할 수 있다.

중요 **5** 다음 인터넷 게시판의 답변 ㉠~㉤ 중 글쓴이의 침해된 인권을 구제받을 수 있는 방법으로 적절한 것은?

▶ 지식 Q&A
저는 몇 달 전에 ○○ 성형외과에서 성형 수술을 받았습니다. 그런데 지하철에 게재된 ○○ 성형외과의 홍보물에 저의 동의 없이 촬영한 제 사진이 나와 있었습니다. 전 어떻게 해야 할까요?

▶ 답변하기
└ ㉠ 국가 인권 위원회에 진정을 하여 침해된 인권을 구제받으세요.
└ ㉡ 언론 중재 위원회에 ○○ 성형외과 원장을 고소해서 처벌을 요구하세요.
└ ㉢ 법원에 민사 소송을 제기해서 정신적·물질적 피해에 대해 손해 배상을 받으세요.
└ ㉣ 헌법 재판소에 헌법 소원 심판을 신청해서 사건이 헌법에 위배되는지 여부를 판단해 보세요.
└ ㉤ 국민 권익 위원회에 행정 심판을 신청해서 ○○ 성형외과의 잘못된 처분을 무효화시키세요.

① ㉠ ② ㉡ ③ ㉢ ④ ㉣ ⑤ ㉤

6 인권 보장을 위한 법원의 역할만을 [보기]에서 있는 대로 고른 것은?

보기
ㄱ. 사법권을 행사하여 각종 분쟁을 해결한다.
ㄴ. 재판을 통해 침해된 권리와 이익을 구제한다.
ㄷ. 인권 침해 관련 법령이나 제도의 개선을 권고한다.
ㄹ. 재판 과정에서 재판의 전제가 되는 법률의 위헌 여부를 판단한다.

① ㄱ, ㄴ ② ㄱ, ㄷ ③ ㄷ, ㄹ
④ ㄱ, ㄴ, ㄹ ⑤ ㄴ, ㄷ, ㄹ

중요 7 빈칸에 들어갈 인권 구제 기관으로 옳은 것은?

○○ 대학원에 다니는 A 씨는 임신하게 되어 휴학을 신청하였다. 하지만 ○○ 대학원 측은 임신, 출산과 관련한 별도의 휴학 제도를 운용하지 않고 있어 A 씨는 출산 후 육아로 인해 학업을 포기해야 했다. 이에 A 씨는 (   )에 차별을 바로잡아 달라고 요청하였다.

① 헌법 재판소 ② 국가 인권 위원회
③ 국민 권익 위원회 ④ 언론 중재 위원회
⑤ 대한 법률 구조 공단

8 (가)에 들어갈 질문으로 옳은 것은?

- 선생님: 기본권 보장을 위해 ______(가)______
- 가영: 고충 민원에 대해 조사하여 잘못된 부분을 고치도록 조치합니다.
- 나현: 행정 심판에 대해 조사하여 행정 기관의 잘못된 처분을 취소하거나 무효로 만듭니다.

① 법원이 하는 일에는 어떤 것이 있을까요?
② 헌법 재판소가 하는 일에는 어떤 것이 있을까요?
③ 국가 인권 위원회가 하는 일에는 어떤 것이 있을까요?
④ 국민 권익 위원회가 하는 일에는 어떤 것이 있을까요?
⑤ 언론 중재 위원회가 하는 일에는 어떤 것이 있을까요?

서술형 문제

출제율 ●●●●● 시험에 꼭 나오는 출제 가능성이 높은 예상 문제로, 내신 100점을 받기 위한 필수 문항들

9 다음 사례들이 인권 침해에 해당하는 이유를 서술하시오.

- 남성이라는 이유로 간호사 채용에서 배제하는 것
- 아들에게만 재산을 상속하고 딸에게는 상속하지 않는 것

10 다음 사례를 읽고 물음에 답하시오.

과거 우리나라의 공직 선거법은 주소지가 대한민국에 등록되어 있는 사람만이 선거에 참여할 수 있게 하였다. 이로 인해 사업상의 이유로 몇 년째 외국에 거주하는 A 씨는 대한민국 국민임에도 불구하고 기본권을 행사할 수 없었다. A 씨는 침해된 기본권을 구제받기 위해 여러 방법을 다 사용했지만 소용이 없었다. 이 경우 침해된 기본권을 구제받기 위해 최후의 수단으로 A 씨는 ______(가)______

(1) A 씨가 침해당한 기본권을 쓰시오.

(2) (가)에 들어갈 기본권 구제 방안을 서술하시오.

11 빈칸에 들어갈 국가 기관을 쓰고, 그 역할을 두 가지 서술하시오.

(   )은/는 입법, 사법, 행정의 어디에도 소속되지 않은 독립된 국가 기구로서, 인권 보호 및 인권 향상을 위한 전반적인 업무를 수행하는 국가 기관이다.

03 근로자의 권리와 노동권 침해 및 구제

내공 1 근로자의 권리

1 근로자의 의미

(1) 근로자: 직업의 종류와 근로 기간에 상관없이 사용자에게 노동을 제공하고 임금을 받는 사람

사용자: 근로자를 채용하거나 해고하고, 근로에 대해 지휘·감독할 책임을 지는 사람

(2) 근로자의 유형: 회사원, 공무원, 기간제 근로자, 단시간 근로자 등

2 근로자의 권리(노동권)

(1) 근로의 권리: 일할 의사와 능력을 가진 사람이 국가에 대해 근로의 기회를 보장해 줄 것을 요구할 수 있는 권리

(2) 근로의 권리 보장을 위한 국가의 노력: 근로자의 고용 증진, 적정한 임금 제공, 근로자의 인간 존엄성 보장

① 근로 기준법: 근로자가 인간답게 일할 수 있는 근로 조건의 최저 기준을 법률로 정함으로써 근로자의 기본적인 생활을 보장함

근로 조건: 근로자가 노동력을 제공하는 조건으로, 임금, 근로 시간, 휴가 등이 포함돼.

② 최저 임금제: 국가가 근로자와 기업 간의 임금 결정 과정에 개입하여 임금의 최저 수준을 정하는 제도 → 근로자의 생활 안정과 노동력의 질적 향상을 꾀함

(3) 노동 삼권

노동조합: 근로 조건의 개선과 근로자의 지위 향상 등을 목적으로 근로자들이 조직한 단체

단결권	근로자가 노동조합을 만들고 그에 가입하여 활동할 권리
단체 교섭권	근로자가 노동조합을 통해 근로 조건에 관하여 사용자와 협상할 권리
단체 행동권	단체 교섭이 원만하게 이루어지지 않을 경우 근로자가 쟁의 행위를 할 수 있는 권리

헌법에 보장된 근로자의 권리

제32조 ① 모든 국민은 근로의 권리를 가진다. 국가는 사회적·경제적 방법으로 근로자의 고용의 증진과 적정 임금의 보장에 노력하여야 하며, 법률이 정하는 바에 의하여 최저 임금제를 시행하여야 한다.

제32조 ③ 근로 조건의 기준은 인간의 존엄성을 보장하도록 법률로 정한다.

제32조 ④ 여자의 근로는 특별한 보호를 받으며, 고용·임금 및 근로 조건에 있어서 부당한 차별을 받지 아니한다.

제32조 ⑤ 연소자의 근로는 특별한 보호를 받는다.

제33조 ① 근로자는 근로 조건의 향상을 위하여 자주적인 단결권·단체 교섭권 및 단체 행동권을 가진다.

우리 헌법에서는 모든 국민은 근로의 권리를 가지고 있고, 국가는 이를 보장할 책임이 있다고 명시하고 있다. 이에 따라 국가는 근로자의 고용을 증진하고 적정한 임금을 받을 수 있도록 최저 임금을 보장하고 있으며, 근로자의 인간 존엄성을 보장하는 근로 조건의 기준을 「근로 기준법」으로 정하고 있다. 근로자는 근로의 권리 외에도 노동 삼권을 헌법으로 보장받는다. 노동 삼권에 따라 근로자는 자율적으로 노동조합을 결성하여 사용자인 기업가와 대등한 위치에서 임금과 근로 조건을 협상할 수 있다.

(4) 근로자의 권리 보호

① 「근로 기준법」에 따라 사용자는 근로 계약을 체결할 때 근로 조건을 서면으로 명시해야 함

② 계약상의 근로 조건은 「근로 기준법」에서 정한 기준보다 낮아서는 안 됨

③ 청소년 근로자도 성인 근로자와 마찬가지로 헌법과 「근로 기준법」의 적용을 받음

법으로 보장된 근로 조건

- 근로 시간은 원칙적으로 휴식 시간을 제외하고 1일 8시간, 1주 40시간을 초과할 수 없다.
- 원칙적으로 근로 시간이 4시간이면 30분 이상, 8시간이면 1시간 이상의 휴식 시간을 일하는 도중에 주어야 한다.
- 원칙적으로 근로자를 해고하려면 적어도 30일 전에 알려 주어야 하며, 정당한 이유 없이 근로자를 해고할 수 없다.
- 임금은 원칙적으로 매달 1회 이상 일정한 날짜에 근로자 본인에게 직접 통화로 전액을 지급해야 하며, 반드시 최저 임금 이상 주어야 한다.

통화: 시중에서 유통되고 있는 화폐

「근로 기준법」은 헌법 제32조에 보장된 근로자의 권리와 기본적 생활을 보장하기 위해 근로자의 채용과 해고, 임금 지급, 근로 시간과 휴식 시간, 여성과 청소년 근로자의 보호 등 근로 조건의 최저 기준을 구체적으로 정하고 있다. 「최저 임금법」은 최저 임금 위원회의 심의를 거쳐 고용 노동부 장관이 최저 임금액을 정하고, 사용자는 근로자에게 최저 임금액 이상의 임금을 지급하도록 정하고 있다.

청소년 아르바이트 10계명

1계명 만 15세 이상의 청소년만 근로할 수 있어요.
2계명 부모님 동의서와 가족 관계 증명서를 제출해야 해요.
3계명 임금, 근로 시간, 휴일, 업무 내용 등이 포함된 근로 계약서를 반드시 작성해야 해요.
4계명 성인과 같은 최저 임금을 적용받아요.
5계명 하루 7시간, 일주일에 35시간 이상 일할 수 없어요.
6계명 휴일에 일하거나 초과 근무를 하면 50%의 가산 임금을 받을 수 있어요.
7계명 일주일을 개근하고 15시간 이상 일을 하면 하루의 유급 휴일을 받을 수 있어요.
8계명 청소년은 위험한 일이나 유해 업종의 일은 할 수 없어요.
9계명 일을 하다 다치면 산재 보험으로 치료와 보상을 받을 수 있어요.
10계명 상담은 국번 없이 1350과 1644-3119로 가능해요.

– 고용 노동부, 「청소년 알바 십계명」 –

헌법 제32조 5항에서는 "연소자의 근로는 특별한 보호를 받는다."라고 규정하고 있으며, 「근로 기준법」에서는 청소년 근로자를 위하여 위와 같은 특별 규정을 마련하고 있다. 청소년 근로자는 「근로 기준법」의 주요 내용을 이해하고 이를 바탕으로 근로 계약서를 작성해야 한다. 또한 노동권을 침해받았을 경우에는 고용 노동부 등을 통해 적극적으로 권리 구제를 요청해야 한다.

내공 2 노동권의 침해와 구제 방법

1 다양한 노동권 침해 사례

(1) 임금 체불: 임금을 제때에 모두 주지 않는 것
(2) 근로 조건 위반: 최저 임금, 근로 시간, 휴식 시간 등의 근로 조건을 위반하는 것
(3) 부당 해고: 정당한 이유 없이 해고하는 것
(4) 부당 노동 행위: 사용자가 근로자의 노동 삼권을 침해하는 행위 예 근로자가 노동조합에 가입했다는 이유로 불이익을 주는 행위 등

노동권 침해 사례

(가) A 씨는 동료와 노동조합을 만들기로 하였다. 그러자 회사에서는 노동조합을 만들지 못하게 방해하였다.
(나) B 씨는 매일 근로 시간 동안 열심히 일하였는데, 월급날이 되자 사장님이 돈이 없다며 월급을 절반만 주었다.
(다) C 씨가 회사에 결혼한다고 말하자 회사 측에서는 C 씨에게 결혼한 여성은 회사를 그만두어야 한다며 사표를 내라고 하였다.

(가) 근로자가 노동조합을 만드는 것을 사용자가 방해하는 것은 부당 노동 행위이므로, 노동권 침해에 해당한다. (나) 사용자는 정해진 날짜에 근로자에게 임금을 전액 지급해야 하는데, 일부만 지급하였으므로 노동권 침해에 해당한다. (다) 사용자가 결혼을 이유로 퇴직을 강요하는 것은 부당 해고이므로, 노동권 침해에 해당한다.

2 노동권 침해 시의 구제 방법

(1) 임금 체불을 당한 경우: 고용 노동부에 진정, 법원의 재판 (민사 소송을 통해 구제받을 수 있어.)
(2) 부당 해고 및 부당 노동 행위를 당한 경우: 노동 위원회에 구제 신청, 법원에 소 제기 (근로자 개인, 노동조합이 할 수 있어.)

노동 위원회

근로자, 사용자, 사회의 공익을 대변하는 위원들로 구성된 준사법적 성격을 가진 합의체 행정 기관으로, 노사 간의 분쟁을 신속하고 공정하게 조정·판정하는 기관이다. 중앙 노동 위원회와 각 지방 노동 위원회로 구성된다.

부당 해고와 부당 노동 행위에 대한 노동 위원회의 구제 절차

피해 당사자
↓ 3개월 이내에 구제 신청
지방 노동 위원회
↓ 불복 시 재심 신청
중앙 노동 위원회
↓ 불복 시 행정 소송 제기
법원

노동권을 침해당한 근로자는 3개월 이내에 지방 노동 위원회에 구제를 신청할 수 있다. 지방 노동 위원회의 판정에 불만이 있을 때는 중앙 노동 위원회에 재심 신청을 할 수 있다. 중앙 노동 위원회의 판정에도 불복할 경우에는 15일 이내에 법원에 행정 소송을 제기할 수 있다.

개념 확인하기

정답과 해설 5쪽

1 다음 빈칸에 들어갈 내용을 쓰시오.

(1) 사용자에게 노동을 제공하고 임금을 받는 사람을 (　　　　)라고 한다.
(2) (　　　　)는 사용자가 정당한 사유 없이 근로자를 해고하는 경우이다.
(3) 사용자가 근로자의 노동 삼권을 침해하는 행위를 (　　　　)라고 한다.
(4) 근로자의 단결권, 단체 교섭권, 단체 행동권을 (　　　　)이라고 한다.
(5) (　　　　)는 국가가 근로자와 기업 간의 임금 결정 과정에 개입하여 임금의 최저 수준을 정하는 제도이다.

2 다음 설명이 맞으면 ○표, 틀리면 ×표를 하시오.

(1) 사용자는 근로 조건의 향상을 위하여 단결권, 단체 교섭권, 단체 행동권을 가진다. (　　)
(2) 근로자가 노동조합에 가입했다는 이유로 불이익을 받았다면 부당 노동 행위에 해당한다. (　　)
(3) 국가는 근로자의 고용을 증진하고 적정한 임금을 받을 수 있도록 최저 임금을 보장하고 있다. (　　)
(4) 사용자의 부당 해고나 부당 노동 행위로 인해 권리를 침해당한 근로자는 노동 위원회에 구제를 신청할 수 있다. (　　)

3 다음 설명에 해당하는 노동 삼권을 [보기]에서 골라 기호를 쓰시오.

보기
ㄱ. 단결권　　ㄴ. 단체 교섭권
ㄷ. 단체 행동권

(1) 근로자가 노동조합을 만들고 그에 가입하여 활동할 수 있는 권리 (　　)
(2) 근로자가 노동조합을 통해 근로 조건에 관하여 사용자와 협상할 수 있는 권리 (　　)
(3) 단체 교섭이 원만하게 이루어지지 않을 경우 근로자가 쟁의 행위를 할 수 있는 권리 (　　)

4 노동권 침해 사례와 그 구제 방법을 옳게 연결하시오.

(1) 임금 체불 • 　　• ㉠ 노동 위원회나 법원에 권리 구제 요청
(2) 부당 해고 및 부당 노동 행위 • 　　• ㉡ 고용 노동부에 진정 또는 법원에 소 제기

족집게 문제

내공 1 근로자의 권리

1 근로자에 해당하지 않는 사람은?

① 매달 건물 임대료를 받는 A 씨
② 프로야구 선수로 연봉을 받는 B 씨
③ 대학 교수로 재직하며 월급을 받는 C 씨
④ 자동차 공장에서 근무하며 월급을 받는 D 씨
⑤ 가수 활동으로 불규칙하게 공연비를 받는 E 씨

주관식

2 다음 설명에 해당하는 용어를 쓰시오.

> 일할 의사와 능력을 가진 사람이 국가에 대해 근로의 기회를 보장해 줄 것을 요구할 수 있는 권리

3 (가)~(다)에 해당하는 노동 삼권이 옳게 연결된 것은?

> (가) 노동자들이 자신들의 노동권을 지키기 위해 노동조합을 결성하였다.
> (나) 회사 측은 임금 동결을 주장하고, 노조는 임금 인상을 요구하며 단체 협상을 진행하였다.
> (다) 회사와 노조 간의 협상이 결렬되자 노조는 합의에 이를 때까지 파업을 하기로 결정하였다.

	(가)	(나)	(다)
①	단결권	단체 교섭권	단체 행동권
②	단결권	단체 행동권	단체 교섭권
③	단체 교섭권	단결권	단체 행동권
④	단체 교섭권	단체 행동권	단결권
⑤	단체 행동권	단체 교섭권	단결권

4 청소년 근로자의 노동권에 대한 설명으로 옳은 것은?

① 부모가 대신 월급을 받을 수 있다.
② 최저 임금제의 적용을 받을 수 있다.
③ 원칙적으로 야간이나 휴일에 일을 해도 된다.
④ 노동 계약서에는 보호자인 부모가 서명해야 한다.
⑤ 하루 6시간, 1주일에 30시간 이상 일을 해서는 안 된다.

5 근로자의 권리에 대한 옳은 설명만을 [보기]에서 있는 대로 고른 것은?

> 보기
> ㄱ. 정당한 이유 없이 근로자를 해고할 수 없다.
> ㄴ. 근로 시간은 근로자와 협의 없이 1일 8시간을 초과할 수 없다.
> ㄷ. 임금은 매달 1회 이상 일정한 날짜에 본인에게 통화로 전액을 지급해야 한다.
> ㄹ. 근로 시간이 8시간이면 30분 이상의 휴식 시간을 일하는 도중에 주어야 한다.

① ㄱ, ㄴ　② ㄴ, ㄹ　③ ㄷ, ㄹ
④ ㄱ, ㄴ, ㄷ　⑤ ㄱ, ㄷ, ㄹ

내공 2 노동권의 침해와 구제 방법

중요 **6** (가)~(마)에 해당하는 노동권 침해 유형이 옳게 연결되지 않은 것은?

> (가) 몇 달째 임금을 받지 못한 A 씨
> (나) 육아 휴직을 신청했다는 이유로 해고를 당한 B 씨
> (다) 파업에 참여했다는 이유로 상여금을 받지 못한 C 씨
> (라) 회사의 입사 시험에 합격하지 못해 취업하지 못한 D 씨
> (마) 노동조합 활동에 적극적으로 참여하고 있다는 이유로 승진하지 못한 E 씨

① (가) – 임금 체납
② (나) – 부당 해고
③ (다) – 부당 노동 행위
④ (라) – 근로 조건 위반
⑤ (마) – 부당 노동 행위

서술형 문제

출제율 ●●●●● 시험에 꼭 나오는 출제 가능성이 높은 예상 문제로, 내신 100점을 받기 위한 필수 문항들

○○●●●

7 빈칸에 들어갈 노동권 구제 기관으로 옳은 것은?

> 사용자가 정당한 이유 없이 근로자를 해고, 감봉, 정직 기타 징계를 하는 경우 혹은 사용자의 부당 노동 행위 때문에 근로자의 노동 삼권이 침해당했을 때 해당 근로자는 (　　　)에 구제 신청을 하거나 법원에 소를 제기함으로써 권리를 구제받을 수 있다.

① 노동조합　② 노동 위원회
③ 공정 거래 위원회　④ 국가 인권 위원회
⑤ 국민 권익 위원회

●●●●●

중요 **8** 근로자의 노동권 구제 절차에 대한 설명으로 옳지 않은 것은?

① 부당 노동 행위는 노동 위원회나 법원에 권리 구제를 요청해야 한다.
② 부당 해고는 법원에 해고 무효 확인 소송을 청구하여 구제받을 수 있다.
③ 임금 체납은 고용 노동부에 진정하거나 소송을 제기하여 구제받을 수 있다.
④ 「근로 기준법」에 따른 정당한 이유에 의한 해고의 경우에도 권리 구제를 받을 수 있다.
⑤ 사용자와 근로자는 노동 위원회의 심판 결과에 이의가 있으면 소송을 통해 다툴 수 있다.

○●●●●

9 그림은 노동권 침해 구제 절차를 나타낸 것이다. ㉠~㉣에 대한 설명으로 옳지 않은 것은?

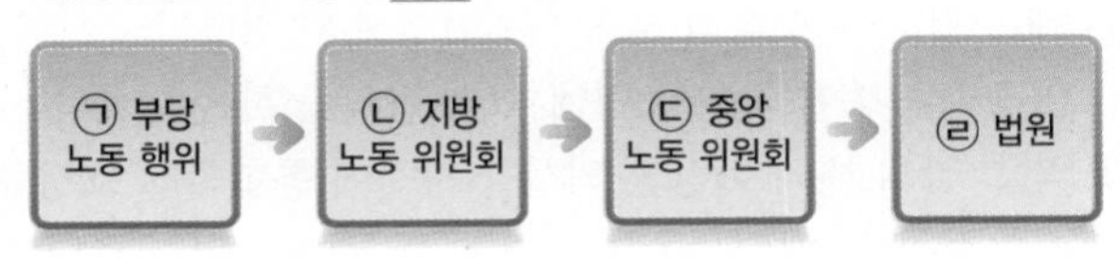

① ㉠에 대한 피해 구제 제도는 노동 삼권의 보호를 목적으로 한다.
② ㉠의 예로 정당한 노동조합 활동을 이유로 근로자를 해고한 것을 들 수 있다.
③ ㉡을 통한 구제 신청은 근로자 개인뿐만 아니라 노동조합도 가능하다.
④ ㉢의 결정에 불복할 경우 ㉣에 소를 제기할 수 있다.
⑤ ㉣에서 여러 차례의 민사 소송을 통해 침해된 권리를 구제받을 수 있다.

○○●●●

10 다음 사례와 관련된 근로자의 권리를 쓰고, 그 의미를 서술하시오.

> ○○ 건설 회사 직원들은 고용 안정과 임금 보장을 위해 노동조합을 결성하였다.

○●●●●

11 다음은 갑(17세)이 체결한 근로 계약서 내용 중 일부이다. 밑줄 친 ㉠~㉤ 중 「근로 기준법」을 위반한 것을 쓰고, 그 이유를 서술하시오.

> **연소 근로자 표준 근로 계약서**
> ______(이하 "사업주"라 함)과(와) ______(이하 "근로자"라 함)은 다음과 같이 근로 계약을 체결한다.
> 1. 근무 장소: ㉠ △△ 제과점
> 2. 근로 시간: ㉡ 10시~17시
> 3. 임금: ㉢ 시간당 10,000원
> 4. 근무일/휴일: ㉣ 월~금/토, 일
> 5. 임금: ㉤ 매주 월요일에 근로자의 부모에게 도서 상품권으로 임금을 지급한다.
> (후략)

○●●●●

12 다음 사례에서 가훈이가 침해된 노동권을 구제받을 수 있는 방법을 두 가지 쓰시오.

> 가훈이는 등록금을 마련하기 위해서 방학 동안에 ○○ 편의점에서 아르바이트를 하였는데, 사장은 장사가 잘 안 된다며 3개월이 지나도록 월급을 주지 않았다. 이에 가훈이는 밀린 임금을 받기 위해 어떻게 해야 할지 고민하고 있다.

01 국회

내공 1 국회의 의미와 구성

1 대의 민주 정치의 의미와 등장 배경

(1) 대의 민주 정치: 국민의 대표자를 선출하여 의회를 구성하고 의회에서 법을 만들거나 국가(나라)의 중요한 일을 결정하는 정치 제도

(2) 대의 민주 정치의 등장 배경

① 현대 국가는 영토가 넓고 인구가 많으며 사회가 복잡하여 모든 국민이 정치에 직접 참여하기 어려움

② 국민이 모든 공적 문제에 대해 전문 지식을 갖기 어려움

2 국회의 위상

(1) 국회: 국민이 선거를 통해 선출한 대표로 구성된 국가 기관

(2) 국회의 위상

국민의 대표 기관	국민이 직접 뽑은 대표자들로 구성되며, 국민의 다양한 의견을 반영하고 국민의 이익을 대변함
입법 기관	국가의 조직과 통치의 기초가 되는 법률을 제정·개정함
국가 권력의 견제 기관	국가 권력의 남용을 막고 국민의 기본권을 보장하기 위해 사법부와 행정부 등 다른 국가 기관을 감시, 견제함

국회의 위상을 명시한 헌법 조항

제40조 입법권은 국회에 속한다.

제41조 ① 국회는 국민의 보통·평등·직접·비밀 선거에 의하여 선출된 국회 의원으로 구성한다.

3 국회의 구성

(1) 국회의 구성 방식: 국민이 선거로 뽑은 지역구 국회 의원과 비례 대표 국회 의원으로 구성됨 → 선출된 국회 의원 중에서 국회 의장 1인과 부의장 2인을 선출함

지역구 국회 의원	각 지역구에서 최고 득표자로 선출된 국회 의원
비례 대표 국회 의원	각 정당이 얻은 득표율에 비례하여 선출된 국회 의원

국회 의원의 선출과 구성 방식

국회 의원 선거에서는 지역구 국회 의원을 선출하기 위한 투표와 비례 대표 국회 의원을 선출하기 위한 정당 투표를 동시에 실시한다. 따라서 유권자는 자기 지역에 출마한 '국회 의원 후보자'에 한 표, 자신이 지지하는 '정당'에 한 표씩 행사할 수 있다. 예를 들어 지역구 후보는 지지하지 않지만 정당을 지지하는 경우 유권자는 이러한 의사를 투표에 반영할 수 있다. 비례 대표 국회 의원을 선출하면 당선되지 않은 후보나 정당을 지지한 유권자들의 의사까지 존중하여 여론을 공정하게 반영할 수 있다는 장점이 있다.

(2) 국회 의원의 특징

① 임기와 특권: 임기는 4년이며, 국회에서 직무상 행한 발언과 표결에 관하여 국회 밖에서 책임을 지지 않음

② 국회 의원의 수: 헌법에 따라 200명 이상의 국회 의원으로 국회를 구성해야 함

4 국회의 조직과 운영

(1) 본회의

① 의미: 국회의 의사를 최종적으로 결정하는 회의 → 상임 위원회에서 심의한 법률안, 예산안 등을 최종 결정함

② 종류

정기회	매년 1회 정기적으로 열리는 회의
임시회	수시로 열리는 회의 → 대통령이나 국회 재적 의원 1/4 이상의 요구가 있을 때 열림

③ 의사 결정 방식: 헌법이나 법률에 특별한 규정이 없는 한 재적 의원 과반수의 출석과 출석 의원 과반수의 찬성으로 법안이나 안건을 의결함

④ 회의 진행 원칙: 국회의 회의는 공개하는 것을 원칙으로 함

(2) 위원회

① 의미: 본회의에서 심의할 안건을 미리 조사하고 심의하는 국회 의원들의 합의 기관

② 필요성: 사회가 복잡해지고 국가의 기능이 확대됨에 따라 본회의에서 모든 안건을 처리하기 힘들어짐 → 능률적인 의사 진행을 위해 위원회를 설치하여 운영함

③ 종류

상임 위원회	재정·경제, 통일, 외교 등 각 분야에 전문성과 관심을 가진 국회 의원들이 모여 관련 안건이나 법률을 심사하는 위원회
특별 위원회	각 상임 위원회에서 담당하는 사안이 아닌 특별한 안건을 처리하기 위해 일시적으로 구성되는 위원회

(3) 교섭 단체

① 의미: 일정 수 이상의 국회 의원이 소속된 정당이나 모임에 대표권을 주어 국회 운영에 대한 협의를 하는 단체

② 역할: 국회 내의 다양한 의사를 사전에 통합하고 조정함

국회의 효율적인 운영을 위한 조직

본회의는 국회 의원 전원으로 구성되며, 국회에 제출되는 모든 법률안과 예산안 등을 최종적으로 심의·의결한다. 위원회는 16개의 상임 위원회와 2개의 상설 특별 위원회(예산 결산 특별 위원회, 윤리 특별 위원회)가 있으며, 국회 의장을 제외한 모든 국회 의원은 전문성과 관심 분야에 따라 위원회의 위원이 된다. 교섭 단체는 국회 의원들의 의사를 사전에 조정하는 창구 역할을 하는 국회 의원 단체로, 20명 이상의 소속 의원을 가진 정당은 교섭 단체를 구성할 수 있다.

개념 확인하기

정답과 해설 6쪽

내공 2 국회의 권한

1 입법에 관한 권한: 국회의 가장 대표적인 역할

법률 제정·개정	국민의 대표 기관으로서, 국가 기관의 조직과 권력 행사의 근거가 되는 법률을 제정하거나 개정함
헌법 개정안 의결	헌법 개정안을 제안하고 의결함
조약의 체결에 대한 동의	대통령이 외국과 맺은 조약을 최종적으로 확인하고 동의함

제정은 제도나 법률을 만들어 정하는 것이고, 개정은 문서 등의 내용을 고쳐 바르게 하는 거야.

법률의 제정 및 개정

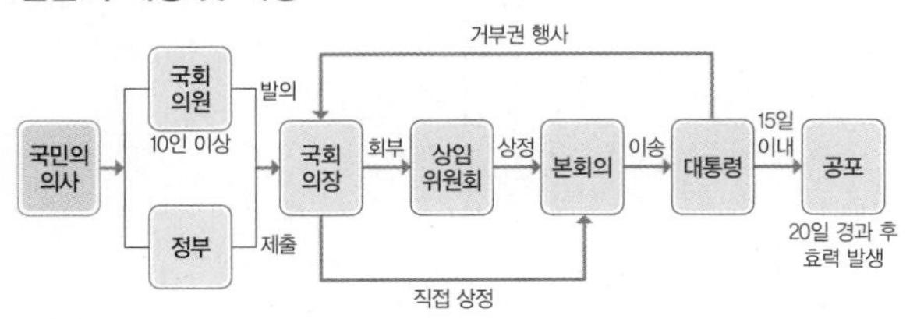

▲ 법률안 제·개정 절차

10인 이상의 국회 의원 또는 정부가 법률안을 제출하면 국회 의장은 제출된 법률안을 소관 상임 위원회에 넘겨 전문적인 심의를 받게 한다. 심의를 거친 법률안은 본회의에 넘겨져 질의 및 토론을 거친 후에 재적 의원 과반수의 출석과 출석 의원 과반수의 찬성으로 의결된다. 국회에서 의결된 법률안은 정부로 이송되며, 대통령이 15일 이내에 법률안을 공포하거나 거부권을 행사하여 국회에 환부해 재의를 요구할 수 있다. 특별한 규정이 없으면 공포된 법률안은 공포한 날로부터 20일 후 효력이 발생한다.

공포: 법률을 국민에게 공식적으로 알리는 것

2 국가 재정에 관한 권한

예산안 심의·확정	정부가 마련한 예산안을 직접 심의하고 확정함
결산 심사	정부가 예산을 합리적으로 집행하였는지 심사함
조세의 종목 및 세율 결정	국민에게 경제적인 부담을 주는 조세의 종목과 세율은 국회에서 만든 법률로 정하도록 함

국가 예산에 국민의 의사를 반영하고, 국민이 낸 세금이 제대로 사용되는지 감시하여 국민의 재산과 권리를 보호하기 위해서야.

3 일반 국정에 관한 권한

(1) 국정 감사와 국정 조사

국정 감사	매년 정기적으로 국정 전반을 감사하여 바로잡는 것
국정 조사	특정 사안에 대하여 조사하고 바로잡는 것

(2) 중요 공무원의 임명 동의: 국무총리, 대법원장, 헌법 재판소장 등 중요 공무원을 임명할 때 인사 청문회를 실시하고 동의권을 행사함

(3) 중요 공무원의 탄핵 소추 의결: 대통령, 국무총리, 국무 위원 등 법률이 정한 공무원이 공무 수행 중에 헌법이나 법률을 위반했을 때 파면을 요구하는 탄핵 소추를 의결할 수 있음

(4) 그 밖의 권한: 대통령의 선전 포고나 국군의 해외 파병에 대한 동의권, 대통령에게 국무총리 또는 국무 위원의 해임 건의, 헌법 재판소 재판관이나 중앙 선거 관리 위원회 위원의 일부 선임 등

선전 포고: 다른 나라에 전쟁을 공식적으로 선언하는 것

---

1 현대 국가는 영토가 넓고 인구가 많아 모든 국민이 정치에 직접 참여하기 어려워 국민의 대표자를 선출하여 정치를 맡도록 하는 (　　　　　)가 이루어지고 있다.

2 다음 괄호 안의 내용 중 알맞은 말에 ○표를 하시오.

(1) 국회는 (법률, 헌법)을 제정하고 개정하는 입법에 관한 권한을 수행한다.

(2) 국회 (본회의, 교섭 단체)에서는 각 상임 위원회에서 심사한 법률이나 안건을 최종적으로 결정한다.

(3) 일반적으로 국회의 회의에서는 (재적, 현역) 의원 과반수의 출석과 (재적, 출석) 의원 과반수의 찬성으로 법률이나 안건을 의결한다.

(4) 국회는 각 지역구에서 최고 득표자로 선출된 (지역구, 비례 대표) 국회 의원과 각 정당의 득표율에 비례하여 선출된 (지역구, 비례 대표) 국회 의원으로 구성된다.

3 다음 설명이 맞으면 ○표, 틀리면 ×표를 하시오.

(1) 정부는 국가의 예산안을 심의·확정한다. (　　)

(2) 대통령이 체결한 조약은 국회가 동의하지 않더라도 효력이 발생한다. (　　)

(3) 국회는 본회의에 앞서 상임 위원회에서 법률안, 예산안 등을 심의한다. (　　)

(4) 국회는 대통령, 국무총리 등이 법률을 위반했을 때 파면을 결정할 권한을 가진다. (　　)

(5) 국회는 국정 감사나 국정 조사를 통해 국정의 잘못된 부분을 찾아내어 시정하게 한다. (　　)

4 국회의 권한과 그 내용을 옳게 연결하시오.

(1) 입법에 관한 권한 • 　　• ㉠ 법률의 제정 및 개정

(2) 재정에 관한 권한 • 　　• ㉡ 국정 감사를 통해 행정부 감시

(3) 일반 국정에 관한 권한 • 　　• ㉢ 정부가 제출한 예산안의 심의·확정

5 국회의 일반 국정에 관한 권한을 [보기]에서 골라 기호를 쓰시오.

• 보기 •

ㄱ. 국정 감사　　ㄴ. 탄핵 소추 의결
ㄷ. 인사 청문회 실시　　ㄹ. 헌법 개정안 의결
ㅁ. 예산안 심의·확정　　ㅂ. 조약 체결에 대한 동의

내공 쌓는 족집게 문제

내공 1 국회의 의미와 구성

1 빈칸에 들어갈 정치 제도가 나타나게 된 배경을 [보기]에서 고른 것은?

> 현대 국가에서는 국민의 대표자를 선출하여 의회를 구성하고 의회에서 법이나 정책을 만들도록 하는 (　　)이/가 이루어지고 있다.

• 보기 •
ㄱ. 국가의 영토가 넓고 인구가 많다.
ㄴ. 입법부의 권한이 행정부의 권한보다 강화되었다.
ㄷ. 국민이 모든 공적인 문제에 대해서 전문 지식을 갖고 있다.
ㄹ. 모든 국민이 직접 국가의 의사 결정에 참여하는 것이 어려워졌다.

① ㄱ, ㄴ ② ㄱ, ㄹ ③ ㄴ, ㄷ
④ ㄴ, ㄹ ⑤ ㄷ, ㄹ

중요 **2** 표는 국회의 위상을 정리한 것이다. ㉠~㉢에 들어갈 국회의 위상을 옳게 연결한 것은?

㉠	법률을 제정 또는 개정하거나 폐기함
㉡	행정부, 사법부 등 다른 국가 기관을 감시하고 견제함
㉢	국민의 다양한 의사를 반영하며 국민의 이익을 대변함

① ㉠ – 국민의 대표 기관
② ㉡ – 입법 기관
③ ㉡ – 국가 권력의 견제 기관
④ ㉢ – 법률 집행 기관
⑤ ㉢ – 헌법 수호 기관

3 국회의 구성에 대한 설명으로 옳지 않은 것은?

① 지역의 대표인 국회 의원들로만 구성된다.
② 국회 의원은 국민이 선거를 통해 선출한다.
③ 국회 의원 중에서 국회 의장 1인과 부의장 2인을 선출한다.
④ 비례 대표 국회 의원은 각 정당이 얻은 득표율에 비례하여 선출된 국회 의원이다.
⑤ 국회는 최소 200명 이상의 국회 의원으로 구성되며, 국회 의원의 임기는 4년이다.

4 다음 설명에 해당하는 국회의 조직으로 옳은 것은?

> • 국회 본회의에서 심의할 안건을 미리 조사하고 심의하는 국회 의원들의 합의 기관이다.
> • 각 분야에 전문성과 관심을 가진 국회 의원들이 모여서 관련된 안건이나 법률을 심사한다.

① 본회의 ② 임시회 ③ 정기회
④ 교섭 단체 ⑤ 상임 위원회

5 국회의 조직과 운영에 대한 설명으로 옳지 않은 것은?

① 본회의는 정기회와 임시회로 구분된다.
② 임시회는 매년 1회 정기적으로 열린다.
③ 특별 위원회는 특별한 안건이 생겼을 때만 일시적으로 구성된다.
④ 교섭 단체는 국회 운영과 관련된 다양한 의사를 미리 통합하고 조정하는 역할을 한다.
⑤ 본회의에서는 국회 의원들이 참석하여 법률안과 예산안 의결 등을 최종적으로 결정한다.

내공 2 국회의 권한

6 (가)~(마)는 학교 폭력에 관한 법률의 제정 절차이다. 이를 순서대로 옳게 나열한 것은?

> (가) 대통령이 법률안을 공포하였다.
> (나) 국회 의장이 제출된 법률안을 상임 위원회에 회부하였다.
> (다) 상임 위원회에서 법률안을 심사하여 본회의에 상정하였다.
> (라) 국회 의원 10인 이상 또는 정부가 학교 폭력에 관한 법률을 발의하였다.
> (마) 본회의에서 재적 의원 과반수의 출석과 출석 의원 과반수의 찬성으로 의결되었다.

① (나) — (마) — (라) — (다) — (가)
② (다) — (라) — (마) — (가) — (나)
③ (다) — (마) — (라) — (나) — (가)
④ (라) — (나) — (다) — (마) — (가)
⑤ (마) — (라) — (다) — (나) — (가)

정답과 해설 6쪽

서술형 문제

출제율 ●●●●● 시험에 꼭 나오는 출제 가능성이 높은 예상 문제로, 내신 100점을 받기 위한 필수 문항들

7 밑줄 친 부분의 근거로 가장 적절한 것은?

> 다른 나라와의 조약은 국가 원수이자 행정부의 대표인 대통령이 체결하지만, 그 조약이 실질적인 효력을 가지기 위해서는 반드시 국회의 동의를 얻어야 한다.

① 대통령의 모든 권한 행사에는 국회의 동의가 필요하기 때문이다.
② 외국과 체결한 조약은 법률과 동일한 효력을 가지기 때문이다.
③ 조약은 원칙적으로 두 나라의 의회 간에 이루어지는 약속이기 때문이다.
④ 대통령은 막강한 권력을 가지므로 형식적으로 국회의 동의가 필요하기 때문이다.
⑤ 국회는 행정부나 사법부보다 막강한 권력을 가지므로 모든 일에는 국회 동의가 필요하기 때문이다.

중요 **8** 다음 글을 통해 알 수 있는 국회의 권한으로 옳은 것은?

> 국회 본회의에서 내년도 예산안이 통과되었다. 이번에 통과된 예산안에서 내년 정부 총지출은 400조 5천억 원으로 당초 정부가 제출한 예산안에서 2천억 원이 삭감된 금액이다. 이는 전년도 예산인 올해의 총지출인 386조 4천억 원에 비해서는 3.7% 정도 증가한 것이다.

① 헌법 개정안을 제안하고 의결한다.
② 국정 감사 및 국정 조사를 실시한다.
③ 정부가 제출한 예산안을 심의하고 확정한다.
④ 국무총리 등 중요 공무원의 임명에 동의권을 행사한다.
⑤ 대통령 등 중요 공무원에 대한 탄핵 소추권을 행사한다.

9 다음과 같은 상황에서 행사할 수 있는 국회의 권한으로 옳은 것은?

> 국회는 법률을 위반한 국무 위원에 대해 파면을 요구하고자 한다.

① 국정 감사를 실시한다.
② 탄핵 소추를 의결한다.
③ 인사 청문회를 실시한다.
④ 법률의 개정안을 의결한다.
⑤ 예산안을 심의 및 확정한다.

10 밑줄 친 부분과 같이 국회를 운영하는 이유를 서술하시오.

> 국회에서는 상임 위원회를 두어 본회의에 상정하기 전에 법률안이나 안건을 심의하고 이를 본회의에서 최종적으로 결정한다.

11 밑줄 친 입법과 관련된 국회의 권한을 세 가지 서술하시오.

> 민주 국가에서 통치 행위는 법률에 근거하여 이루어지므로, 입법은 국회가 하는 가장 대표적인 일이자 중요한 역할이다.

12 국회가 다음과 같은 권한을 행사하는 이유를 서술하시오.

> 정부가 국무회의의 심의를 거쳐 예산안을 제출하면 국회는 이 예산안을 다시 심의하여 확정한다. 그리고 정부가 정해진 절차에 의하여 예산을 집행하면 국회는 결산 심사를 통해 정부가 예산을 제대로 사용했는지 심사한다.

행정부와 대통령

내공 1 행정부의 조직과 구성

1 행정과 행정부

정부는 넓은 의미로 입법부, 행정부, 사법부 모두를 의미하지만, 좁은 의미로는 행정부만을 뜻해.

(1) 행정: 국회가 만든 법률을 집행하고, 공익을 실현할 목적으로 정책을 수립하여 실행하는 국가 기관의 작용

예 출생 신고 처리, 교통질서 유지, 국방, 여권 발급 등

(2) 행정부: 행정을 담당하는 국가 기관 → 현대 복지 국가에서 역할이 커지고 있음

(3) 행정부의 역할

① 법률의 집행과 정책 실행: 국회에서 만든 법률을 집행하고, 공익을 실현하기 위해 여러 가지 정책을 수립하여 실행함

② 공권력의 행사: 효과적인 행정 활동을 위해서 국민에게 지시할 수 있는 강제력을 가짐

③ 사회 질서 유지와 국민 보호, 공공시설 설치 및 관리 등

일상생활에서 나타나는 행정 작용

소방관이 화재를 진압하는 것, 경찰이 교통질서를 유지하고 교통 법규 위반 차량을 단속하는 것, 군인들이 나라를 지키는 것 등은 행정에 속한다. 이처럼 우리의 일상생활은 행정부의 업무와 밀접한 관련을 맺고 있다. 이러한 행정을 담당하는 국가 기관을 행정부라고 한다. 행정부는 국가의 목적이나 공익을 실현할 목적으로 여러 가지 정책을 수립하고 실행함으로써 국민의 복리를 증진시키는 역할을 한다. 오늘날 현대 국가에서는 빈곤, 질병, 노동 문제 등 여러 가지 사회 문제를 국가가 해결해야 한다는 복지 국가 사상이 강조되면서 행정부가 하는 일이 광범위해지고 전문화되고 있으며 그 역할이 더욱 커지고 있다.

2 행정부의 주요 조직과 기능

(1) 대통령

① 의미: 행정부의 최고 책임자 → 국민의 직접 선거에 의해 선출됨

② 역할: 행정부의 일을 최종적으로 결정함

직책이나 임무를 거듭하여 맡는 것

③ 임기: 5년이며, 중임할 수 없음 → 장기 집권에 따른 독재로 국민의 자유와 권리가 침해되는 것을 막기 위함

(2) 국무총리

① 의미: 행정 각 부처를 총괄하는 기관

② 역할: 대통령을 보좌하고, 행정 각부를 관리·감독하며, 대통령 자리가 공석일 경우 대통령의 권한을 대행함

(3) 행정 각부

① 의미: 구체적인 행정 업무를 처리하는 국가 기관

② 역할: 구체적인 행정 사무를 처리함

③ 행정 각부의 장은 대통령이 임명함

(4) 국무 회의

① 의미: 대통령, 국무총리, 행정 각부의 장을 비롯한 국무위원으로 구성되는 행정부의 최고 심의 기관

② 역할: 정부의 일반 정책, 법률안, 예산안 등 중요한 정책을 심사하고 논의함

(5) 감사원

① 의미: 대통령에 소속된 행정부의 최고 감사 기관 → 독립적인 지위를 가진 헌법 기관

국민이 낸 세금이 제대로 쓰였는지 조사하는 거야.

② 역할: 국가의 세입·세출 결산에 대한 검사, 행정 기관이나 공무원들의 직무에 대한 감찰 등의 업무를 맡아 행정 전반을 감독함

▲ **우리나라의 정부 조직도(2017년 기준)** | 우리나라의 행정부는 대통령을 중심으로 국무총리와 감사원, 행정 각부로 구성된다. 행정부는 더욱 효율적이고 전문적으로 업무를 처리하기 위해 체계적으로 조직되어 있다.

내공 2 대통령의 지위와 권한

1 대통령의 지위

(1) 국가 원수: 국가의 최고 지도자 → 외국에 대하여 국가를 대표할 자격을 가짐

(2) 행정부 수반: 행정부를 지휘·감독하는 최고 책임자 → 행정 작용에 대한 최종적인 권한을 가지고, 그에 대한 책임을 짐

대통령의 지위와 관련된 헌법 조항

제66조 ① 대통령은 국가의 원수이며, 외국에 대하여 국가를 대표한다.

제66조 ④ 행정권은 대통령을 수반으로 하는 정부에 속한다.

제67조 ① 대통령은 국민의 보통·평등·직접·비밀 선거에 의하여 선출한다.

제70조 대통령의 임기는 5년으로 하며, 중임할 수 없다.

2 대통령의 권한

(1) 국가 원수로서의 권한

① 대외적 국가 대표 권한: 외국과 조약을 체결하고 외교 사절을 보내거나 맞이하며, 외국에 대해 전쟁을 선포할 수 있음

② 국가와 헌법 수호: 국가가 위급한 상황에 놓였을 때 긴급 명령이나 계엄을 선포할 수 있음

- 긴급 명령: 국가 비상사태 시에 법률에 의하지 않고 국민의 기본권을 제한할 수 있는 법률적 효력을 가진 명령
- 계엄: 전쟁과 같은 비상사태가 발생했을 때 해당 지역의 사법권과 행정권을 군대가 맡아 다스리는 일

③ 국정 조정

- 국회에 임시회 소집을 요구하고 국회에 출석하여 발언할 수 있음
- 헌법 개정 또는 국가의 중요 정책 결정 시 국민 투표에 부칠 수 있음
  - 국민 투표: 국정의 중요한 사항에 대하여 국민이 행하는 투표

④ 헌법 기관 구성: 국회의 동의를 얻어 대법원장, 헌법 재판소장, 감사원장 등 국가 기관의 장을 임명하여 헌법 기관을 구성함

(2) 행정부 수반으로서의 권한

- 수반: 행정부의 가장 높은 자리에 있는 사람

① 행정부 지휘·감독: 국무 회의의 의장이 되어 국가의 중요 정책을 심의하고 결정하며, 법률에 의거하여 행정부를 지휘하고 감독함

② 국군 통수: 국군의 최고 사령관으로서 헌법과 법률이 정하는 바에 따라 국군을 통솔하고 지휘함

③ 고위 공무원 임면: 국무총리, 국무 위원, 행정 각부 장관 등 행정부의 고위 공무원을 임명하고 해임함

④ 대통령령 제정: 법률에서 위임받은 사항과 법률을 집행하는 데 필요한 사항을 대통령령으로 정하여 집행함

⑤ 법률안 거부권 행사: 법률안 거부권을 행사함으로써 국회를 견제할 수 있음

대통령의 권한

▲ 외교 사절 접견

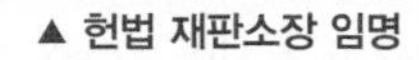
▲ 헌법 재판소장 임명

▲ 국무 회의 참석

▲ 국군 통솔 및 지휘

대통령은 국가 원수로서 대외적으로는 우리나라를 대표하여 외교에 관한 권한을 행사하고, 대내적으로는 국가 기관의 장을 임명하여 헌법 기관을 구성한다. 또한 대통령은 행정부의 수반으로서 국무 회의의 의장으로 국가의 중요한 정책을 심의하고 최종적으로 결정하며, 국군을 통수하는 등의 권한을 가진다.

개념 확인하기

정답과 해설 7쪽

1 행정부의 주요 조직과 그 역할을 옳게 연결하시오.

(1) 감사원 •　　　• ㉠ 행정부의 중요 정책 심의

(2) 대통령 •　　　• ㉡ 구체적인 행정 사무 처리

(3) 국무 총리 •　　　• ㉢ 행정 기관 및 공무원의 직무 감찰

(4) 국무 회의 •　　　• ㉣ 행정부의 일을 최종적으로 결정

(5) 행정 각부 •　　　• ㉤ 대통령을 도와 행정 각부를 관리·감독

2 다음 설명이 맞으면 ○표, 틀리면 ×표를 하시오.

(1) 대통령의 임기는 5년이고, 국민들이 원하면 중임할 수 있다. (　　)

(2) 행정부는 공익을 실현하기 위하여 여러 가지 법률을 만든다. (　　)

(3) 현대 복지 국가에서는 행정의 중요성이 더욱 강조되고 있다. (　　)

(4) 감사원은 사법부에 소속되어 행정부를 감시하는 역할을 하는 기관이다. (　　)

(5) 행정부는 국가와 국민을 위해 맡은 일을 효과적으로 처리하기 위해서 공권력을 행사할 수 있다. (　　)

3 다음 괄호 안의 내용 중 알맞은 말에 ○표를 하시오.

(1) 우리나라의 행정부 수반은 (대통령, 국무총리)이다.

(2) 우리나라의 대통령은 (국회 의원, 대법원장)을 임명할 수 있다.

(3) 우리나라의 대통령은 국민의 (간접, 직접) 선거에 의해 선출된다.

(4) 대통령이 다른 국가와 조약을 맺는 것은 (국가 원수, 행정부 수반)(으)로서의 권한에 속한다.

4 표는 대통령의 지위에 따른 권한을 나타낸 것이다. ㉠, ㉡에 들어갈 내용을 쓰시오.

(㉠　　　)(으)로서의 권한	조약 체결권, 전쟁 선포권, 긴급 명령권, 계엄 선포권, 국가 기관의 장에 대한 임명권, 국민 투표 부의권 등
(㉡　　　)(으)로서의 권한	행정부의 지휘·감독권, 국군 통수권, 행정부의 고위 공무원에 대한 임면권, 대통령령 제정권 등

족집게 문제

내공 1 행정부의 조직과 구성

[1~3] 다음 글을 읽고 물음에 답하시오.

> 국회에서 법률이 만들어지면 현실에서 이를 구체화하여 실현해야 하는데, 이렇게 법률을 집행하는 활동을 (㉠)(이)라고 하고, 이를 담당하는 국가 기관을 (㉡)(이)라고 한다. 현대 복지 국가에서는 사회 복지, 교육 등과 관련한 국민의 요구가 늘면서 (㉡)의 역할이 커지고 있으며, 전문성도 높아지고 있다.

주관식

1 ㉠, ㉡에 들어갈 용어를 쓰시오.

2 ㉠에 해당하는 사례를 [보기]에서 고른 것은?

> 보기
> ㄱ. 소방관이 화재를 진압한다.
> ㄴ. 정부가 제출한 예산안을 심의·확정한다.
> ㄷ. 범죄로부터 국민을 보호하기 위해 치안을 강화한다.
> ㄹ. 재판을 통해 법을 해석하고 적용하여 분쟁을 해결한다.

① ㄱ, ㄴ ② ㄱ, ㄷ ③ ㄴ, ㄷ
④ ㄴ, ㄹ ⑤ ㄷ, ㄹ

3 ㉡에 대한 설명으로 옳지 않은 것은?

① 행정을 담당하는 국가 기관이다.
② 공익을 실현하기 위해 정책을 수립하고 집행한다.
③ 정책을 집행하는 데 필요한 법률을 직접 제정한다.
④ 복지 국가 사상이 강조되면서 기능이 강화되고 있다.
⑤ 행정을 효과적으로 처리하기 위한 강제력인 공권력을 가진다.

4 국무총리에 대한 설명으로 옳은 것은?

① 국무 회의에서 의장을 맡는다.
② 대통령이 행정 각부의 동의를 얻어 임명한다.
③ 대통령의 승인을 얻어 국회 의장을 임명한다.
④ 대통령의 자리가 비었을 때 그 권한을 대행한다.
⑤ 행정부의 최고 책임자로 국민의 선거에 의해 선출된다.

5 빈칸에 들어갈 행정부의 조직으로 옳은 것은?

> (   )은/는 정부의 일반 정책, 법률의 개정안과 제정안, 예산안 등 행정부의 중요한 사항을 심사하고 논의하는 역할을 한다.

① 감사원 ② 대통령
③ 국무총리 ④ 국무 회의
⑤ 행정 각부의 장

중요 **6** 행정부의 조직과 기능에 대한 옳은 설명을 [보기]에서 고른 것은?

> 보기
> ㄱ. 국무총리는 대통령을 보좌한다.
> ㄴ. 행정 각부는 실질적인 행정 업무를 처리한다.
> ㄷ. 국무 회의는 행정부 내의 최고 심의 기관이다.
> ㄹ. 감사원은 행정 전반을 감시·감독하는 국무총리 직속 기구이다.
> ㅁ. 대통령은 국가 원수로 다른 국가 기관으로부터 견제를 받지 않는다.

① ㄱ, ㄴ, ㄷ ② ㄱ, ㄴ, ㄹ ③ ㄴ, ㄷ, ㄹ
④ ㄴ, ㄷ, ㅁ ⑤ ㄷ, ㄹ, ㅁ

내공 2 대통령의 지위와 권한

중요 **7** 대통령의 권한에 대한 옳은 설명을 [보기]에서 고른 것은?

보기
ㄱ. 행정부의 고위 공무원을 임면할 수 있다.
ㄴ. 국정 감사 및 국정 조사를 실시할 수 있다.
ㄷ. 헌법 재판소장 임명 동의권을 행사할 수 있다.
ㄹ. 국회에서 의결한 법률안에 대해 거부권을 행사할 수 있다.

① ㄱ, ㄴ ② ㄱ, ㄹ ③ ㄴ, ㄷ
④ ㄴ, ㄹ ⑤ ㄷ, ㄹ

8 다음은 대통령의 업무 일정이다. 밑줄 친 ㉠~㉣ 중 국가 원수로서 대통령이 가지는 권한과 관계된 것을 고른 것은?

- ×월 ×일 ㉠ 국무 회의 참석
- ×월 ×일 ○○국과 ㉡ 자유 무역 협정(FTA) 체결
- ×월 ×일 ㉢ 대통령령 제정
- ×월 ×일 ㉣ 대법원장 임명장 수여

① ㉠, ㉡ ② ㉠, ㉢ ③ ㉡, ㉢
④ ㉡, ㉣ ⑤ ㉢, ㉣

9 다음 헌법 조항과 관련된 대통령의 권한으로 옳은 것은?

제66조 ④ 행정권은 대통령을 수반으로 하는 정부에 속한다.

① 외국과 조약을 체결한다.
② 국군을 지휘하고 통솔한다.
③ 긴급 명령이나 계엄을 선포할 수 있다.
④ 헌법 기관의 구성원을 임명할 수 있다.
⑤ 중요 정책을 결정할 때 국민 투표에 부칠 수 있다.

서술형 문제

출제율 ●●●●● 시험에 꼭 나오는 출제 가능성이 높은 예상 문제로, 내신 100점을 받기 위한 필수 문항들

10 ㉠에 들어갈 용어를 쓰고, ㉠을 담당하는 국가 기관의 역할을 두 가지 이상 서술하시오.

(㉠)은/는 도로 건설, 국민 주택 건설, 치안 강화, 국가 안보와 국방 등 국민의 편의와 안전을 위하여 이루어지는 국가 기관의 작용이다. 오늘날 현대 국가에서 이러한 기능이 더욱 커지고 있다.

11 그림은 우리나라의 정부 조직도이다. ㉠에 들어갈 국가 기관을 쓰고, 그 지위와 역할을 서술하시오.

대통령
㉠
국무총리

기획 재정부	교육부	과학 기술 정보 통신부
외교부	통일부	법무부
국방부	행정 안전부	문화 체육 관광부
농림 축산 식품부	산업 통상 자원부	보건 복지부
환경부	고용 노동부	여성 가족부
국토 교통부	해양 수산부	중소 벤처 기업부

12 대통령이 다음과 같은 권한을 행사할 때 어떤 국가 기관의 동의가 필요한지 쓰고, 그 이유를 서술하시오.

- 법조계에서 신망이 두터운 A 씨를 새로운 헌법 재판소장에 임명하였다.
- 유럽 연합과 무역 확대를 위해 새로운 자유 무역 협정(FTA)과 비자 발급에 대한 조약을 맺었다.

03 법원과 헌법 재판소

내공 1 법원의 조직과 기능

1 사법과 법원

(1) 사법: 법을 적용하여 판단하는 국가 작용

(2) 법원(사법부)의 의미와 역할

① 의미: 법질서에 대한 침해가 있거나 법적 분쟁이 발생했을 때 법을 해석하여 적용하는 국가 기관

② 역할: 재판을 통해 사람들 간의 다툼을 해결하고 사회 질서를 유지하여 국민의 권리를 보장함

2 사법권의 독립(재판의 독립)

(1) 사법권의 독립: 재판이 법원 내부나 외부의 영향으로부터 완전히 독립하여 이루어져야 한다는 원칙

(2) 사법권의 독립의 목적: 공정한 재판의 실현을 통해 사회 질서 유지, 국민의 권리 보호

(3) 사법권의 독립의 전제 조건

① 법원의 독립: 법원의 조직이나 운영이 외부의 간섭과 영향을 받지 않는 것

② 법관의 독립: 법관이 외부의 간섭을 받지 않고 헌법과 법률에 의해 양심에 따라 독립하여 심판하는 것

사법권의 독립과 관련된 헌법 조항

제101조 ① 사법권은 법관으로 구성된 법원에 속한다.
제101조 ③ 법관의 자격은 법률로 정한다.
제103조 법관은 헌법과 법률에 의하여 그 양심에 따라 독립하여 심판한다.
제104조 ③ 대법원장과 대법관이 아닌 법관은 대법관 회의의 동의를 얻어 대법원장이 임명한다.
제105조 ③ 대법원장과 대법관이 아닌 법관의 임기는 10년으로 하며, 법률이 정하는 바에 의하여 연임할 수 있다.
제106조 ① 법관은 탄핵 또는 금고 이상의 형의 선고에 의하지 아니하고는 파면되지 아니하며, 징계 처분에 의하지 아니하고는 정직·감봉 기타 불리한 처분을 받지 아니한다.

헌법 제101조 1항은 사법권이 법원에 속한다고 규정하여 법원이 다른 국가 기관으로부터 독립되어 있음을 보장하고, 제103조는 재판의 독립을 보장함으로써 법관이 공정하고 중립적인 위치에서 심판할 수 있도록 하고 있다. 제101조 3항, 제104조 3항, 제105조 3항은 법관의 자격, 일반 법관의 임명 방법과 임기 등을 명시함으로써 법관의 신분을 보장하고 있다. 제106조 1항은 법관의 파면, 징계 조건을 엄격히 규정하여 재판이 안정적으로 이루어질 수 있도록 보장한다.

3 법원의 조직

(1) 지방 법원: 주로 민사 또는 형사 사건의 1심 재판, 지방 법원 단독 판사의 판결에 대한 항소 사건 재판

(2) 고등 법원: 지방 법원, 가정 법원, 행정 법원의 1심 판결에 불복하여 항소한 사건 재판(2심)

(3) 대법원

① 기능: 고등 법원의 판결에 불복해 상고한 사건 재판(3심), 특허 법원의 판결에 불복하여 상고한 사건 재판
→ 사법부의 최고 법원으로 최종적인 재판을 담당함

② 구성: 대법원장과 대법관

(4) 특정한 영역만 담당하는 법원 – 특수 법원이라고 해.

① 가정 법원: 가사 사건과 소년 보호 사건을 재판하는 법원

② 행정 법원: 국가 기관의 잘못된 행정 작용에 대한 소송 사건을 재판하는 법원

③ 특허 법원: 주로 특허 업무와 관련된 재판을 담당하는 법원

④ 군사 법원: 군인의 형사 사건을 재판하는 법원

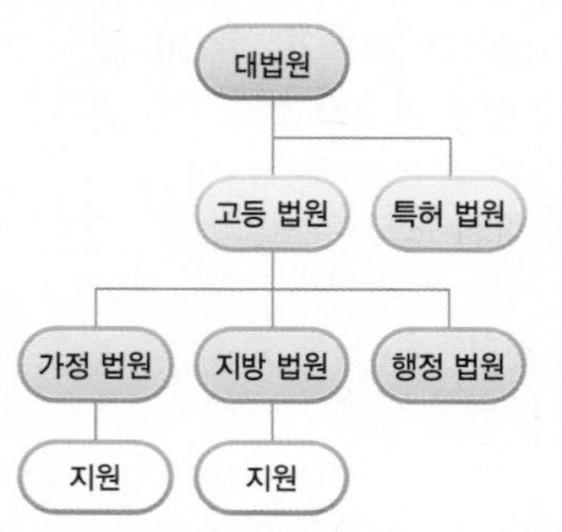

▲ **우리나라의 법원 조직도** | 지방 법원 및 지방 법원 지원에서는 주로 1심 재판을 담당하고, 고등 법원은 1심 판결에 대한 항소 사건(2심 사건)을 재판한다. 대법원은 고등 법원에서 올라온 3심 사건과 특허 법원에서 올라온 상고 사건(2심 사건)을 재판한다.

4 법원의 기능

(1) 재판: 법률을 해석하고 적용하여 법적 분쟁을 해결함
→ 법원의 가장 기본적이고 중요한 기능

(2) 위헌 법률 심판 제청: 재판을 진행하다가 관련된 법률이 헌법에 위반되는지 여부가 문제가 될 경우, 헌법 재판소에 심판을 제청할 수 있음 → 입법부 견제 수단

(3) 위헌 명령·규칙 심사: 국가 기관이 만든 명령이나 규칙이 헌법과 법률에 위반되는지가 재판의 전제가 될 경우, 대법원이 이를 심사할 수 있음 → 행정부 견제 수단

(4) 위헌 행정 처분 심사: 국가 기관의 행정 처분이 헌법이나 법률을 위반한 경우에는 이를 심사하여 취소하거나 변경할 수 있음 → 행정부 견제 수단

(5) 기타 기능: 등기 업무, 가족 관계 등록, 재판 당사자 설득, 강제 집행 등

법원은 개인 간의 다툼이 소송까지 가지 않고 화해나 조정을 통해 간편하게 해결되도록 당사자들을 설득하기도 해.

국가 기관의 권력 분립

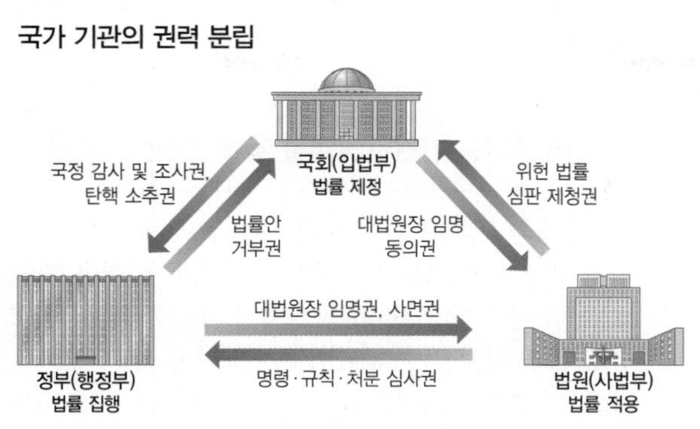

우리 헌법에서는 입법부, 사법부, 행정부가 국가 권력을 나누어 맡도록 하고, 각 국가 기관에 서로 다른 국가 기관을 견제할 수 있는 권한을 부여하고 있다. 이를 통해 견제와 균형을 유지하여 국가 권력의 남용을 막고, 국민의 기본권을 보장하고자 한다.

내공 2 헌법 재판소의 위상과 역할

1 헌법 재판소의 위상과 구성

입법부에 의해 만들어진 법률이나 국가 기관의 작용이 헌법에 위배되거나 국민의 기본권을 침해했는지 여부를 심판하는 재판

(1) 헌법 재판소의 위상: 헌법 재판을 담당하는 독립된 국가 기관 → 헌법 수호 기관, 기본권 보장 기관

(2) 헌법 재판소의 구성

① 9명의 재판관으로 구성: 정치적 중립을 지키기 위해 대통령과 대법원장이 각각 3명씩 지명하고, 국회에서 3명을 선출하여 대통령이 임명함

② 재판관의 임기는 6년이며, 헌법 재판소장은 국회의 동의를 얻어 대통령이 임명함

(3) 헌법 재판소의 특징

① 헌법 질서를 보호하고 국민의 기본권을 보장하는 기능을 수행함

② 주로 헌법의 위반과 관련된 사항만을 심판함

③ 헌법 재판소의 결정은 재판의 당사자뿐만 아니라 모든 국가 기관이 따라야 함

2 헌법 재판소의 역할

위헌 법률 심판과 헌법 소원 심판은 헌법 재판의 대부분을 차지하며, 국민의 기본권을 보호하는 중요한 심판이야.

위헌 법률 심판	• 법원이 신청함 • 재판의 전제가 된 법률의 위헌 여부를 심판함
헌법 소원 심판	• 기본권을 침해당한 국민이 신청함 • 법률이나 공권력의 기본권 침해 여부를 심판함
탄핵 심판	• 국회가 신청함 • 대통령을 포함한 고위직 공무원 및 특수직 공무원에 대한 파면 요구의 타당성을 심판함
권한 쟁의 심판	• 국가 기관이 신청함 • 국가 기관이나 지방 자치 단체 간의 권한 분쟁을 해결함
정당 해산 심판	• 정부가 신청함 • 정당의 목적이나 활동이 민주적 기본 질서에 위배되는지 여부를 심판함

개념 확인하기

정답과 해설 8쪽

1 다음 빈칸에 들어갈 내용을 쓰시오.

(1) 법을 적용하여 판단하는 국가 작용을 (　　　　) 이라고 한다.

(2) (　　　　)는 국민의 기본권을 보장하는 기관이자 헌법을 수호하는 기관이다.

(3) (　　　　)이란 재판이 법원 내부나 외부의 영향으로부터 독립하여 이루어져야 한다는 원칙이다.

2 법원의 종류와 그에 대한 설명을 옳게 연결하시오.

(1) 대법원 • 　　• ㉠ 주로 1심 사건을 재판하는 법원

(2) 고등 법원 • 　　• ㉡ 최종적인 재판을 하는 최고 법원

(3) 지방 법원 • 　　• ㉢ 1심 판결에 대한 항소 사건을 재판하는 법원

3 다음 설명이 맞으면 ○표, 틀리면 ×표를 하시오.

(1) 헌법 재판소는 탄핵 소추권을 가지고 있다. (　　)

(2) 고등 법원은 특허 법원의 1심 판결에 대한 2심 사건을 재판한다. (　　)

(3) 법원의 가장 중요한 기능은 법률을 제정·개정하는 입법 기능이다. (　　)

(4) 법원의 권한 중에 위헌 명령·규칙·처분 심사권은 행정부를 견제하는 수단이다. (　　)

(5) 헌법 재판소는 9명의 재판관으로 구성되며, 헌법 재판소장은 국회의 동의를 얻어 대통령이 임명한다. (　　)

4 다음 설명에 해당하는 헌법 재판소의 역할을 [보기]에서 골라 기호를 쓰시오.

보기
ㄱ. 탄핵 심판　　ㄴ. 위헌 법률 심판
ㄷ. 정당 해산 심판　　ㄹ. 헌법 소원 심판

(1) 법률이나 공권력의 기본권 침해 여부를 심판한다. (　　)

(2) 재판의 전제가 된 법률의 위헌 여부를 심판한다. (　　)

(3) 고위 공직자가 위법 행위를 한 경우에 파면 여부를 결정한다. (　　)

(4) 정당의 목적이나 활동이 민주적 기본 질서에 위배되는지 여부를 심판한다. (　　)

족집게 문제

내공 1 법원의 조직과 기능

주관식

1 다음과 같은 역할을 수행하는 우리나라의 국가 기관을 쓰시오.

> • 법률을 해석하여 적용한다.
> • 법에 따른 재판을 통해 분쟁을 해결한다.
> • 사회 질서를 유지하여 국민의 권리를 보장한다.

중요 **2** 헌법에 다음과 같은 내용을 규정한 이유로 가장 적절한 것은?

> 제101조 ① 사법권은 법관으로 구성된 법원에 속한다.
> 제101조 ③ 법관의 자격은 법률로 정한다.
> 제103조 법관은 헌법과 법률에 의하여 그 양심에 따라 독립하여 심판한다.
> 제105조 ③ 대법원장과 대법관이 아닌 법관의 임기는 10년으로 하며, 법률이 정하는 바에 의하여 연임할 수 있다.

① 사법부에 막강한 권한을 주기 위해
② 법원의 재판 절차를 간소화하기 위해
③ 법원의 경제적 지위를 향상시키기 위해
④ 법원의 판결에 이의 제기를 못하게 하기 위해
⑤ 법원이 다른 국가 기관으로부터 간섭받지 않기 위해

3 법원의 조직에 대한 설명으로 옳은 것은?

① 지방 법원은 가사 사건, 소년 보호 사건의 재판을 담당한다.
② 특허 법원은 민사 또는 형사 사건의 1심 재판을 담당한다.
③ 행정 법원은 국가 기관의 행정 작용에 대한 재판을 담당한다.
④ 고등 법원은 사법부의 최고 법원으로 최종적인 재판을 담당한다.
⑤ 대법원은 헌법 재판을 담당하며 법원의 조직으로부터 독립된 국가 기관이다.

중요 **4** ㉠, ㉡에 들어갈 법원의 종류를 옳게 연결한 것은?

> • 전기밥솥을 만드는 A 사와 B 사는 압력 밥솥 안전 기술과 관련한 특허를 두고 몇 년째 소송을 이어 가고 있다. 최근 특허 법원의 판결에서 패소한 B 사는 소송 결과를 인정할 수 없다며 (㉠)에 상고하였다.
> • 박 씨는 층간 소음 문제로 윗집 사람인 김 씨와 시비 끝에 그를 다치게 했다. 상해 혐의로 기소된 박 씨는 지방 법원 형사 합의부 1심 재판에서 징역 2년을 선고받았다. 박 씨는 자신이 받은 형벌이 과하다고 생각하여 (㉡)에 항소하기로 하였다.

	㉠	㉡		㉠	㉡
①	대법원	가정 법원	②	대법원	고등 법원
③	고등 법원	대법원	④	특허 법원	고등 법원
⑤	행정 법원	대법원			

5 법원의 기능에 대한 옳은 설명만을 [보기]에서 있는 대로 고른 것은?

> 보기
> ㄱ. 가족 관계 등록, 등기 업무를 담당한다.
> ㄴ. 법률을 해석·적용하여 법적 분쟁을 해결한다.
> ㄷ. 명령이나 규칙이 헌법과 법률에 위반되는지 고등 법원이 최종적으로 심사한다.
> ㄹ. 법률이 헌법에 위반되는지 여부가 재판의 전제가 된 경우 위헌 법률 심판을 제청한다.

① ㄱ, ㄴ ② ㄱ, ㄷ ③ ㄷ, ㄹ
④ ㄱ, ㄴ, ㄹ ⑤ ㄴ, ㄷ, ㄹ

내공 2 헌법 재판소의 위상과 역할

6 헌법 재판소의 지위에 대한 설명으로 옳은 것은?

① 모든 법적 분쟁에 대하여 재판한다.
② 헌법 수호 기관인 동시에 기본권 보장 기관이다.
③ 사법부의 최고 법원으로 최종적인 재판을 담당한다.
④ 헌법 재판을 담당하는 국가 기관으로 법원 조직에 속해 있다.
⑤ 헌법 재판소의 결정은 재판의 당사자들만 반드시 따라야 한다.

7 헌법 재판소의 구성에 대한 옳은 설명을 [보기]에서 고른 것은?

• 보기 •
ㄱ. 법관의 자격을 가진 6명의 재판관으로 구성된다.
ㄴ. 헌법 재판소 재판관은 헌법 재판소장이 임명한다.
ㄷ. 헌법 재판소장은 국회의 동의를 얻어 대통령이 임명한다.
ㄹ. 헌법 재판소 재판관 중 3명은 국회에서 선출하고 3명은 대법원장이 지명한다.

① ㄱ, ㄴ ② ㄱ, ㄹ ③ ㄴ, ㄷ
④ ㄴ, ㄹ ⑤ ㄷ, ㄹ

8 다음 내용과 관련된 헌법 재판소의 역할로 옳은 것은?

국가 기관이나 지방 자치 단체들 간에 서로의 역할이나 관할에 대한 다툼이 생길 경우가 있다. 국가 기관 간에 역할의 조정이 필요할 경우 해당 국가 기관이나 지방 자치 단체가 직접 심판을 신청할 수 있다.

① 탄핵 심판 ② 권한 쟁의 심판
③ 위헌 법률 심판 ④ 정당 해산 심판
⑤ 헌법 소원 심판

중요 **9** (가), (나)에서 설명하는 헌법 재판소의 역할을 옳게 연결한 것은?

(가) 법률이나 공권력에 의해 기본권을 침해당한 국민이 직접 헌법 재판소에 구제를 신청했을 때 이를 심판하는 것
(나) 법원이 재판의 전제가 된 법률이 위헌인지 여부를 심사해 달라고 신청했을 때 헌법 재판소가 이를 심판하는 것

	(가)	(나)
①	위헌 법률 심판	권한 쟁의 심판
②	위헌 법률 심판	헌법 소원 심판
③	정당 해산 심판	권한 쟁의 심판
④	헌법 소원 심판	탄핵 심판
⑤	헌법 소원 심판	위헌 법률 심판

서술형 문제

출제율 ○○○○○ 시험에 꼭 나오는 출제 가능성이 높은 예상 문제로, 내신 100점을 받기 위한 필수 문항들

10 빈칸에 들어갈 법원의 종류를 쓰고, 이 법원의 기능을 두 가지 이상 서술하시오.

폭행 사건으로 고등 법원으로부터 3년의 징역형을 받은 A 씨는 정당방위였다는 자신의 주장이 받아들여지지 않았고, 형벌이 너무 과하다는 이유로 (   )에 상고하기로 하였다.

11 다음과 같은 법원 기능의 의의를 서술하시오.

• 위헌 행정 처분 심사
• 위헌 명령·규칙 심사

12 ㉠에 들어갈 헌법 재판소의 역할을 쓰고, 그 의미를 서술하시오.

헌법 재판소 공보관은 "헌법 재판소가 ○○○ 대통령의 (㉠) 선고를 10일 오전 11시 대심판정에서 하기로 결정했다."라고 8일 밝혔다. (㉠)의 경우 이의 제기 절차가 없어 선고 시점부터 곧바로 효력이 발생하기 때문에 인용이 결정되면 ○○○ 대통령은 즉시 대통령에서 파면되나, 기각이나 각하 결정이 내려지면 곧바로 대통령 직무에 복귀한다.

01 경제생활과 경제 문제

내공 1 경제 활동의 이해

1 경제 활동의 의미와 대상

(1) 경제 활동: 사람이 생존하는 데 필요한 재화나 서비스를 생산하고 분배하며 소비하는 활동

(2) 경제 활동의 대상

- 필요: 의식주와 같이 인간의 생존을 위해 기본적으로 충족되어야 하는 것
- 욕구: 생존을 위해 반드시 필요하지는 않지만, 더 나은 삶을 위해 충족되기를 원하는 것

구분	내용
재화	인간의 필요와 욕구를 충족해 주는 구체적인 형태가 있는 물건 예 음식, 옷, 컴퓨터 등
서비스	인간의 필요와 욕구를 충족해 주는 인간의 가치 있는 행위 예 의사의 진료, 선생님의 수업, 가수의 공연 등

2 경제 활동의 종류와 중요성

(1) 경제 활동의 종류 — 재화와 서비스를 생산, 분배, 소비하는 모든 활동을 말해.

구분	내용
생산	생활에 필요한 재화와 서비스를 만들거나 그 가치를 높이는 활동 예 상품의 제조, 운반, 저장, 판매 등
분배	생산 과정에 노동, 토지, 자본 등의 생산 요소를 제공하고 그에 대한 대가인 임금, 지대, 이자 등을 나누는 활동
소비	분배를 통해 얻은 소득으로 생활에 필요한 재화나 서비스를 구입하여 사용하는 활동 예 상품 구매, 공연 관람 등

(2) 경제 활동의 중요성

① 개인적 측면: 개인이 행복하게 살아갈 수 있는 기본 토대

② 사회적 측면: 사회 전체의 생산과 소비가 증대되어 물질적 풍요를 누릴 수 있게 됨

3 경제 활동의 주체

주체	내용
가계	• 기업에 생산 요소를 제공하고 소득을 얻어 소비 활동을 함 • 소득의 일부를 저축하고, 국가에 세금을 냄
기업	• 재화와 서비스를 생산하여 공급함 • 가계로부터 생산 요소를 제공받고 그 대가를 지불함
정부	• 세금으로 공공재와 사회 간접 자본을 생산하여 제공함 • 경제 활동 관련 법이나 제도를 통해 시장 경제 질서를 유지함
외국	다양한 상품을 수출하고 수입함

└ 국내에서 생산한 재화와 서비스만으로는 가계와 기업의 필요와 욕구를 충족시킬 수 없기 때문이야.

경제 주체 간의 상호 작용

임금, 지대, 이자
노동, 토지, 자본
가계
상품 구매 대금
재화 · 서비스
기업
수출
수입
외국
공공재, 사회 간접 자본
공공재, 사회 간접 자본
세금
정부
세금
→ 실물의 이동
→ 화폐의 이동

경제 주체는 경제 활동에 참여하는 개인이나 집단으로 대표적으로 가계, 기업, 정부, 외국 등이 있다. 각 경제 주체는 생산, 분배, 소비 활동을 통해 상호 작용하며, 이를 통해 경제가 원활히 순환하고 있다.

내공 2 합리적 선택

1 자원의 희소성

(1) 의미: 인간의 욕구는 무한한 데 비해 이를 충족해 줄 자원이 한정되어 있는 것

(2) 특징

① 인간의 욕구 정도에 따라 달라짐: 자원의 양이 많더라도 원하는 사람이 더 많으면 그 자원은 희소성을 띰 — 반대로, 자원의 양이 적더라도 원하는 사람이 없다면 그 자원은 희소하다고 볼 수 없어.

② 자원의 가격을 결정하는 중요한 요인이 됨: 희소성이 큰 자원은 높은 가격에 거래됨 — 상대적으로 그 자원을 원하는 사람이 많다는 것을 의미해.

③ 선택의 문제가 발생함: 경제 활동을 할 때 무엇을, 얼마나 생산하고 소비할 것인지 고민하게 됨

(3) 무상재와 경제재

구분	내용
무상재	존재량이 무한하여 희소성이 없어 대가를 치르지 않고도 얻을 수 있는 재화 예 햇빛, 공기 등
경제재	희소성이 있어 대가를 치러야만 얻을 수 있는 재화 예 옷, 자동차 등

2 기회비용

(1) 의미: 어떤 것을 선택함으로써 포기하게 되는 다른 선택이나 기회의 가치 중 가장 큰 것

(2) 특징: 사람마다 선호하는 것과 필요한 것이 다르기 때문에 기회비용은 사람마다 다를 수 있음

3 합리적 선택

(1) 의미: 가장 적은 비용으로 가장 큰 편익을 얻을 수 있는 대안을 선택하는 것

(2) 합리적 선택 시 고려 사항

구분	내용
비용	어떤 것을 선택함으로써 들어가는 돈이나 노력, 시간 등
편익	선택으로 인해 얻게 되는 이익이나 만족감

비용: 선택으로 인해 포기하게 되는 가치인 기회비용까지 포함해.

(3) 합리적 선택의 조건: 같은 비용이라면 편익이 가장 큰 것, 같은 편익이라면 비용이 가장 적은 것을 선택함

합리적 선택과 기회비용

현주는 2,000원을 가지고 분식점에 갔다. 현주는 떡볶이와 튀김을 모두 먹고 싶지만 2,000원으로는 둘 다 먹을 수 없기 때문에 그중에 더 먹고 싶었던 떡볶이를 골랐다.

같은 비용이 들어간다면 현주는 튀김보다 만족감이 더 큰 떡볶이를 먹는 것이 합리적 선택이다. 떡볶이를 사 먹은 것에 대한 기회비용은 그다음으로 먹고 싶었지만 포기해야 했던 튀김을 먹었을 때의 만족감이다.

정답과 해설 9쪽

내공 3 경제 문제와 경제 체제

1 기본적인 경제 문제

(1) 발생 원인: 자원의 희소성 → 선택의 문제 발생

(2) 경제 문제

① 생산물의 종류와 수량의 문제: 무엇을 얼마나 생산할 것인가?

② 생산 방법의 문제: 어떻게 생산할 것인가?

③ 분배의 문제: 누구를 위하여 생산할 것인가, 누구에게 얼마나 분배할 것인가?

(3) 경제 문제 해결의 판단 기준

효율성	최소의 비용으로 최대의 효과를 얻는 것
형평성	생산물을 공정하게 분배하는 것

2 시장 경제 체제와 계획 경제 체제

(1) 경제 체제: 경제 문제를 해결하는 방식이 제도적으로 정착된 것

(2) 시장 경제 체제

경쟁에서 이기기 위해 적은 비용으로 많은 양을 생산하려고 노력하기 때문이야.

의미	가계와 기업이 자신의 이익을 추구하며, 경제 문제가 시장 가격을 통해 해결되는 경제 체제
특징	• 모든 경제 주체가 시장 가격을 기초로 경제 활동을 함 → 사려는 사람과 팔려는 사람의 자발적 의사에 의해 거래가 이루어짐 → 자원이 필요한 사람에게 돌아감 • 사유 재산 제도를 기반으로 개인의 자유로운 이익 추구를 보장함 → 경제 주체 사이의 경쟁이 활발해짐
장점	개인의 창의성 발휘, 자원의 효율적 사용과 생산 증대 등
단점	빈부 격차 발생, 환경 오염 심화 등

(3) 계획 경제 체제

근로자가 일한 만큼 분배받지 못하고, 개인의 재산 소유가 제한되어 이윤을 추구하려는 동기가 부족해지기 때문이야.

의미	국가가 모든 생산 수단을 소유하며, 경제 문제가 국가의 계획과 명령을 통해 해결되는 경제 체제
목표	부와 소득의 불평등을 완화하고자 함
장점	국가가 채택한 주요 목적을 신속히 달성할 수 있음
단점	• 근로 의욕과 경제적 효율성 저하, 개인의 창의성 제한 등 • 생산량과 소비량을 결정하는 것이 현실적으로 불가능함

(4) 혼합 경제 체제: 시장 경제 체제와 계획 경제 체제가 혼합된 경제 체제

헌법을 통해 본 우리나라의 경제 체제

제119조 ① 대한민국의 경제 질서는 개인과 기업의 경제상의 자유와 창의를 존중함을 기본으로 한다.

② 국가는 균형 있는 국민 경제의 성장 및 안정과 적정한 소득의 분배를 유지하고, 시장의 지배와 경제력의 남용을 방지하며, 경제 주체 간의 조화를 통한 경제의 민주화를 위하여 경제에 관한 규제와 조정을 할 수 있다.

우리나라는 헌법상 자유로운 경제 활동을 보장하지만, 필요한 경우 정부가 경제에 개입하여 규제와 조정을 할 수 있도록 하고 있다. 이를 통해 우리나라는 시장 경제 체제를 기본으로 하면서 계획 경제 체제의 요소를 부분적으로 도입한 혼합 경제 체제임을 알 수 있다.

개념 확인하기

1 사람이 생존하는 데 필요한 재화나 서비스를 생산하고 분배하며 소비하는 활동을 (　　　　)이라고 한다.

2 다음 괄호 안의 내용 중 알맞은 말에 ○표를 하시오.

(1) 생산 활동에 참여하여 노동과 자본을 제공한 사람들은 임금과 (이자, 지대)를 받는다.

(2) (가계, 기업)은/는 소비 활동의 주체이고, 소득의 일부를 저축하고 국가에 세금을 납부한다.

(3) (생산, 분배)은/는 생활에 필요한 재화와 서비스를 만들어 내거나 그 가치를 높이는 활동이다.

3 자원의 희소성에 대한 설명이 맞으면 ○표, 틀리면 ×표를 하시오.

(1) 희소성이 큰 자원은 높은 가격에 거래된다. (　　)

(2) 희소성은 자원의 절대적인 양에 의해서 결정된다. (　　)

(3) 희소성 때문에 개인과 사회는 선택의 문제에 직면한다. (　　)

4 다음 빈칸에 들어갈 내용을 쓰시오.

(1) 어떤 것을 선택함으로써 포기하게 되는 여러 대안 중에 가치가 가장 큰 것을 (　　　　)이라고 한다.

(2) 가장 적은 (　　　　)으로 가장 큰 (　　　　)을 얻을 수 있는 대안을 선택하는 것이 합리적 선택이다.

5 기본적인 경제 문제를 옳게 연결하시오.

(1) 분배 • 　　• ㉠ 어떻게 생산할 것인가?

(2) 생산 방법 • 　　• ㉡ 얼마나 생산할 것인가?

(3) 생산물의 수량 • 　　• ㉢ 누구를 위하여 생산할 것인가?

6 다음 설명이 시장 경제 체제에 해당하면 '시', 계획 경제 체제에 해당하면 '계'라고 쓰시오.

(1) 개인의 자유로운 경제 활동이 보장된다. (　　)

(2) 국가가 경제 활동에 대한 계획을 세운다. (　　)

(3) 자원이 효율적으로 사용되고 생산이 증대된다. (　　)

(4) 근로자의 근로 의욕이 저하되고 개인의 창의성이 제한될 수 있다. (　　)

족집게 문제

내공 1 경제 활동의 이해

1 밑줄 친 ㉠, ㉡에 해당하는 사례를 옳게 연결한 것은?

> 경제 활동은 인간에게 필요한 ㉠ 재화와 ㉡ 서비스를 생산, 분배, 소비하는 모든 활동이다.

① ㉠ – 의사의 진료
② ㉠ – 가수의 공연
③ ㉡ – 고성능 컴퓨터
④ ㉡ – 선생님의 수업
⑤ ㉡ – 최신 유행하는 옷

2 경제 활동에 대한 설명으로 옳지 않은 것은?

① 소비는 재화나 서비스를 구매하여 사용하는 것이다.
② 분배는 생산 요소를 제공한 사람들이 그 대가를 받는 것이다.
③ 소비는 상품을 운반하고, 저장하고, 판매하는 것까지 포함한다.
④ 임금, 지대, 이자 등을 사람들에게 지급하는 것은 분배에 해당한다.
⑤ 생산은 생활에 필요한 재화와 서비스를 만들어 내거나 그 가치를 증대시키는 것이다.

중요 **3** (가)~(다)에 대한 설명으로 옳지 않은 것은?

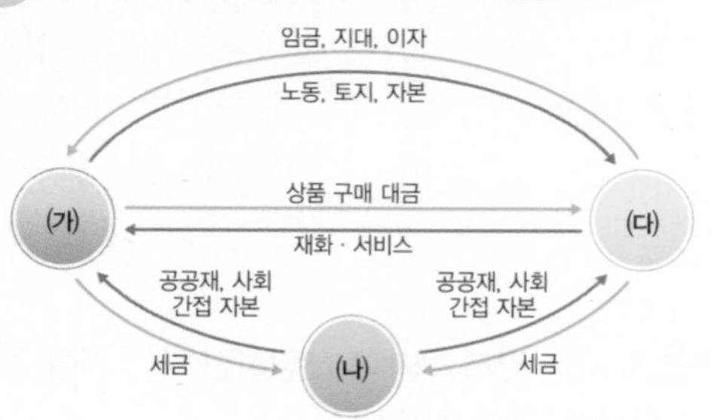

① (가)는 소비 활동을 담당한다.
② (나)는 공익 추구를 위해 경제 활동에 참여한다.
③ (다)는 경제 활동과 관련된 법이나 제도를 만든다.
④ (다)는 (가)로부터 생산 요소를 제공받고 그 대가를 지불한다.
⑤ (가), (나), (다)는 생산, 분배, 소비 활동을 통해 상호 작용한다.

내공 2 합리적 선택

4 다음 글을 통해 알 수 있는 내용으로 옳지 않은 것은?

> 과거에는 깨끗한 물을 언제 어디서나 구해 마실 수 있었기 때문에 지금처럼 물을 사서 마신다는 생각을 할 수 없었다. 그러나 오늘날에는 환경 오염으로 깨끗한 물의 가치가 올라가면서 돈을 주고 생수를 사 먹는 사람들이 많아졌다.

① 과거에는 깨끗한 물이 무상재였다.
② 오늘날에는 깨끗한 물이 경제재가 되었다.
③ 자원의 희소성은 인간의 욕구에 따라 달라진다.
④ 시간이 지나면서 깨끗한 물의 희소성이 작아졌다.
⑤ 깨끗한 물이 더 희소해지면 물의 가격이 오를 것이다.

중요 **5** (가)~(다) 중에서 가장 합리적인 선택과 그에 대한 기회비용을 옳게 연결한 것은?

〈중학생 A가 주말에 할 수 있는 일〉

선택	할 수 있는 일(2시간)	편익(용돈)
(가)	청소, 쓰레기 버리기	2만 원
(나)	삼촌 편의점 일 돕기	4만 원
(다)	사촌 동생 공부 도와주기	5만 원

① (가) – 2만 원 ② (나) – 5만 원
③ (나) – 4만 원 ④ (다) – 4만 원
⑤ (다) – 6만 원

6 합리적 선택에 대한 옳은 설명을 [보기]에서 고른 것은?

보기
ㄱ. 같은 비용이라면 편익이 가장 큰 것을 선택하는 것이다.
ㄴ. 선택으로 얻은 편익이 선택에 따른 기회비용보다 작아야 한다.
ㄷ. 편익이 같다면 비용과 관계없이 어떤 것을 선택해도 합리적이다.
ㄹ. 가장 적은 비용으로 가장 큰 편익을 얻을 수 있는 대안을 선택하는 것이다.

① ㄱ, ㄴ ② ㄱ, ㄹ ③ ㄴ, ㄷ
④ ㄴ, ㄹ ⑤ ㄷ, ㄹ

내공 3 경제 문제와 경제 체제

7 (가)~(다)에 해당하는 경제 문제에 대한 설명으로 옳지 않은 것은?

> (가) 어떻게 생산할 것인가?
> (나) 무엇을 얼마나 생산할 것인가?
> (다) 누구를 위하여 생산할 것인가?

① (가)는 생산 방법의 선택과 관련된 문제이다.
② (나)는 직원에게 임금을 얼마나 줄 것인지 고민하는 것에 해당한다.
③ (다)는 "누구에게 얼마나 분배할 것인가?"라고도 한다.
④ (가)~(다)는 자원의 희소성으로 인해서 발생하는 경제 문제이다.
⑤ (가)~(다)와 같은 경제 문제를 해결하는 방식은 사회마다 다르다.

8 다음 내용을 통해 알 수 있는 시장 경제 체제의 장점으로 옳은 것은?

> 시장 경제 체제에서는 개인이 자유롭게 이익을 추구할 수 있다. 따라서 경제 주체들은 이익을 얻기 위해 치열하게 경쟁하며, 경쟁에서 이기기 위해 적은 비용으로 생산을 많이 하기 위해 노력한다.

① 환경 오염을 줄일 수 있다.
② 정부가 적절하게 개입할 수 있다.
③ 부와 소득의 불평등을 완화할 수 있다.
④ 희소한 자원을 효율적으로 사용할 수 있다.
⑤ 국가가 생산량을 정확하게 파악할 수 있다.

9 계획 경제 체제에 대한 옳은 설명을 [보기]에서 고른 것은?

> 보기
> ㄱ. 경제 문제가 시장 가격을 통해 해결된다.
> ㄴ. 개인과 기업의 자유로운 경제 활동을 보장한다.
> ㄷ. 근로자의 근로 의욕이 저하되는 문제가 나타난다.
> ㄹ. 국가의 계획과 명령을 통해 경제 문제를 해결한다.

① ㄱ, ㄴ ② ㄱ, ㄷ ③ ㄴ, ㄷ
④ ㄴ, ㄹ ⑤ ㄷ, ㄹ

서술형 문제

출제율 ●●●●● 시험에 꼭 나오는 출제 가능성이 높은 예상 문제로, 내신 100점을 받기 위한 필수 문항들

10 다음 내용과 관련된 경제 활동의 유형을 쓰고, 그 의미를 서술하시오.

> • 은행에 예금한 돈에 대한 이자를 받는다.
> • 기업이 노동자들에게 매월 임금을 지급한다.

11 다음과 같은 선택이 합리적인지 아닌지 쓰고, 그 이유를 서술하시오.

> 가현이는 방학을 맞이하여 평소에 관심이 있었던 테니스, 중국어 회화, 제빵 중 한 가지를 배울 생각이다. 무엇을 할지 고민하다가 각 선택에 따른 비용과 편익(만족감)을 비교한 결과 테니스를 배우기로 하였다.

구분	테니스	중국어 회화	제빵
비용	5만 원	8만 원	10만 원
만족감	10	10	8

중요 **12** 다음 글을 읽고 물음에 답하시오.

> A 국에서는 시장에서 형성된 가격을 바탕으로 상품을 사려는 사람과 팔려는 사람의 자발적인 의사를 통해 거래가 이루어지면서 자원이 필요한 사람에게 돌아가게 된다. 또한 개인의 자유로운 이익 추구가 보장되어 사람들은 열심히 일하면서 다른 사람과 경쟁한다.

(1) A 국이 채택하고 있는 경제 체제를 쓰시오.

(2) (1)의 장점과 단점을 각각 서술하시오.

02 기업의 역할과 사회적 책임

내공 1 기업의 역할

1 기업

(1) 기업: 생산 활동을 담당하는 경제 주체 → 일상생활에서 필요한 대부분의 재화와 서비스를 생산함

(2) 기업의 생산 과정

① 무엇을, 어떻게, 얼마나 생산할지를 결정함

② 노동, 토지, 자본 등과 같은 생산 요소를 투입함

③ 재화와 서비스를 만들고 이를 시장에 공급함

2 기업의 역할

(1) 생산 활동 ─ 기업이 재화와 서비스를 팔아 생긴 수입에서 만드는 데 들어간 비용을 뺀 것을 말해.

목적	이윤의 극대화
역할	좋은 품질의 재화와 서비스를 최소의 비용으로 생산하려고 노력함
영향	• 새로운 상품 개발 → 소비자가 다양하고 질 좋은 상품을 소비하여 만족감을 얻을 수 있음 • 기술 혁신, 연구 개발 → 기업을 발전시키고 경제 성장을 촉진하며, 국가 경쟁력 강화에 이바지함

(2) 고용과 소득 창출

역할	가계로부터 노동, 토지, 자본 등의 생산 요소를 제공받고, 그 대가로 임금, 지대, 이자 등을 지급함
영향	• 가계의 노동과 자본 사용 → 가계에 일자리를 제공하고, 소득을 창출함 • 기업의 생산 확대 → 사회 전체의 고용과 소득이 늘어 국민의 생활 수준이 높아지고 경제가 활성화됨 • 이윤 분배 → 남은 이윤을 회사에 투자한 주주들에게 배분함

(3) 세금 납부

역할	생산 활동으로 벌어들인 수입 중 일부를 정부에 세금으로 냄
영향	기업의 세금 납부 → 국가 수입에서 큰 비중을 차지함으로써 국가의 재정 활동에 이바지함

└ 정부의 수입과 지출에 관한 활동을 말해.

기업의 생산 활동이 사회에 미치는 영향

▲ 우리나라 자동차 기업의 해외 공장

우리나라 ○○ 자동차 회사는 세계 여러 나라에 공장을 두고 현지 생산을 하고 있다. 이렇게 건설된 현지 공장은 해당 지역의 고용 창출뿐만 아니라 주변 상업 시설 건설, 주택 건설에 영향을 미침으로써 지역 경제 활성화에 이바지하고 있다.

기업은 생산 과정에서 근로자를 고용하여 일자리를 주고, 그들에게 노동의 대가로 임금을 지급하여 가계에 소득을 제공한다. 그리고 국가에 각종 세금을 낸다. 따라서 기업의 생산 활동이 활발해지면 고용과 가계 소득이 증가하고, 국가 재정에도 도움이 되므로 경제가 활성화된다.

내공 2 기업의 사회적 책임

1 기업의 사회적 책임

(1) 의미: 기업이 단순한 이윤 추구를 넘어 법령과 윤리를 준수하면서 사회 전체의 이익에 부합하도록 사회 구성원으로서의 역할을 다하는 것 └ 소비자, 노동자, 주주, 지역 사회 등의 요구를 고려해야 해.

(2) 기업의 사회적 책임의 중요성: 오늘날 기업의 사회적 책임에 대한 요구가 증가하고 있음

기업의 영향력	• 기업의 활동은 소비자, 근로자와 밀접하게 관계를 맺고 있으며, 국가 경제 전반에 영향을 미침 • 기업이 이윤과 효율성만 추구하면 무분별한 자원 개발, 환경 파괴, 노동 착취 등의 문제가 발생함
기업의 사회적 책임의 필요성	• 기업이 사회적 책임을 다하면 소비자에게 좋은 인식을 심어 주어 기업의 성장을 촉진할 수 있음 • 다른 경제 주체들과 상호 발전적인 관계를 형성할 수 있음

2 기업의 사회적 책임을 위한 노력

분야	내용
경제적 책임	이윤 극대화와 일자리 창출을 위해 노력함
법적 책임	• 사회 규범과 법률을 준수하면서 합법적으로 경제 활동을 해야 함 예 성실한 세금 납부, 투명한 회계 관리 등 • 다른 기업과 공정하게 경쟁하면서 성장해야 함 • 소비자의 권익을 보호하려고 노력해야 함 • 노동자에게 정당한 임금과 안전한 작업 환경을 제공하고, 거래 업체와 공정하게 거래해야 함
윤리적 책임	• 생산 활동으로 발생하는 환경 오염을 최소화하고, 소비자에게 안전한 상품을 생산해야 함 • 장애인과 취약 계층의 고용 확대를 위해 노력해야 함 • 여성, 현지인, 소수 인종을 공정하게 대우해야 함
자선적 책임	• 교육, 문화, 사회 복지 사업 등을 적극적으로 지원하여 사회의 복지 증진에 이바지함 • 자선이나 기부와 같은 사회 공헌 활동에 참여함

기업의 윤리적 책임

(가) A 자동차 회사가 자사 제품에 대해 오염 물질을 적게 배출하는 것처럼 홍보하였으나 이와는 반대로 환경 기준을 초과하는 막대한 배기가스를 뿜어 내고 있었다는 사실이 밝혀졌다.

(나) B 신발 회사는 소비자가 신발 한 켤레를 구매할 때마다 아프리카 어린이에게 신발 한 켤레를 기부하는 방식으로 신발을 판매하고 있다. 소비자들은 물건을 구입하는 동시에 다른 사람을 도울 수 있다는 새로운 가치를 발견하였고, 이는 기업의 매출 증대에도 큰 도움이 되었다.

(가)처럼 기업이 눈앞의 이익만을 추구하면 환경 문제나 노동 문제가 심각해진다. (나)와 같이 기업이 사회적 책임 의식을 가지고 사회 전체의 이익에 부합하도록 의사 결정을 내릴 때 다른 경제 주체들과 발전적인 관계를 형성할 수 있고, 기업의 성장도 동시에 이룰 수 있다.

내공 3 기업가 정신

1 기업가 정신과 혁신

(1) 기업가 정신: 이윤 창출을 위해 미래의 불확실성과 위험을 무릅쓰고, 새로운 것에 과감히 도전하는 혁신적이고 창의적인 기업가의 의지
기업가 정신의 본질이자 핵심이라고 할 수 있어.

(2) 기업가의 혁신
① 새로운 상품과 기술을 개발함
② 새로운 생산 기술과 방법을 도입함
③ 새로운 시장을 개척하고, 새로운 경영 조직을 만듦

혁신과 기업가 정신

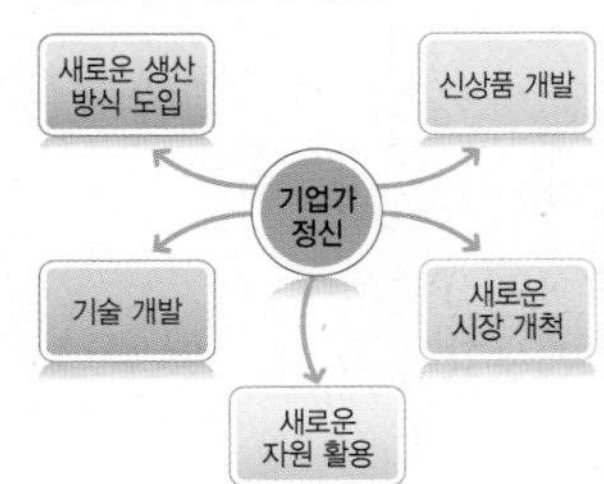

기술 혁신을 통해 새로운 것을 창조하는 '창조적 파괴' 과정이 기업의 원동력이며 이에 앞장서는 기업가가 혁신자이다.
– 슘페터 –

혁신적인 정신을 발휘하는 기업은 고부가 가치를 창출하는 신상품을 개발하고, 판매처 확보를 위해 새로운 시장을 개척해 나간다. 또한 기존의 생산 기술이나 방법을 새로운 것으로 대체하고, 시장의 변화에 능동적으로 대처할 수 있도록 새로운 경영 조직을 만드는 등 끊임없는 혁신을 통해 새로운 수익을 창출한다. 미국의 경제학자 슘페터는 이렇게 혁신을 추구하는 기업가의 행동을 '창조적 파괴'라는 말로 설명하였다.

2 기업가에게 필요한 자세

(1) 기업가 정신의 중요성
반면에 실패하면 큰 손실을 볼 수도 있어.
① 기업은 더 많은 이윤을 획득하고 성장할 수 있음
② 새로운 상품과 기술의 개발로 사람들의 삶이 더욱 풍요로워질 수 있음
우수한 제품을 싼 가격에 살 수 있게 되기 때문이야.
③ 새로운 가치 창출에 이바지하여 경제를 발전시키는 원동력이 될 수 있음

(2) 오늘날 기업가에게 요구되는 자세
① 빠르게 변화하는 사회 환경에 유연하고 신속하게 대처할 수 있는 능력을 갖춰야 함
② 불확실한 미래를 예측하고 변화를 모색하며, 남과는 다른 시각에서 혁신적인 사고를 할 수 있어야 함

기업가 정신의 중요성

전기 자동차를 생산하는 ○○ 회사는 변화하는 미래에 발 빠르게 대응하고 있다. 한번 충전으로 500km를 주행할 수 있는 전기 자동차를 선보인 데 이어 최근에는 기존 모델에 자율 주차 기능을 추가하였다. ○○ 회사의 전기 자동차는 '바퀴 달린 스마트폰'이라 불리며 자동차와 정보 기술이 융합된 기술 혁신의 결과라는 평가를 받고 있다.
– 경향 신문, 2016. 4. 10. –

기업은 미래의 불확실성 속에서도 외부 환경의 변화에 신속하게 대처하면서 기술 혁신을 위해 노력할 때 지속적으로 성장할 수 있다.

개념 확인하기

정답과 해설 10쪽

1 기업은 (　　　　) 활동을 담당하는 경제 주체로, 일상생활에서 필요한 대부분의 재화와 서비스를 만들고 이를 판매한다.

2 다음 빈칸에 들어갈 내용을 쓰시오.
(1) 기업은 (　　　　)의 극대화를 목적으로 하는 경제 주체이다.
(2) 가계는 기업에 노동과 자본을 제공하고, 이 과정에서 일자리와 (　　　　)을 얻는다.
(3) 기업은 수입 중 일부를 정부에 (　　　　)으로 납부하여 정부의 재정 활동에 이바지한다.

3 기업의 (　　　　)이란 기업이 단순한 이윤 추구를 넘어 법률과 윤리를 준수하면서 사회 전체의 이익에 부합하도록 사회 구성원으로서의 역할을 다하는 것을 의미한다.

4 기업의 사회적 책임을 위한 노력에 대한 설명이 맞으면 ○표, 틀리면 ×표를 하시오.
(1) 기업은 사회 규범과 법에 근거하여 합법적으로 경제 활동을 해야 한다. (　　)
(2) 기업은 이윤을 극대화하기 위해 복지 사업이나 기부 활동은 자제해야 한다. (　　)
(3) 기업은 여성, 장애인, 현지인, 소수 인종에게 차별적인 임금을 제공해야 한다. (　　)
(4) 기업은 소비자의 권익을 보호하고 노동자에게 정당한 임금과 작업 환경을 제공해야 한다. (　　)

5 기업가 정신이란 이윤 창출을 위해 미래의 (㉠　　　　)과 위험을 무릅쓰고, 새로운 것에 과감히 도전하는 (㉡　　　　)적이고 창의적인 기업가의 의지를 의미한다.

6 기업가에게 요구되는 혁신적인 자세만을 [보기]에서 있는 대로 골라 기호를 쓰시오.

보기
ㄱ. 고부가 가치를 창출하는 신상품 개발
ㄴ. 판매처 확보를 위한 새로운 시장 개척
ㄷ. 손실을 최소화하기 위해 불확실한 미래에 대한 도전 지양
ㄹ. 상품의 질을 개선하고 생산비를 절감할 수 있는 기술 개발

족집게 문제

내공 1 기업의 역할

1 ㉠, ㉡에 들어갈 경제 주체를 옳게 연결한 것은?

> (㉠)은/는 생산 활동을 담당하는 경제 주체로서, (㉡)이/가 제공하는 노동, 토지, 자본을 사용하여 무엇을, 어떻게, 얼마나 만들어 판매할지를 결정한다.

	㉠	㉡		㉠	㉡
①	가계	기업	②	가계	정부
③	기업	가계	④	기업	정부
⑤	정부	가계			

2 기업에 대한 설명으로 옳지 않은 것은?

① 기업은 사회 전체의 복지를 극대화하기 위해 생산 활동을 한다.
② 기업은 일상생활에서 필요한 대부분의 재화와 서비스를 생산한다.
③ 기업은 생산 요소를 사용한 대가로 임금이나 이자 등을 지급한다.
④ 기업이 생산 활동을 하기 위해 노동, 토지, 자본 등의 생산 요소가 필요하다.
⑤ 기업은 최소의 비용을 들여 좋은 품질의 재화와 서비스를 생산하려고 노력한다.

3 기업의 역할로 바람직한 것만을 [보기]에서 있는 대로 고른 것은?

보기
ㄱ. 정부에 세금을 냄으로써 국가 재정에 이바지한다.
ㄴ. 기술 혁신과 연구 개발을 통해 기업을 발전시킨다.
ㄷ. 다양하고 질 좋은 상품을 제공하여 소비자들의 만족감을 높인다.
ㄹ. 이윤을 얻기 위해 고용과 임금을 최소화하고 사회 전체의 효율성을 높인다.

① ㄱ, ㄴ ② ㄴ, ㄹ ③ ㄷ, ㄹ
④ ㄱ, ㄴ, ㄷ ⑤ ㄱ, ㄷ, ㄹ

4 다음 내용을 통해 알 수 있는 기업 활동의 영향으로 가장 적절한 것은?

> • 기업의 생산이 확대될수록 사회 전체의 고용과 소득이 늘어난다.
> • 새로운 상품과 생산 기술을 개발함으로써 기업을 발전시키고 경제를 성장시켜 국가 경쟁력 강화에 이바지한다.

① 해외로부터 투자를 유치할 수 있다.
② 무분별한 자원 개발을 줄일 수 있다.
③ 고가의 상품을 만들어 공급할 수 있다.
④ 국민 경제의 발전에 이바지할 수 있다.
⑤ 모든 이윤을 주주들에게 배분할 수 있다.

내공 2 기업의 사회적 책임

5 밑줄 친 부분에 해당하는 내용을 [보기]에서 고른 것은?

> 기업이 단순한 이윤 추구를 넘어 사회에 대한 책임도 함께 짊어져야 한다는 기업의 사회적 책임에 대한 관심이 높아지고 있다.

보기
ㄱ. 다른 기업들과 공정하게 경쟁한다.
ㄴ. 자연 보호 구역을 적극적으로 개발한다.
ㄷ. 기부와 같은 사회 공헌 활동에 참여한다.
ㄹ. 외국인 노동자에게 내국인보다 낮은 임금을 지급한다.

① ㄱ, ㄴ ② ㄱ, ㄷ ③ ㄴ, ㄷ
④ ㄴ, ㄹ ⑤ ㄷ, ㄹ

중요 **6** 사회적 책임을 다하는 기업으로 볼 수 없는 것은?

① A 기업은 매년 성실하게 세금을 납부하였다.
② B 기업은 저소득층 아이들에게 무료 학습지와 도서 등을 지원하였다.
③ C 기업은 제품을 빠르게 유통하기 위해서 유해 물질 검사를 생략하였다.
④ D 기업은 남성과 여성 간에 고용 차별이 없는 양성평등 우수 기업으로 선정되었다.
⑤ F 기업은 유해 물질을 배제한 깨끗하고 안전한 제품을 개발하기 위해 노력하고 있다.

내공 3 기업가 정신

7 밑줄 친 부분에 해당하는 내용으로 옳지 않은 것은?

> 경제학자 슘페터는 혁신을 추구하고 새로운 가치 창출을 위해 도전하는 기업가의 행동을 '창조적 파괴'라고 설명하고, 이것을 기업의 원동력으로 보았다.

① 새로운 상품 개발
② 새로운 시장 개척
③ 새로운 생산 기술 도입
④ 새로운 환경과 위험 회피
⑤ 새로운 경영 조직으로 개편

8 기업가 정신이 사회에 미치는 긍정적인 영향을 [보기]에서 고른 것은?

보기
ㄱ. 새로운 기술과 상품이 개발되어 사람들의 삶이 풍요로워진다.
ㄴ. 불확실한 미래를 정확히 예측하여 시장의 변화에 대처할 수 있다.
ㄷ. 가치 창출에 이바지함으로써 경제를 발전시키는 원동력이 될 수 있다.
ㄹ. 기업가의 이윤 창출과 성공이 보장되므로 가계의 소득 증가에 이바지한다.

① ㄱ, ㄴ ② ㄱ, ㄷ ③ ㄴ, ㄷ
④ ㄴ, ㄹ ⑤ ㄷ, ㄹ

중요 **9** 기업가 정신을 가지고 있다고 보기 어려운 사람은?

① 새로운 기술 개발에 대한 투자를 늘리기로 한 A 씨
② 잘 팔리는 다른 회사 제품을 모방하여 생산하는 B 씨
③ 판매처와 고객층을 넓히기 위해 해외 기업과 제휴하려는 C 씨
④ 소비자의 의견을 바탕으로 상품에 대한 품질을 개선해 나가는 D 씨
⑤ 유연하고 신속한 의사 결정을 위해 과감하게 경영 조직을 개편한 F 씨

서술형 문제

출제율 ●●●●● 시험에 꼭 나오는 출제 가능성이 높은 예상 문제로, 내신 100점을 받기 위한 필수 문항들

10 다음 내용을 통해 알 수 있는 경제 주체로서의 기업의 역할을 세 가지 서술하시오.

> • 앵커: 이 기업은 지난해 출시한 과자가 인기를 끌면서 매출이 크게 올랐습니다. 그래서 몰려드는 주문을 맞추기 위해 200여 명의 신규 인력을 채용하였습니다. 또한 올해에는 모범 납세 기업으로 선정되었습니다.

11 밑줄 친 '○○ 기업'에 요구되는 기업의 사회적 책임에 대해 서술하시오.

> ○○ 기업은 벌어들인 소득과 재산을 숨겨 세금을 탈루하고, 해외에 비자금을 조성한 혐의로 국세청의 조사를 받았다. 이 회사는 전문가의 도움까지 받으면서 교묘한 수법으로 조세 부담을 회피하기 위해 회계를 조작한 것으로 드러났다.

12 다음 사례를 통해 알 수 있는 기업가 정신의 중요성을 서술하시오.

> 소프트웨어 개발자 A 씨는 어린이집에 다니는 자녀의 어린이집 생활과 준비물을 쉽고 빠르게 확인할 수 있으면 좋겠다는 생각을 가지고 '키즈 △△'이라는 스마트폰 앱을 개발하였다. '키즈 △△'은 유용성과 편리성을 인정받으며 전국의 어린이집과 유치원에 도입되었고, 현재는 수출을 위해 준비 중이다.

03 금융 생활의 중요성

내공 1 일생 동안의 경제생활

1 생애 주기에 따른 경제생활

(1) 생애 주기: 시간의 흐름에 따라 개인이나 가족의 삶이 어떻게 변화하는지를 몇 단계로 나타낸 것

예 유소년기, 청년기, 중·장년기, 노년기

(2) 특징: 경제생활은 태어나면서부터 평생에 걸쳐 이루어짐, 경제생활의 모습은 생애 주기에 따라 다르게 나타남

2 생애 주기별 경제생활

(1) 생애 주기별 경제생활의 특징

시기	특징
유소년기	• 생산 활동보다 소비 활동을 주로 하는 시기 • 경제적으로 자립하기 어려워 부모의 소득에 의존함 • 바람직한 경제생활 태도를 형성해야 함
청년기	• 취업과 함께 생산 활동에 참여하면서 소득이 발생하는 시기 • 소득과 소비가 모두 적은 편임
중·장년기	• 소득과 소비가 모두 크게 증가하는 시기 • 자녀 양육 및 교육, 주택 마련, 은퇴 계획 수립 등으로 소비가 집중적으로 증가함 • 노후 대비를 위해 소비를 줄이고 소득을 저축해야 함
노년기	• 은퇴로 인해 소득보다 소비가 많아지는 시기 • 소득이 크게 줄어들거나 없어져 노후 대비 자금이나 연금으로 생활해야 함

(2) 생애 주기에 따른 재무 계획 수립

재무 계획: 돈의 흐름을 파악하여 필요할 때 돈을 쓸 수 있도록 미리 준비하는 과정이야.

① 생애 주기에 따른 수입과 지출을 고려하여 장기적인 관점에서 재무 계획을 세워야 함

② 미래에 예상되는 지출과 예상하지 못한 사고나 질병 등에 대비해야 함

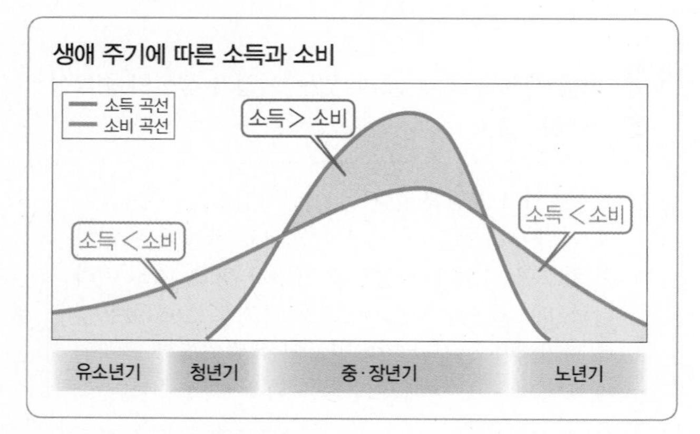

생애 주기에 따른 소득과 소비를 살펴보면 소비 생활은 평생에 걸쳐 이루어지지만, 소득을 얻을 수 있는 기간은 제한되어 있고, 소득이 소비보다 많은 시기가 있는 반면, 소비가 소득보다 많은 시기가 있음을 알 수 있다. 일반적으로 본격적으로 생산 활동을 시작하는 청년기에 소득이 증가하기 시작하여 중·장년기에 최고점에 도달한 뒤 점차 감소하여 노년기에는 소득이 거의 없어지게 된다.

내공 2 합리적인 자산 관리와 신용 관리

1 자산 관리의 필요성

(1) 자산: 개인, 단체가 소유하고 있는 경제적 가치를 지닌 것

자산: 현금, 예금, 주식, 채권 등의 금융 자산과 자동차, 부동산 등의 실물 자산이 있어.

(2) 자산 관리: 자신의 소득을 활용하여 어떤 자산을 언제, 얼마나 구입하고 처분할지를 계획하고, 실천하는 것

(3) 자산 관리의 필요성 — 자산 관리를 하려면 소득과 소비를 고려하여 저축부터 시작해야 해.

① 한정된 생산 활동 기간: 소득을 얻을 수 있는 기간이 제한되어 있음 → 지속 가능한 소비 생활을 위해 자산을 확보하고 운영해야 함

② 불확실한 상황과 노후 대비: 평균 수명이 증가하여 은퇴 이후의 생활 기간이 늘어남 → 노년기 생활을 대비할 필요성이 커짐

2 자산 관리 시 고려해야 할 요인

요인	내용
수익성	투자를 통해 수익을 얻을 수 있는 정도
안전성	원금이 손실되지 않고 보장되는 정도(↔ 위험성)
유동성	쉽고 빠르게 현금으로 전환할 수 있는 정도

3 자산의 종류

종류	내용
예금, 적금	• 예금: 일정한 금액의 돈을 은행에 맡기고, 정해진 기간이 지나면 원금과 이자를 받는 것 • 적금: 정해진 기간 동안 매달 일정 금액을 은행에 입금하고, 만기 시 원금과 이자를 받는 것 • 원금 보장으로 안전성이 높고, 낮은 금리로 수익성은 낮음, 수시로 현금 인출이 가능하여 유동성이 높음
주식	• 주식회사가 자금을 마련하기 위해 투자자에게서 돈을 받고 발행하는 증서 • 보유하는 동안 배당금을 받을 수 있고 주식을 사고팔아 이익을 얻을 수 있지만, 주식 가격이 내려가면 원금을 잃을 수도 있음 → 수익성이 높지만 안전성이 낮음
채권	• 정부, 기업 등이 자금을 빌리면서 원금과 일정한 이자를 언제까지 갚겠다고 표시하여 발행하는 증서 • 일정한 이자를 받을 수 있고, 만기 전에 다른 사람에게 팔아 이익을 남길 수도 있음 → 주식보다 안전하고 예금보다 수익성이 높음
펀드	• 금융 기관이 투자자에게서 모은 자금을 주식, 채권 등에 투자한 후 그 수익을 투자자에게 나누어 주는 것 • 전문가를 통해 간접적으로 투자할 수 있음
연금	• 소득의 일부를 저축하여 노후에 매달 일정액을 받는 것 • 예금과 적금에 비해 계약 기간이 김 예 국민연금, 개인연금, 퇴직 연금 등
보험	• 질병, 사고 등 미래의 위험에 대비하기 위해 현재에 미리 돈을 내고, 사고를 당하면 일정 금액을 받는 상품 • 종류가 다양하므로 가입 전에 꼭 필요한 것인지 계약서를 꼼꼼히 읽고 확인해야 함
부동산	토지, 건물 등 움직일 수 없는 자산 → 유동성이 낮음

4 올바른 자산 관리의 자세

(1) 자산을 늘리는 것뿐만 아니라 지출을 체계적으로 관리하여 불필요한 낭비를 줄여야 함
(2) 저축이나 투자의 목적과 기간을 살펴보고, 자산의 특징을 고려해야 함
(3) 자신에게 맞는 자산 관리 방법을 선택하여 장기적으로 자산을 안정적으로 유지해야 함
(4) 다양한 유형의 자산에 분산 투자를 해야 함

분산 투자의 중요성

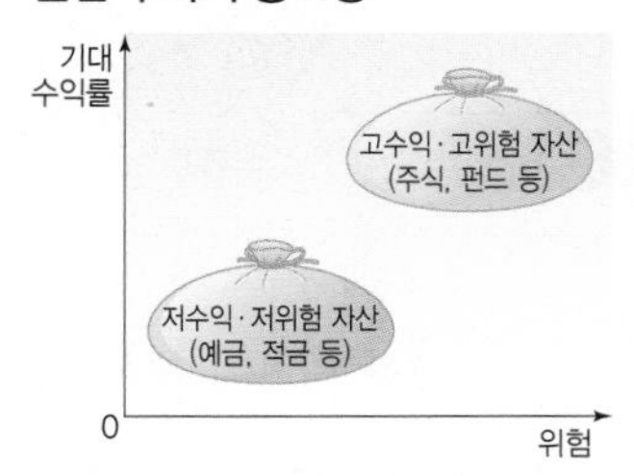

▲ 자산별 수익과 위험 간의 관계

일반적으로 안전성이 높으면 수익성이 낮고, 수익성이 높으면 안전성이 낮다. 따라서 한 금융 상품에 모두 투자하기보다 자산의 특징, 투자의 목적과 기간, 수익성, 안전성, 유동성 등을 고려하여 다양한 금융 상품에 분산하여 투자하는 것이 좋다. 분산 투자를 하면 어느 한 곳에서 손해를 보더라도 다른 곳에서 그 손해를 보충할 수 있어 좀 더 안정적으로 자산을 운용할 수 있다.

5 신용 관리의 중요성

(1) 신용: 나중에 대가를 지불할 것을 약속하고 현재 상품을 이용하거나 돈을 빌릴 수 있는 능력 (신용: 개인의 경제적 지불 능력 또는 지불 능력에 대한 사회적 평가라고 할 수 있어.)
(2) 신용 거래의 장단점

구분	내용
장점	• 현금이 없어도 상품이나 서비스를 제공받을 수 있음 • 현재 소득보다 더 많은 소비가 가능함 • 목돈이 필요한 경우 자금 마련이 용이함
단점	• 충동구매, 과소비 등 비합리적인 소비로 이어질 수 있음 • 미래에 갚아야 할 빚이 늘어남

(3) 올바른 신용 관리 (개인적 손실뿐만 아니라 국가 경제 성장에 장애 요인이 될 수 있어.)
① 필요성: 신용도가 낮으면 신용 카드 발급 제한, 대출 거절, 높은 이자율, 취업 제한 등과 같은 불이익을 얻게 됨
② 올바른 신용 관리의 자세: 소득을 초과하는 소비를 자제함, 미래의 소득과 지불 능력을 고려하여 신용을 이용함, 상환 약속을 지킴 등 (상환: 갚거나 돌려주는 것)

신용을 바탕으로 이루어지는 경제 활동

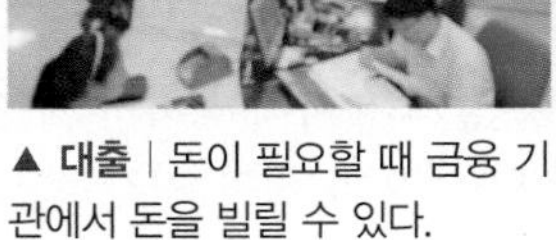
▲ 대출 | 돈이 필요할 때 금융 기관에서 돈을 빌릴 수 있다.

▲ 신용 구매 | 신용 카드로 상품 대금을 먼저 지불할 수 있다.

개념 확인하기

정답과 해설 11쪽

1 다음 괄호 안의 내용 중 알맞은 말에 ○표를 하시오.
(1) (유소년기, 청년기)는 부모의 소득에 의존하여 소비 활동을 하는 시기이다.
(2) 중·장년기에는 자녀 양육 및 교육, 주택 마련 등으로 (소득, 소비)이/가 집중적으로 증가한다.
(3) 직장에서 은퇴한 노년기에는 (소득, 소비)이/가 크게 줄어 노후 대비 자금이나 연금으로 생활하게 된다.

2 다음 설명에 해당하는 자산의 종류를 [보기]에서 골라 기호를 쓰시오.

보기
ㄱ. 예금 ㄴ. 주식
ㄷ. 채권 ㄹ. 펀드

(1) 일정한 금액의 돈을 은행에 맡기고, 정해진 날에 원금과 이자를 받는다. ( )
(2) 주식회사가 발행하는 증서로 배당금을 받거나 사고팔아서 이익을 얻을 수 있다. ( )
(3) 정부, 기업 등이 자금을 마련하기 위해 원금과 이자 지급을 약속하고 발행하는 증서이다. ( )
(4) 금융 기관이 투자자에게서 모은 자금을 주식, 채권 등에 투자한 후 그 수익을 투자자에게 나누어 주는 것이다. ( )

3 자산 관리 시 고려해야 할 요인과 그 내용을 옳게 연결하시오.
(1) 수익성 • • ㉠ 쉽고 빠르게 현금화할 수 있는 정도
(2) 안전성 • • ㉡ 원금이 손실되지 않고 보장되는 정도
(3) 유동성 • • ㉢ 투자를 통해 수익을 얻을 수 있는 정도

4 나중에 대가를 지불할 것을 약속하고 현재 상품을 이용하거나 돈을 빌릴 수 있는 능력을 ( )이라고 한다.

5 신용에 대한 설명이 맞으면 ○표, 틀리면 ×표를 하시오.
(1) 신용 거래를 많이 이용하면 미래에 갚아야 할 빚이 줄어든다. ( )
(2) 신용이 있으면 당장 현금이 없어도 물건을 구매하거나 서비스를 이용할 수 있다. ( )
(3) 신용을 잃으면 신용을 이용하지 못하거나 다른 사람보다 더 높은 이자를 지불해야 한다. ( )

족집게 문제

내공 1 일생 동안의 경제생활

1 생애 주기에 따른 경제생활에 대한 옳은 설명을 [보기]에서 고른 것은?

보기
ㄱ. 소득을 얻을 수 있는 기간은 한정적이다.
ㄴ. 소비 생활은 태어나면서부터 평생 동안 이루어진다.
ㄷ. 안정된 노후 생활을 위해 소득보다 소비가 많은 시기에 저축을 해야 한다.
ㄹ. 일반적으로 청년기에 소득이 증가하기 시작하여 노년기에 최고점에 도달한다.

① ㄱ, ㄴ ② ㄱ, ㄷ ③ ㄴ, ㄷ
④ ㄴ, ㄹ ⑤ ㄷ, ㄹ

2 생애 주기에서 (가), (나)와 같은 경제적 특징을 보이는 시기를 옳게 연결한 것은?

(가) 소득과 소비가 모두 크게 증가하는 시기로, 안정적인 경제생활을 위해 소득을 저축해야 한다.
(나) 취업과 함께 생산 활동에 참여하여 소득이 발생하는 시기로, 소득과 소비가 모두 적은 편이다.

	(가)	(나)
①	청년기	노년기
②	청년기	중·장년기
③	노년기	청년기
④	중·장년기	노년기
⑤	중·장년기	청년기

3 생애 주기를 고려할 때 가장 바람직한 경제생활을 하고 있는 사람은?

① 부모님께 용돈을 받아 하루 만에 모두 써 버리는 10대 청소년
② 취업 후에 신용 카드를 만들어 월급보다 비싼 물건을 매달 구입하는 30대 회사원
③ 비싼 주택을 사기 위해 여러 은행으로부터 많은 돈을 빌린 40대 가장
④ 수입 중에서 일정 금액을 연금 상품에 저축하여 노년기를 대비하는 50대 사업가
⑤ 모아 둔 노후 대비 자금을 모두 사업에 투자하고 자녀의 소득에 의존하여 생활하는 70대 노인

중요 **4** 그림에 대한 옳은 설명만을 [보기]에서 있는 대로 고른 것은?

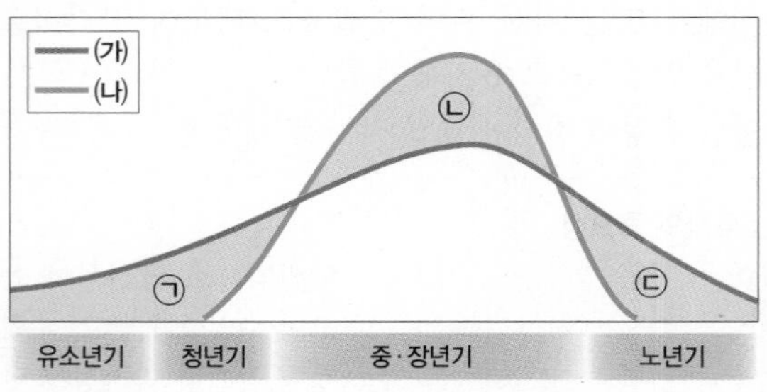

보기
ㄱ. (가)는 소비 곡선이다.
ㄴ. (나) 곡선은 소득을 얻을 수 있는 기간이 제한적임을 보여 준다.
ㄷ. ㉡은 소득에서 소비를 뺀 영역이다.
ㄹ. ㉠, ㉢ 부분을 저축하여 노년기를 대비해야 한다.

① ㄱ, ㄴ ② ㄴ, ㄹ ③ ㄷ, ㄹ
④ ㄱ, ㄴ, ㄷ ⑤ ㄱ, ㄷ, ㄹ

내공 2 합리적인 자산 관리와 신용 관리

주관식

5 다음 내용과 관련이 깊은 용어를 쓰시오.

- 한정된 소득으로 지속 가능한 소비 생활을 해야 한다.
- 소득을 저축하여 투자에 대한 계획을 세우고 이를 실천한다.
- 경제적 가치가 있는 유형·무형의 재산을 효율적으로 운영한다.

6 자산 관리가 필요한 이유로 볼 수 없는 것은?

① 지속 가능한 경제생활을 해야 하기 때문에
② 불확실한 상황과 노후를 대비해야 하기 때문에
③ 일생 동안 소득과 소비가 일정하지 않기 때문에
④ 소득보다 소비 수준을 항상 높게 유지해야 하기 때문에
⑤ 평균 수명의 연장으로 은퇴 이후의 생활 기간이 늘어났기 때문에

중요 7 (가), (나)에 대한 옳은 설명을 [보기]에서 고른 것은?

(가) 주식회사가 자금을 마련하기 위해 투자자에게서 돈을 받고 발행하는 증서
(나) 정부, 기업 등이 자금을 빌리면서 원금과 일정한 이자를 언제까지 갚겠다고 표시하여 발행하는 증서

보기
ㄱ. (가)는 수익성이 높고, 위험성이 크다.
ㄴ. (나)는 전문가를 통한 간접적인 투자 방법이다.
ㄷ. (가)는 주식, (나)는 채권이다.
ㄹ. (가), (나)는 예금, 적금에 비해 안전성이 높다.

① ㄱ, ㄴ ② ㄱ, ㄷ ③ ㄴ, ㄷ
④ ㄴ, ㄹ ⑤ ㄷ, ㄹ

8 올바른 자산 관리의 자세에 해당하는 것을 [보기]에서 고른 것은?

보기
ㄱ. 전문가가 추천하는 상품에는 반드시 가입해야 한다.
ㄴ. 다양한 유형의 자산에 적절히 분산하여 투자해야 한다.
ㄷ. 수익성보다 안전성과 유동성이 높은 자산에 투자해야 한다.
ㄹ. 자산을 늘리는 것뿐만 아니라 불필요한 낭비를 줄여야 한다.

① ㄱ, ㄴ ② ㄱ, ㄷ ③ ㄴ, ㄷ
④ ㄴ, ㄹ ⑤ ㄷ, ㄹ

9 신용에 대한 설명으로 옳지 않은 것은?

① 신용을 이용하면 현재 소득보다 더 많은 소비를 할 수 있다.
② 신용이 있으면 당장 현금이 없더라도 물건을 구매할 수 있다.
③ 신용을 자주 이용하게 되면 미래에 갚아야 할 빚이 늘어난다.
④ 신용도가 낮으면 금융 기관에서 낮은 이자율로 돈을 빌릴 수 있다.
⑤ 신용은 과소비와 같은 비합리적인 소비로 이어질 수 있다는 단점이 있다.

서술형 문제

출제율 ●●●●● 시험에 꼭 나오는 출제 가능성이 높은 예상 문제로, 내신 100점을 받기 위한 필수 문항들

중요 10 그림은 생애 주기에 따른 소득과 소비 곡선이다. 이를 보고, 일생 동안의 경제생활의 특징을 서술하시오.

소득 곡선
소비 곡선
유소년기 청년기 중·장년기 노년기

11 다음과 같은 방식으로 자산 관리를 하는 사람에게 해줄 수 있는 조언을 서술하시오.

"젊을 때는 과감하고 결단력 있는 투자를 해야 한다고 생각합니다. 요즘처럼 낮은 은행 이자로는 제가 목표로 하는 목돈을 모으려면 평생이 걸릴지도 몰라요. 그래서 저는 생활비를 제외한 모든 돈을 높은 수익을 기대하며 주식에 투자하고 있습니다."

12 다음과 같은 상황이 지속될 경우 A 씨에게 나타날 수 있는 문제점을 서술하시오.

A 씨는 휴대 전화를 무절제하게 사용하는 바람에 스스로 감당할 수 없는 요금이 나와 결국 연체를 하는 상황에 이르렀다. 또 비싼 물건을 살 때마다 할부 서비스를 이용했더니 매달 갚아야 할 금액이 눈덩이처럼 늘어나 이를 갚기 위해 또 다른 카드를 발급하였다.

시장의 의미와 종류 ~ 시장 가격의 결정

내공 1 시장의 의미와 종류

1 시장의 의미와 역할

(1) 시장: 재화나 서비스를 팔려는 사람(공급자)과 사려는 사람(수요자)이 만나 거래가 이루어지는 곳 → 오늘날에는 상품의 정보 교환과 거래가 이루어질 수 있는 모든 곳을 의미함

(2) 시장의 형성: 사람들이 일정한 시간과 장소를 정해 모이게 됨 → 화폐의 등장으로 시장이 점차 발달하였음

(3) 시장의 역할: 거래를 위해 들어가는 비용과 시간 절약, 상품에 관한 정보 획득 용이, 분업과 특화 촉진으로 생산성 증대, 다양한 상품의 소비 기회 확대 등

분업: 생산 과정을 여러 부문으로 나누어 여러 사람이 일을 나누어 맡는 것

시장의 형성과 발달

자급자족 경제		농경 시작		물물 교환 발생		시장 형성
원시 시대에는 생활에 필요한 대부분의 물건을 스스로 만들어 사용함	➡	자신이 쓰고도 남는 잉여 생산물이 발생함	➡	잉여 생산물을 다른 물건과 바꾸어 쓰기 시작함 → 분업과 특화 발생	➡	일정한 시기와 장소에 모여 거래를 하는 시장이 형성됨 → 화폐의 등장

원시 시대 사람들은 생활에 필요한 물건을 스스로 만들어 사용했다. 이후 농사를 짓게 되면서 사람들은 물물 교환을 시작하였고, 이 과정에서 분업과 특화를 통해 물건을 집중적으로 생산하게 되었다. 생산한 재화를 효율적으로 교환하기 위해 일정한 시간과 장소를 정해 모이는 시장이 생기게 되었으며, 화폐의 출현으로 시장은 더욱 발달하였다.

특화: 자신이 가장 잘 만들 수 있는 물건만을 특화해서 생산해 교환하면 더 좋은 물건을 싼 가격으로 소비할 수 있어.

2 시장의 종류

(1) 거래되는 상품의 종류에 따른 구분

구분	내용
생산물 시장	일상생활에 필요한 재화와 서비스가 거래되는 시장 예 농수산물 시장, 전자 상가, 꽃 시장, 영화관 등
생산 요소 시장	상품을 생산하는 과정에서 필요한 토지나 노동, 자본 등의 생산 요소가 거래되는 시장 예 부동산 시장, 노동 시장 등

(2) 거래 모습이 구체적으로 드러나는지 아닌지에 따른 구분

구분	내용
보이는 시장	구체적 장소가 존재하며 거래 모습이 눈에 보이는 시장 예 재래시장, 백화점, 대형 할인점, 동네 슈퍼마켓 등
보이지 않는 시장	구체적 장소가 존재하지 않으며 거래 모습이 눈에 보이지 않는 시장 예 주식 시장, 외환 시장, 전자 상거래 등

외환 시장: 달러화, 유로화, 엔화 등과 같은 외환이 거래되는 시장

전자 상거래: 최근에는 정보 통신 기술과 인터넷의 발달로 전자 상거래 시장의 규모가 점점 더 커지고 있어.

(3) 기타

① 개설 주기에 따른 구분: 상설 시장, 정기 시장

② 판매 대상에 따른 구분: 도매 시장, 소매 시장

시장의 종류

▲ **생산물 시장** | 꽃 시장에서는 수요자와 공급자 사이에 '꽃'이라는 상품이 거래된다.

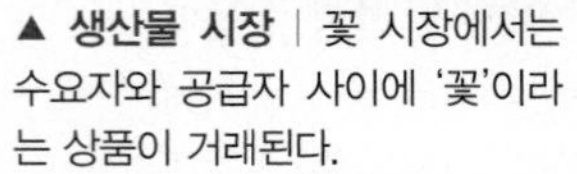

▲ **생산 요소 시장** | 취업 박람회에서는 구직자와 기업이 만나 노동의 거래가 이루어진다.

▲ **보이는 시장** | 재래시장에서는 수요자와 공급자가 특정한 장소에서 만나 재화를 거래한다.

▲ **보이지 않는 시장** | 전자 상거래 시장에서는 가상의 공간에서 상품의 거래가 이루어진다.

내공 2 시장의 수요와 공급

1 시장의 수요

(1) 수요: 일정한 가격에 어떤 상품을 구매하고자 하는 욕구

구매하고자 하는 욕구: 단순히 무엇을 갖고 싶다는 욕구가 아니라, 실제로 상품을 살 수 있는 능력을 갖춘 욕구를 의미해.

(2) 수요자: 상품을 구매하고자 하는 사람

(3) 수요량: 일정한 가격 수준에서 수요자가 구매하고자 하는 상품의 양

(4) 수요 법칙: 상품의 가격이 올라가면 수요량이 감소하고, 가격이 내려가면 수요량이 증가하는 것 → 가격과 수요량은 음(−)의 관계

(5) 수요 곡선 : 가격과 수요량의 관계인 수요 법칙을 나타낸 그래프 → 우하향하는 곡선

2 시장의 공급

(1) 공급: 일정한 가격에 어떤 상품을 판매하고자 하는 욕구

(2) 공급자: 상품을 판매하고자 하는 사람

(3) 공급량: 일정한 가격 수준에서 공급자가 판매하고자 하는 상품의 양

(4) 공급 법칙: 상품의 가격이 올라가면 공급량이 증가하고, 가격이 내려가면 공급량이 감소하는 것 → 가격과 공급량은 양(+)의 관계

가격과 공급량은 양(+)의 관계: 다른 조건이 일정할 경우, 상품의 가격이 올라갈수록 공급자가 얻을 수 있는 이윤이 커지기 때문이야.

(5) 공급 곡선: 가격과 공급량의 관계인 공급 법칙을 나타낸 그래프 → 우상향하는 곡선

▲ **수요 곡선** | 가격이 하락하면 수요량이 증가하기 때문에 수요 곡선은 우하향한다.

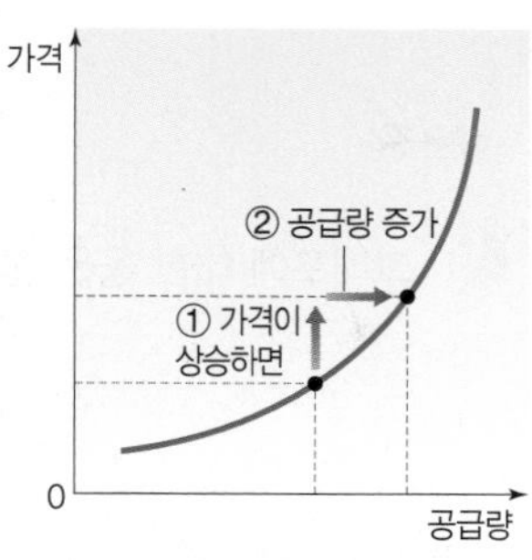

▲ **공급 곡선** | 가격이 상승하면 공급량이 증가하기 때문에 공급 곡선은 우상향한다.

내공 3 시장 가격의 결정

1 균형 가격(시장 가격)의 결정

수요자와 공급자가 모두 남거나 모자람 없이 자신이 원하는 양의 상품을 거래할 수 있게 되어 시장은 가장 효율적인 상태가 돼.

(1) 균형 가격(시장 가격): 수요 곡선과 공급 곡선이 만나는 지점에서 형성된 가격

(2) 균형 거래량: 균형 가격에서 거래되는 상품의 양

(3) 균형 가격의 형성: 수요량과 공급량이 일치하는 지점(수요량 = 공급량)에서 균형 가격이 형성됨

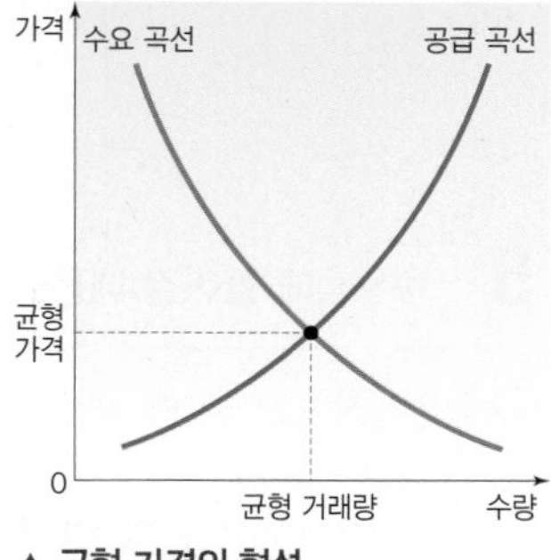

▲ **균형 가격의 형성**

2 초과 공급과 초과 수요

균형 가격보다 높은 가격에서는 초과 공급이, 균형 가격보다 낮은 가격에서는 초과 수요가 발생해.

(1) 초과 공급: 공급량이 수요량보다 많은 상태(수요량 < 공급량) → 공급자들 간의 판매 경쟁 → 상품 가격 하락

(2) 초과 수요: 수요량이 공급량보다 많은 상태(수요량 > 공급량) → 수요자들 간의 구매 경쟁 → 상품 가격 상승

균형 가격의 결정

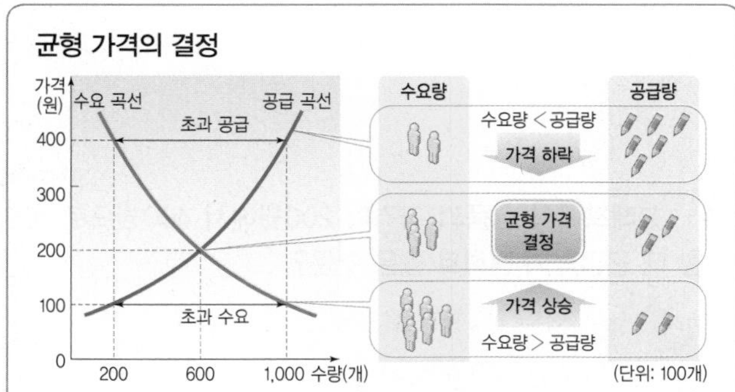

초과 공급이 발생할 경우 시장에 상품이 남으므로 공급자들은 가격을 낮춰서라도 상품을 팔려고 하기 때문에 상품의 가격이 내려간다. 반면, 초과 수요가 발생할 경우 시장에서 상품이 부족하므로 수요자들은 돈을 더 내고서라도 상품을 사려고 하기 때문에 상품의 가격이 올라간다. 이러한 과정을 거쳐 결국 시장은 수요량과 공급량이 일치하여 더는 상품의 가격이 오르거나 내리지 않는 균형 상태에 도달하게 된다.

개념 확인하기

정답과 해설 12쪽

1 다음 빈칸에 들어갈 내용을 쓰시오.

(1) 물건을 팔려는 사람과 사려는 사람이 만나 거래가 이루어지는 곳을 (　　　　)이라고 한다.

(2) 상품 가격이 올라가면 공급량이 (　　　　)하고, 가격이 내려가면 공급량이 (　　　　)한다.

(3) 수요 곡선과 공급 곡선이 만나는 지점에서 형성된 가격을 (　　　　) 또는 시장 가격이라고 한다.

2 거래 모습에 따른 시장의 종류에 해당하는 것을 [보기]에서 골라 기호를 쓰시오.

보기
ㄱ. 백화점　　ㄴ. 재래시장
ㄷ. 외환 시장　　ㄹ. 주식 시장
ㅁ. 대형 할인점　　ㅂ. 전자 상거래

(1) 보이는 시장 – (　　　　)

(2) 보이지 않는 시장 – (　　　　)

3 다음 설명이 맞으면 ○표, 틀리면 ×표를 하시오.

(1) 시장은 거래를 위해 들어가는 비용과 시간을 절약해 준다. (　　)

(2) 초과 수요가 발생하면 시장에 상품이 남게 되어 상품의 가격이 하락한다. (　　)

(3) 상품을 생산하는 데 필요한 토지, 노동, 자본 등이 거래되는 시장은 생산물 시장이다. (　　)

4 다음 용어들의 의미를 옳게 연결하시오.

(1) 공급 •　　• ㉠ 어떤 상품을 구매하고자 하는 욕구

(2) 수요 •　　• ㉡ 어떤 상품을 판매하고자 하는 욕구

(3) 공급량 •　　• ㉢ 일정한 가격 수준에서 구매하고자 하는 상품의 양

(4) 수요량 •　　• ㉣ 일정한 가격 수준에서 판매하고자 하는 상품의 양

5 다음 괄호 안의 내용 중 알맞은 말에 ○표를 하시오.

(1) 수요 법칙에서 가격과 수요량은 (양(+), 음(−))의 관계에 있다.

(2) 상품의 가격이 올라가면 수요량은 (감소, 증가)하고, 공급량은 (감소, 증가)한다.

(3) 가격과 공급량의 관계인 공급 법칙을 나타내는 공급 곡선은 (우상향, 우하향)한다.

(4) 공급량이 수요량보다 많은 상태를 초과 (공급, 수요)이라고 하며, 상품 가격은 (상승, 하락)하게 된다.

족집게 문제

내공 1 시장의 의미와 종류

1 ㉠에 공통으로 들어갈 개념으로 옳은 것은?

> 일상생활에서 개인에게 필요한 모든 재화와 서비스를 스스로 생산하여 사용하는 것은 불가능하다. 그래서 사람들은 분업을 통해 재화나 서비스를 생산하고, 이를 (㉠)에서 교환한다. 이처럼 (㉠)은/는 재화나 서비스를 팔려는 사람과 사려는 사람이 만나 거래하는 곳을 의미한다.

① 공급 ② 수요 ③ 시장
④ 균형 가격 ⑤ 생산 요소

2 (가), (나)에 대한 설명으로 옳은 것은?

(가)

(나)

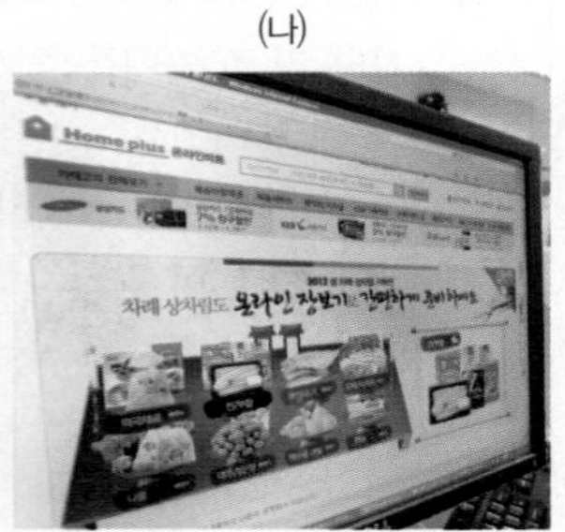

① (가)는 거래하는 모습이 눈에 보이지 않는 시장이다.
② (가)와 같은 유형의 시장으로는 주식 시장, 외환 시장 등이 있다.
③ (나)의 시장 규모는 최근 들어 점점 축소되고 있다.
④ (가)는 생산물 시장, (나)는 생산 요소 시장에 해당한다.
⑤ (가), (나)는 모두 수요자와 공급자가 만나 거래가 이루어지는 곳이다.

내공 2 시장의 수요와 공급

3 수요와 공급에 대한 설명으로 옳지 않은 것은?

① 상품을 구매하고자 하는 사람을 수요자라고 한다.
② 공급 곡선은 가격과 공급량의 관계를 나타낸 그래프이다.
③ 상품의 가격이 상승하면 수요량과 공급량은 모두 증가한다.
④ 수요는 실제로 상품을 살 수 있는 능력을 갖춘 욕구를 의미한다.
⑤ 일정한 가격 수준에서 공급자가 판매하고자 하는 상품의 양을 공급량이라고 한다.

중요 **4** 그래프에 대한 옳은 설명을 [보기]에서 고른 것은?

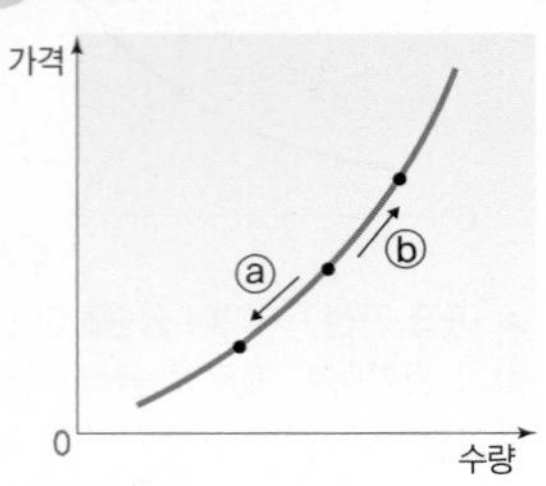

보기
ㄱ. 수요 법칙을 나타낸 그래프이다.
ㄴ. 가격과 공급량의 관계를 나타낸다.
ㄷ. ⓐ는 가격 하락에 따른 수요량의 감소를 나타낸다.
ㄹ. ⓑ는 가격 상승에 따른 공급량의 증가를 나타낸다.

① ㄱ, ㄴ ② ㄱ, ㄷ ③ ㄴ, ㄷ
④ ㄴ, ㄹ ⑤ ㄷ, ㄹ

5 ㉠~㉢에 들어갈 내용을 옳게 연결한 것은?

> 일반적으로 어떤 상품의 가격이 상승하면 수요량은 (㉠)하고, 가격이 하락하면 수요량은 (㉡)한다. 따라서 상품의 가격과 수요량 간에는 (㉢)의 관계가 나타난다.

	㉠	㉡	㉢
①	감소	감소	양(+)
②	감소	증가	양(+)
③	감소	증가	음(−)
④	증가	감소	음(−)
⑤	증가	증가	음(−)

6 그래프에서 상품의 가격이 200원에서 400원으로 상승할 때 공급량의 변화로 옳은 것은?

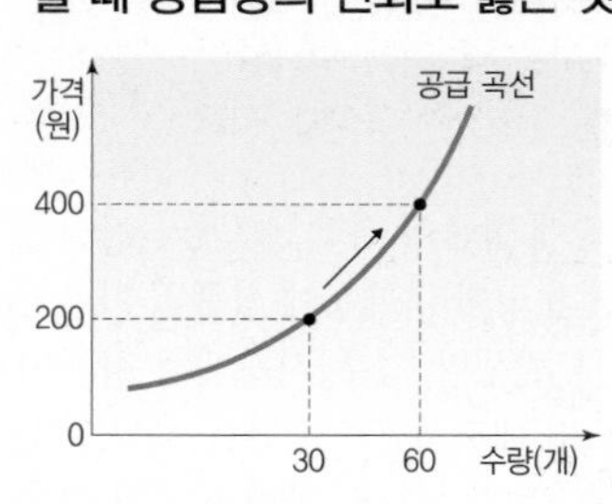

① 30개 감소한다. ② 30개 증가한다.
③ 60개 감소한다. ④ 60개 증가한다.
⑤ 공급량의 변화가 없다.

내공 3 시장 가격의 결정

7 균형 가격에 대한 설명으로 옳지 않은 것은?

① 수요량과 공급량이 일치하는 지점에서 형성된다.
② 균형 가격은 한번 결정되면 절대 변동하지 않는다.
③ 수요자는 그 가격 수준에서 사고 싶은 양을 살 수 있다.
④ 공급자는 그 가격 수준에서 팔고 싶은 양을 팔 수 있다.
⑤ 균형 가격에서 거래되는 상품의 양을 균형 거래량이라고 한다.

[8~9] 그래프는 연필 시장의 수요·공급 곡선을 나타낸 것이다. 물음에 답하시오.

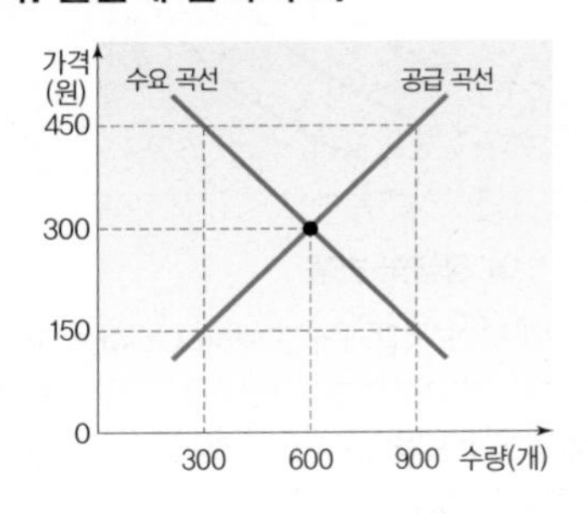

8 위 그래프에서 연필의 균형 가격과 균형 거래량을 옳게 연결한 것은?

① 150원, 300개 ② 300원, 300개
③ 300원, 600개 ④ 300원, 900개
⑤ 450원, 900개

중요 **9** 위 그래프에서 연필의 가격이 450원일 때 시장에서 나타날 수 있는 현상으로 옳은 것은?

① 600개의 초과 공급이 발생한다.
② 600개의 초과 수요가 발생한다.
③ 공급자들은 연필의 가격을 올려서 판매할 것이다.
④ 소비자들끼리의 구매 경쟁으로 연필의 가격이 상승할 것이다.
⑤ 가격 상승이나 하락 압력이 나타나지 않으며, 450원에서 균형 가격을 형성할 것이다.

서술형 문제

출제율 ●●●●● 시험에 꼭 나오는 출제 가능성이 높은 예상 문제로, 내신 100점을 받기 위한 필수 문항들

10 사진에 나타난 시장의 특징을 제시어를 모두 사용하여 서술하시오.

[제시어]
- 생산물 시장
- 보이는 시장

11 다음 그래프에 나타난 경제 법칙을 서술하시오.

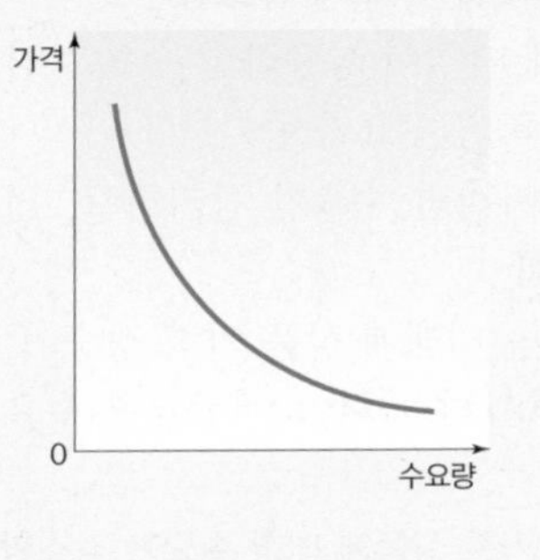

중요 **12** 그래프를 보고 물음에 답하시오.

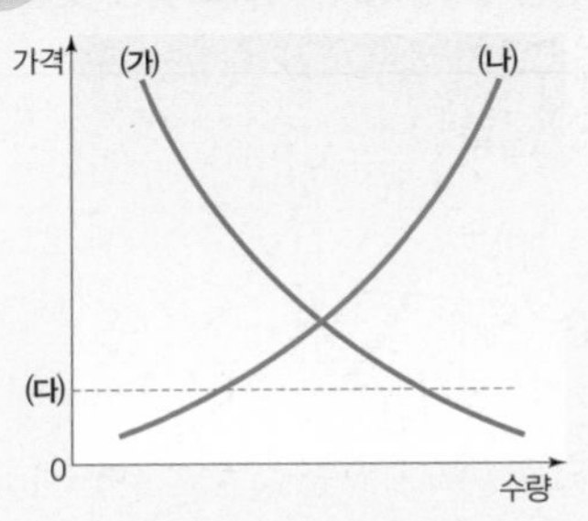

(1) (가), (나)가 나타내는 경제 법칙을 각각 쓰시오.

(2) 그래프에서 가격이 (다)일 때, 앞으로 예상되는 상품의 가격 변동을 서술하시오.

시장 가격의 변동

내공 1 수요와 공급의 변동

1 수요의 변동

(1) 의미: 상품 가격 이외의 요인이 변화하여 수요 자체가 증가하거나 감소하는 것 → 수요 곡선의 이동

(2) 수요의 변동 요인

① 소득의 변화: 소득이 증가하면 수요가 증가하고, 소득이 감소하면 수요가 감소함

② 소비자의 기호 변화: 기호가 상승하면 수요가 증가하고, 기호가 하락하면 수요가 감소함 (상품에 대한 선호도가 상승하면 그 상품을 좋아하는 사람이 많아진 것이므로 수요가 증가해.)

③ 관련 상품의 가격 변화

- 대체재의 가격 변화: 대체재 가격이 상승하면 수요가 증가하고, 대체재 가격이 하락하면 수요가 감소함
- 보완재의 가격 변화: 보완재 가격이 상승하면 수요가 감소하고, 보완재 가격이 하락하면 수요가 증가함

④ 인구수의 변화: 인구가 많아지면 수요가 증가하고, 인구가 줄어들면 수요가 감소함

⑤ 미래 상품 가격에 대한 예상: 미래에 상품 가격 상승이 예상되면 수요가 증가하고, 가격 하락이 예상되면 수요가 감소함

예 신제품 출시가 예상되면 기존 상품에 대한 수요가 감소함

(3) 대체재와 보완재

대체재	서로 용도가 비슷하여 한 상품을 대신해서 사용할 수 있는 경쟁 관계의 재화 예 돼지고기와 닭고기, 사이다와 콜라, 밥과 빵, 커피와 녹차 등
보완재	함께 소비할 때 만족도가 커지는 보완 관계의 재화 예 삼겹살과 상추, 승용차와 휘발유, 커피와 설탕, 칫솔과 치약 등

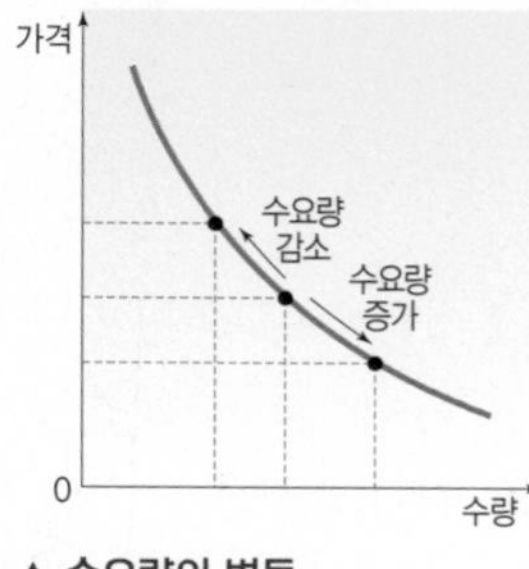

▲ 수요량의 변동

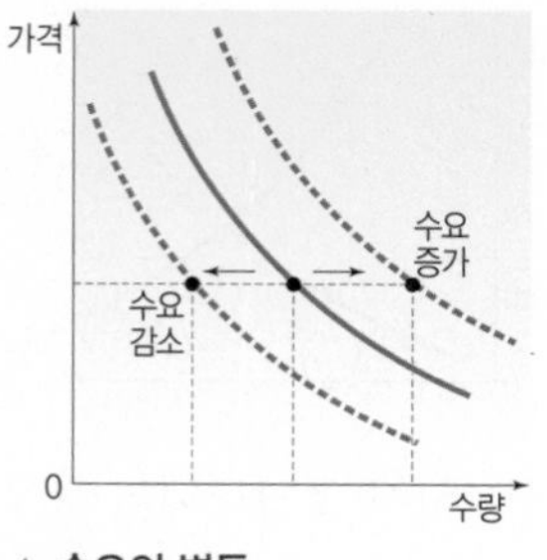

▲ 수요의 변동

수요량의 변동은 상품 가격의 변동에 따라 수요자가 구매하려고 하는 구체적인 수량이 변동하는 것이므로, 수요 곡선 위의 점이 이동하는 모습으로 나타난다. 반면, 수요의 변동은 상품 가격 이외의 요인이 변화하여 수요 자체가 변화하는 것으로, 수요 곡선 자체의 이동으로 표현된다.

2 공급의 변동

(1) 의미: 상품 가격 이외의 요인이 변화하여 공급 자체가 증가하거나 감소하는 것 → 공급 곡선의 이동

(2) 공급의 변동 요인

① 생산 요소의 가격 변화: 원자재 가격, 임금, 이자 등 생산 요소의 가격이 하락하면 공급이 증가하고, 생산 요소의 가격이 상승하면 공급이 감소함 (원자재: 상품을 생산하는 데 필요한 재료)

② 생산 기술의 발달: 생산성 향상 → 생산 비용 감소 → 상품의 공급 증가

③ 공급자 수의 변화: 공급자의 수가 증가하면 공급이 증가하고, 공급자의 수가 감소하면 공급이 감소함

④ 미래 가격에 대한 예상: 미래에 상품 가격 하락이 예상되면 공급이 증가하고, 가격 상승이 예상되면 공급이 감소함 (더 높은 수익을 얻기 위해 현재의 공급을 줄이려 해.)

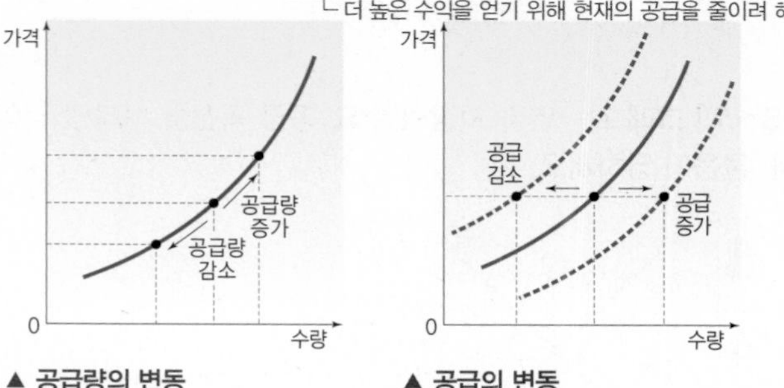

▲ 공급량의 변동 ▲ 공급의 변동

공급량의 변동은 상품 가격의 변동에 따라 공급자가 판매하려고 하는 구체적인 수량이 변동하는 것이므로, 공급 곡선 위의 점이 이동하는 모습으로 나타난다. 반면, 공급의 변동은 상품 가격 이외의 요인이 변화하여 공급 자체가 변화하는 것으로, 공급 곡선 자체의 이동으로 표현된다.

내공 2 시장 가격의 변동

1 수요의 변화에 따른 가격 변동(공급이 일정할 경우)

(1) 수요 증가

① 증가 요인: 소득 증가, 선호도 증가, 대체재 가격 상승, 보완재 가격 하락, 인구 증가 등

② 변동: 수요 곡선이 오른쪽으로 이동 → 균형 가격 상승, 균형 거래량 증가

(2) 수요 감소

① 감소 요인: 소득 감소, 선호도 감소, 대체재 가격 하락, 보완재 가격 상승, 인구 감소 등

② 변동: 수요 곡선이 왼쪽으로 이동 → 균형 가격 하락, 균형 거래량 감소

2 공급의 변화에 따른 가격 변동(수요가 일정할 경우)

(1) 공급 증가

① 증가 요인: 생산 요소 가격 하락, 생산 기술 발달, 공급자 수 증가, 상품 가격 하락 예상 등 (생산 비용을 줄일 수 있거나 생산성이 높아지기 때문에 이전보다 더 많은 상품을 공급할 수 있게 돼.)

② 변동: 공급 곡선이 오른쪽으로 이동 → 균형 가격 하락, 균형 거래량 증가

(2) 공급 감소

① 감소 요인: 생산 요소 가격 상승, 공급자 수 감소, 상품 가격 상승 예상 등

② 변동: 공급 곡선이 왼쪽으로 이동 → 균형 가격 상승, 균형 거래량 감소

수요의 변화에 따른 가격 변동

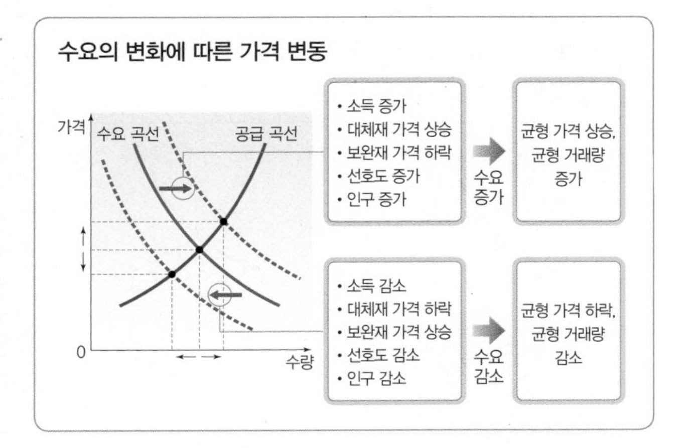

공급의 변화에 따른 가격 변동

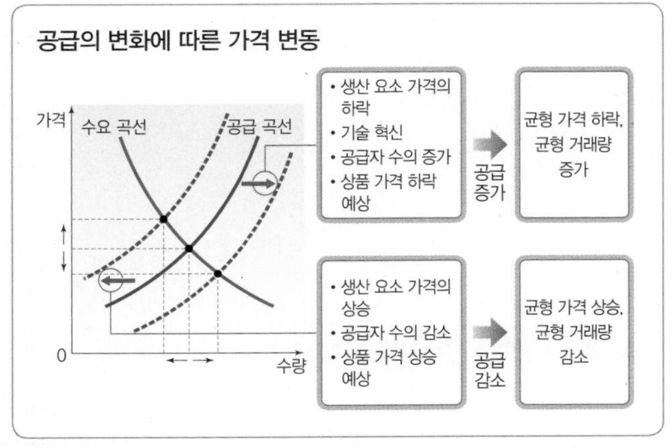

내공 3 시장 가격의 기능

1 시장 경제의 신호등 기능

(1) 의미: 소비자와 생산자에게 경제 활동을 어떻게 조절할 것인지 알려 주는 시장 경제의 신호등과 같은 기능을 함

(2) 시장 가격 변화에 따른 생산자와 소비자의 행동 변화

가격 상승	생산자는 생산을 늘리려 하고, 소비자는 소비를 줄이려 함
가격 하락	생산자는 생산을 줄이려 하고, 소비자는 소비를 늘리려 함

2 자원의 효율적 배분 기능

(1) 의미: 사회에 필요한 적당한 양의 상품을 가장 효율적인 방법으로 생산하게 하고, 이를 효율적으로 배분하는 기능을 함

(2) 자원의 효율적 배분

소비자들은 상품의 질이 같을 경우 가격이 낮은 상품을 선택하기 때문에 생산자들은 생산비를 절감하여 값싸고 질 좋은 상품을 생산하려고 노력할 거야.

생산자	시장 가격에 따라 최대의 이익을 얻을 수 있도록 생산 요소를 가장 효율적으로 사용하여 상품을 생산·공급함
소비자	상품을 통해 얻을 수 있는 만족감에 따라서 비용을 지불함 → 재화와 서비스를 그 상품에 대한 만족감이 가장 큰 소비자에게 돌아가게 함

높은 가격을 지불하고서라도 어떤 상품을 구매할 의사가 있다는 것은 그만큼 그 상품이 필요하다는 것을 의미해.

개념 확인하기

정답과 해설 13쪽

1 다음 설명이 맞으면 ○표, 틀리면 ×표를 하시오.

(1) 수요의 변동은 수요 곡선 위의 점이 이동하는 모습으로 나타난다. (　　)

(2) 원자재 가격, 임금, 이자 등 생산 요소의 가격이 하락하면 공급은 감소한다. (　　)

(3) 대체재 가격이 상승하면 수요가 증가하고, 대체재 가격이 하락하면 수요가 감소한다. (　　)

(4) 상품 가격 이외의 요인이 변화하여 공급 자체가 증가, 감소하는 것을 공급의 변동이라고 한다. (　　)

2 수요와 공급의 변동 요인을 [보기]에서 골라 기호를 쓰시오.

보기
ㄱ. 소득의 변화　　ㄴ. 공급자 수의 변화
ㄷ. 생산 기술의 발달　　ㄹ. 생산 요소의 가격 변화
ㅁ. 소비자의 기호 변화　　ㅂ. 관련 상품의 가격 변화

(1) 수요의 변동 요인 – (　　　　)

(2) 공급의 변동 요인 – (　　　　)

3 다음 괄호 안의 내용 중 알맞은 말에 ○표를 하시오.

(1) 미래에 상품의 가격 하락이 예상되면 공급은 (감소, 증가)하고, 수요는 (감소, 증가)한다.

(2) 수요가 증가하면 수요 곡선은 (왼쪽, 오른쪽)으로 이동하고, 균형 거래량은 (감소, 증가)한다.

(3) 공급이 일정할 경우, 상품에 대한 선호도가 감소하면 수요는 (감소, 증가)하고, 가격은 (상승, 하락)한다.

4 수요·공급의 변동과 그 영향을 옳게 연결하시오.

(1) 수요 증가 •　　• ㉠ 균형 가격 하락, 균형 거래량 증가

(2) 수요 감소 •　　• ㉡ 균형 가격 하락, 균형 거래량 감소

(3) 공급 증가 •　　• ㉢ 균형 가격 상승, 균형 거래량 증가

(4) 공급 감소 •　　• ㉣ 균형 가격 상승, 균형 거래량 감소

5 다음 빈칸에 들어갈 내용을 쓰시오.

(1) 시장 가격은 한정된 자원을 효율적으로 (　　　　) 하는 기능을 한다.

(2) 시장 가격이 (　　　　)하면 소비자는 소비를 늘리려 하고, 생산자는 생산을 줄이려 한다.

(3) 시장 가격은 소비자와 생산자에게 경제 활동을 어떻게 조절할 것인지 알려 주는 (　　　　)과 같은 기능을 한다.

내공 쌓는 족집게 문제

내공 1 수요와 공급의 변동

1 수요를 변동시키는 요인에 해당하지 않는 것은?

① 소비자의 기호 변화
② 소비자의 소득 변화
③ 생산 요소의 가격 변화
④ 관련 상품의 가격 변화
⑤ 미래 상품 가격에 대한 예상

2 밑줄 친 ㉠~㉢에 대한 설명으로 옳지 않은 것은?

> 조류 인플루엔자의 발생으로 ㉠ 닭고기의 가격이 올라가자, 마트에서 닭고기 대신 ㉡ 삼겹살을 찾는 사람들이 많아졌다. 삼겹살을 먹을 때에는 비타민과 무기질 등이 풍부한 ㉢ 상추를 함께 먹는 것이 건강에 좋다.

① ㉡은 ㉠의 대체재이다.
② ㉢은 ㉡의 보완재이다.
③ ㉠과 ㉡은 경쟁 관계에 있는 재화이다.
④ ㉡의 가격이 상승하면 ㉠의 수요는 감소할 것이다.
⑤ ㉡의 가격이 하락하면 ㉢의 수요는 증가할 것이다.

중요 **3** 그래프에서 공급 곡선이 이동하게 된 요인으로 적절한 것을 [보기]에서 고른 것은?

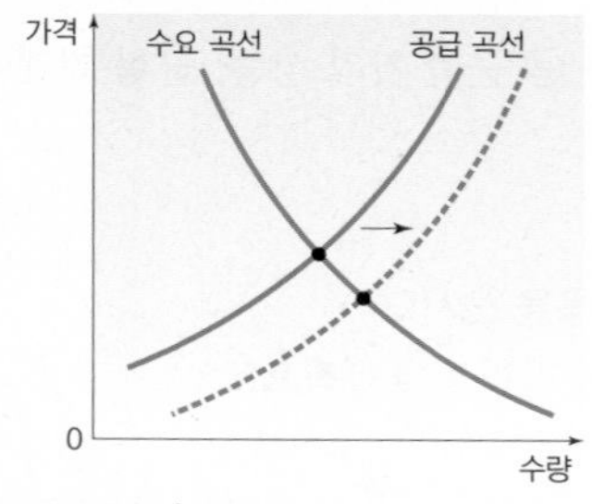

> • 보기 •
> ㄱ. 생산 기술 발달　　ㄴ. 공급자의 수 감소
> ㄷ. 생산 요소 가격 하락　　ㄹ. 상품 가격 상승 예상

① ㄱ, ㄴ　② ㄱ, ㄷ　③ ㄴ, ㄷ
④ ㄴ, ㄹ　⑤ ㄷ, ㄹ

중요 **4** 다음 상황에서 나타날 수 있는 목걸이 시장의 변화를 바르게 표현한 그래프는?(단, 다른 조건은 변함 없다.)

> 한 유명 연예인이 드라마에서 착용한 목걸이가 여성들 사이에서 큰 인기를 끌고 있다.

①
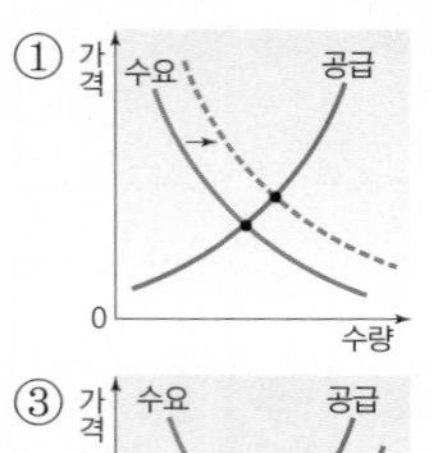

②
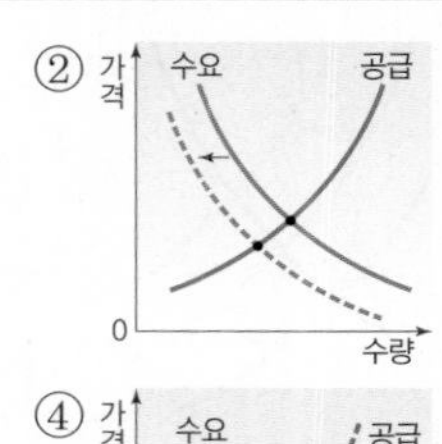

③
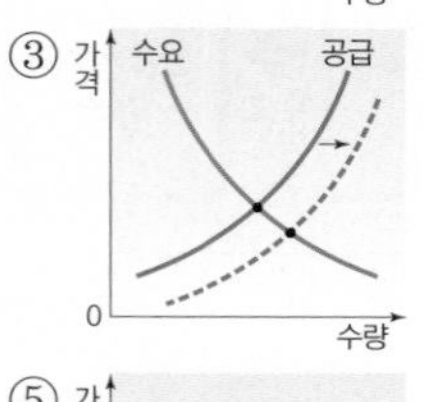

④

⑤
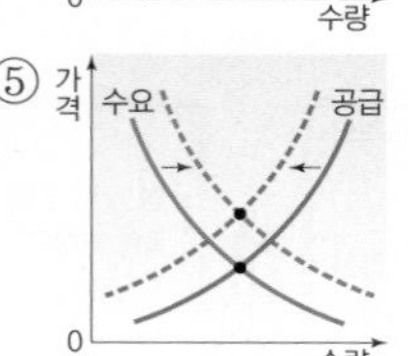

내공 2 시장 가격의 변동

5 시장과 그 시장의 균형 가격을 상승시키는 요인이 옳게 연결되지 않은 것은?

① 사이다 시장 – 콜라의 가격 상승
② 자동차 시장 – 휘발유 가격의 하락
③ 쌀 시장 – 태풍으로 인한 쌀 수확량 감소
④ 텔레비전 시장 – 텔레비전 생산 기술의 발달
⑤ 요구르트 시장 – 소비자의 발효 식품 선호도 증가

6 ㉠~㉢에 들어갈 내용을 옳게 연결한 것은?

> 국제 곡물 가격이 급격히 오르면서 빵의 원료인 밀가루와 옥수수 가루의 국내 가격이 크게 올랐다. 이로 인해 빵의 (㉠)이/가 감소하였으며, 그 결과 균형 가격은 (㉡)하고, 균형 거래량은 (㉢)하였다.

	㉠	㉡	㉢
①	공급	상승	감소
②	공급	하락	감소
③	공급	하락	증가
④	수요	상승	불변
⑤	수요	상승	증가

7 다음과 같은 상황에서 예상되는 고구마 시장의 변화를 옳게 설명한 학생은?(단, 다른 조건은 변함 없다.)

- 대체재인 감자의 가격이 크게 하락하였다.
- 고구마에 대한 소비자의 선호도가 감소하였다.

① 가영: 고구마의 공급이 증가할 거야.
② 나영: 고구마의 균형 가격이 하락할 거야.
③ 다영: 고구마의 균형 거래량이 증가할 거야.
④ 라영: 고구마의 공급 곡선은 왼쪽으로 이동할 거야.
⑤ 마영: 고구마의 수요 곡선은 오른쪽으로 이동할 거야.

중요 8 그래프는 공기 청정기 시장의 변화를 나타낸 것이다. 이러한 변화가 나타난 요인을 [보기]에서 고른 것은?

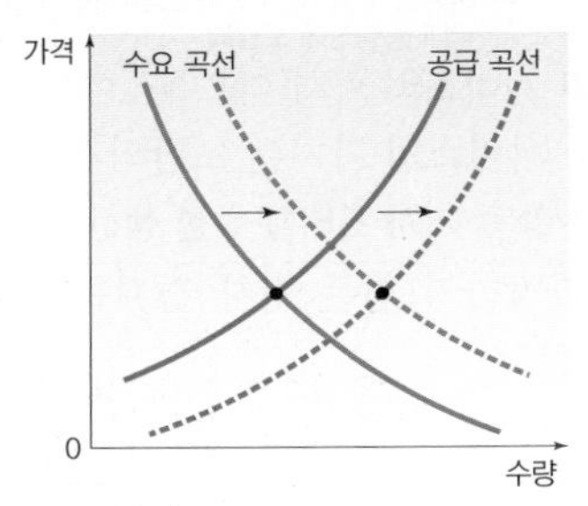

보기
ㄱ. 언론에서 공기 청정기의 문제점을 보도하였다.
ㄴ. 공기 청정기에 대한 소비자의 관심이 증가하였다.
ㄷ. 경영난으로 폐업하는 공기 청정기 회사가 늘어났다.
ㄹ. 공기 청정기 부품인 나노 필터의 가격이 인하되었다.

① ㄱ, ㄴ ② ㄱ, ㄷ ③ ㄴ, ㄷ
④ ㄴ, ㄹ ⑤ ㄷ, ㄹ

내공 3 시장 가격의 기능

9 시장 가격의 기능에 대한 설명으로 옳지 않은 것은?
① 시장 가격이 상승하면 생산자는 생산을 늘리려 한다.
② 시장 가격이 하락하면 소비자는 소비를 늘리려 한다.
③ 시장 가격은 시장에서 가장 많은 비용으로 생산할 수 있는 생산자가 상품을 공급하게 한다.
④ 시장 가격은 재화와 서비스를 그 상품에 대한 만족감이 가장 큰 소비자에게 돌아가게 한다.
⑤ 시장 가격을 통해 그 사회에서 필요한 적당한 양의 재화와 서비스가 생산되어 적절하게 배분된다.

서술형 문제

출제율 ●●●●● 시험에 꼭 나오는 출제 가능성이 높은 예상 문제로, 내신 100점을 받기 위한 필수 문항들

10 다음 사례에서 나타날 과일과 채소의 수요 변동 양상과 이로 인한 수요 곡선의 이동 방향을 서술하시오.

최근 과일과 채소가 몸에 좋다는 기사들이 보도되고 있다. 이에 따라 과일과 채소로 만든 음식을 아침 식사 대용으로 찾는 사람들이 늘고 있다.

11 다음과 같은 변화에 따른 균형 가격과 균형 거래량의 변화 방향을 서술하시오.(단, 다른 조건은 변함 없다.)

2011년부터 라면 업체들은 기존의 제품 가격을 동결해 왔다. 그러나 그동안 인건비, 물류비, 라면의 주재료인 소맥분과 전분의 가격 등이 꾸준히 상승하였다. 업체들은 이러한 요인들을 다음 달부터 제품 가격에 반영하기로 하였다.

12 다음 그림에서 공통으로 나타나는 시장 가격의 기능을 서술하시오.

01 국내 총생산과 경제 성장

내공 1 국민 경제와 국내 총생산

1 국민 경제와 국민 경제 지표

(1) 국민 경제: 한 나라의 경제 주체인 가계, 기업, 정부가 재화와 서비스를 생산, 분배, 소비하는 모든 경제 활동

(2) 국민 경제 지표: 한 나라의 경제가 어떤 상태에 있는지를 알기 위해 경제 현상을 통계 수치로 나타낸 것

예 국내 총생산(GDP), 경제 성장률, 물가 상승률, 실업률 등

2 국내 총생산(GDP)

중간 생산물의 가치는 이미 최종 생산물의 가치에 포함되어 있기 때문이다.

(1) 의미: 일정 기간 동안 한 나라 안에서 새롭게 생산된 최종 생산물의 가치를 시장 가격으로 환산한 것

일정 기간 동안	보통 1년 동안 생산된 것만 포함함
한 나라 안에서	생산자의 국적과 관계없이 그 나라 국경 안에서 생산된 것만 포함함, 국외에서 생산된 것은 제외함
새롭게 생산된	그해에 새롭게 생산된 것만 포함하며, 그 전에 생산된 중고품은 제외함
최종 생산물의 가치를	생산 과정에서 사용된 중간 생산물(중간재)의 가치는 제외하고 최종 생산물의 가치만 측정함
시장 가격으로 환산	시장에서 거래되는 것만을 포함함

(2) 의의: 한 나라의 경제 규모와 생산 능력, 국민 전체의 소득 수준을 파악하기에 유용함 → 국가 간의 경제 규모를 비교하는 데 활용됨

A 국의 국내 총생산 계산 방법

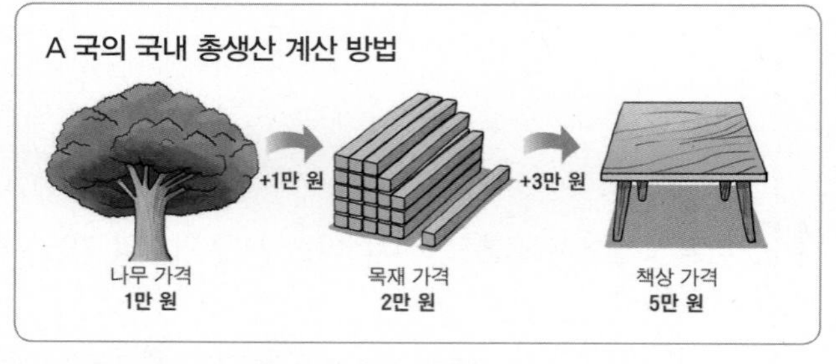

국내 총생산(GDP)은 최종 생산물의 시장 가치를 모두 더한 것이므로, A 국의 국내 총생산은 최종 생산물인 책상의 가치인 5만 원이다. 다른 방법으로는 각 생산 단계에서 발생한 부가 가치를 모두 합하여 계산할 수 있다. 즉 나무 가격 1만 원, 목재 생산의 부가 가치 1만 원, 책상 생산의 부가 가치 3만 원을 모두 합하면 최종 생산물인 책상의 가치인 5만 원과 같다.

부가 가치: 재화나 서비스의 생산 과정에서 새로 덧붙여진 가치

3 1인당 국내 총생산

(1) 의미: 국내 총생산(GDP)을 그 나라의 인구수로 나눈 것 → 1인당 국민 소득의 크기

(2) 의의: 한 나라 국민의 평균적인 소득 수준을 나타냄 → 국가 간 국민들의 경제생활 수준을 비교하는 데 활용됨

예 1인당 국내 총생산이 높은 국가일수록 전기, 전화, 인터넷 보급률이 높고, 기대 수명, 평균 교육 연수가 긴 경향을 보임

국내 총생산과 1인당 국내 총생산

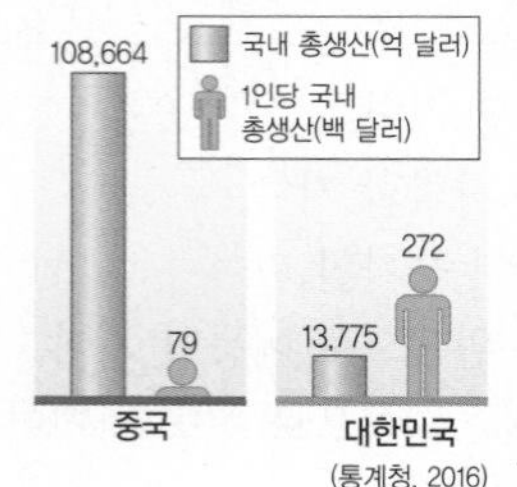

중국은 우리나라보다 국내 총생산의 규모가 7배 이상 크지만, 중국의 인구가 우리나라보다 훨씬 많기 때문에 1인당 국내 총생산은 우리나라가 더 크다.

◀ 중국과 우리나라의 국내 총생산과 1인당 국내 총생산(2015년)

국내 총생산이 크다고 해서 반드시 그 나라 국민의 평균적인 소득 수준이 높다고 말할 수 없다. 따라서 국가 간 국민의 평균 소득이나 생활 수준을 비교하기 위해서는 1인당 국내 총생산을 활용해야 한다.

4 국내 총생산 개념의 한계

대가를 받고 하는 가사 도우미의 노동은 국내 총생산에 포함돼.

(1) 시장에서 거래되는 재화와 서비스의 가치만을 측정함

① 대가를 받지 않는 재화와 서비스의 가치는 포함되지 않음

예 육아나 가사 노동, 봉사 활동, 자가 소비를 위한 생산 등

② 정부에서 거래 과정을 파악하기 힘든 지하 경제는 포함되지 않음 예 밀수, 사채 등

(2) 삶의 질 수준을 파악하기 어려움

삶의 질을 떨어뜨리는 활동은 국내 총생산 계산에 포함되고, 삶의 질을 높이는 활동은 포함되지 않아.

환경 오염, 교통사고가 발생한 경우	오염을 일으키는 생산 활동, 오염 정화 비용, 교통사고 처리 비용 등은 국내 총생산을 증가시키지만 이로 인한 피해는 국내 총생산에 반영되지 않음
봉사 활동, 여가 생활이 증가한 경우	봉사 활동, 여가 생활은 삶의 만족도를 높이지만 국내 총생산에 반영되지 않음, 늘어난 여가만큼 생산 활동이 감소하여 국내 총생산이 감소함

(3) 소득 분배 상태를 알기 어려움: 생산의 결과가 공정하게 분배되었는지, 빈부 격차가 어느 정도인지 알기 어려움

국내 총생산의 대안으로 제시되는 지표

인간 개발 지수(HDI)	국제 연합(UN)이 매년 각국의 평균 수명, 교육 수준, 1인당 국민 총생산 등을 토대로 작성하여 발표하는 국가별 삶의 질 지표
더 나은 삶 지수(BLI)	경제 협력 개발 기구(OECD)가 각국의 주거, 소득, 직업, 건강, 안전, 삶의 만족도 등 11개 부문을 평가하여 발표하는 지수
참진보 지수(GPI)	미국 진보 재정의 연구소가 개발한 것으로 국내 총생산 계산에서 제외된 여러 항목을 플러스 요인(예 여가 활동, 자원봉사, 가사 노동 등)과 마이너스 요인(예 환경 오염, 범죄율 등)으로 분류하여 측정한 지표

국내 총생산(GDP)은 국민의 삶의 질과 만족도를 정확하게 반영하지 못한다는 한계가 있다. 이를 보완하기 위해 오늘날에는 다양한 분야에서 국민의 행복도를 측정한 새로운 지표들이 대안으로 제시되고 있다.

내공 2 경제 성장과 경제 성장의 영향

1 경제 성장과 경제 성장률

(1) 경제 성장: 재화와 서비스의 총생산량이 늘어나 한 나라 경제의 생산 능력과 경제 규모가 커지는 현상 → 국내 총생산(GDP)이 증가하는 것

(2) 경제 성장률: 경제 성장의 정도를 보여 주는 경제 지표 → 실질 국내 총생산의 증가율로 측정함

경제 성장률의 측정

$$\text{경제 성장률(\%)} = \frac{\text{금년도 실질 GDP} - \text{전년도 실질 GDP}}{\text{전년도 실질 GDP}} \times 100$$

국내 총생산은 재화와 서비스를 전년도보다 많이 생산할 때에 증가하지만, 재화와 서비스의 생산량이 전년도보다 증가하지 않더라도 물가가 오르면 증가할 수 있다. 따라서 경제 성장의 정도를 정확히 파악하기 위해서는 물가의 변동을 제거한 실질 국내 총생산의 증가율로 측정해야 한다.

└ 기준이 되는 연도의 가격을 적용하여 계산한 국내 총생산이야.

2 경제 성장의 영향

경제 성장은 삶의 질 향상에 기여하지만 삶의 질이 반드시 경제 성장 정도에 비례하여 높아지는 것은 아니야.

구분	내용
긍정적 측면	• 고용 증대, 국민의 소득 수준 증가 → 물질적 풍요를 누릴 수 있게 됨 • 질 높은 교육과 의료 서비스, 다양한 문화생활과 복지 혜택을 누릴 수 있게 됨 → 삶의 질 향상
부정적 측면	• 자원 고갈, 오염 물질 배출로 인한 환경 파괴 • 경제 성장의 혜택이 일부 계층에 편중될 경우 빈부 격차가 커짐 → 계층 간 갈등 유발 • 경제 활동 시간의 증가에 따른 여가 부족 → 삶의 불균형 초래

우리나라의 경제 성장

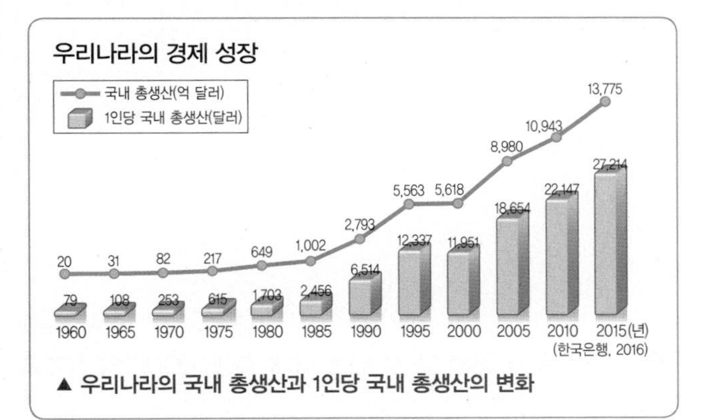

▲ 우리나라의 국내 총생산과 1인당 국내 총생산의 변화

우리나라의 국내 총생산과 1인당 국내 총생산의 변화는 빠른 경제 성장의 역사를 한눈에 보여 준다. 1960년 우리나라 국내 총생산은 20억 달러에 불과했지만 2015년에는 1조 4천억 달러에 이르며 약 700배 정도 성장하였다. 이처럼 우리나라는 국내 총생산이 빠르게 성장하면서 다른 나라의 도움을 받던 가난한 나라에서 세계 15위 안에 드는 경제 규모를 가진 나라가 되었다.

3 경제 활동의 변동과 경제 성장 방안

(경기: 경제 전체의 활동 수준을 말해.)

(1) 경제 성장과 경기 변동: 경제 성장률의 크기는 일정하지 않음 → 경기의 호황과 불황이 반복되면서 성장함

(2) 경제 성장의 달성 방안: 기업의 투자와 연구 개발, 가계의 합리적 소비와 저축, 근로자의 생산성 향상 노력 등이 필요함

개념 확인하기

정답과 해설 14쪽

1 일정 기간 동안 한 나라 안에서 새롭게 생산된 최종 생산물의 가치를 시장 가격으로 환산한 것을 (　　　　)이라고 한다.

2 국내 총생산에 대한 설명이 맞으면 ○표, 틀리면 ×표를 하시오.

(1) 생산자의 국적과 관계없이 그 나라 국경 안에서 생산된 것만을 포함한다. (　　)

(2) 생산 과정에서 사용된 중간재와 최종 생산물의 가치를 모두 포함하여 측정한다. (　　)

(3) 시장에서 거래되지 않거나 대가를 받지 않는 재화와 서비스의 가치까지 포함한다. (　　)

3 다음 괄호 안의 내용 중 알맞은 말에 ○표를 하시오.

(1) 국내 총생산은 각 생산 단계에서 발생한 (부가 가치, 시장 가치)를 모두 합하여 계산할 수 있다.

(2) (국내 총생산, 1인당 국내 총생산)은 한 나라의 생산 규모나 국민 전체의 소득 수준을 파악하기에 유용하다.

(3) 국내 총생산은 환경 오염으로 인한 피해를 반영하지 않아 국민의 (삶의 질, 소득 분배) 수준을 파악하기 어렵다.

4 재화와 서비스의 총생산량이 늘어나 한 나라 경제의 생산 능력과 경제 규모가 커지는 것을 (　　　　)이라고 한다.

5 다음 빈칸에 들어갈 내용을 쓰시오.

(1) 경제 성장률은 (　　　　)의 변동을 제거한 실질 국내 총생산의 증가율로 측정한다.

(2) 경제 성장의 혜택이 적절하게 분배되지 않으면 (　　　　)가 커져 계층 간 갈등이 나타날 수 있다.

(3) 경제가 성장하면 질 높은 교육과 의료 서비스, 다양한 문화생활과 복지 혜택을 누릴 수 있어 국민의 (　　　　)이 향상된다.

6 경제 성장의 영향을 [보기]에서 골라 기호를 쓰시오.

보기	
ㄱ. 일자리 증가	ㄴ. 계층 간 갈등
ㄷ. 삶의 질 향상	ㄹ. 환경 오염 심화

(1) 긍정적 영향 – (　　　　)

(2) 부정적 영향 – (　　　　)

족집게 문제

내공 1 국민 경제와 국내 총생산

1 ㉠에 공통으로 들어갈 용어로 옳은 것은?

- (㉠)은/는 한 나라의 경제 규모와 생산 능력, 국민 전체의 소득 수준을 나타내는 지표이다.
- (㉠)은/는 일정 기간 동안 한 나라 안에서 새롭게 생산된 최종 생산물의 가치를 시장 가격으로 환산한 것이다.

① 실업률 ② 경제 성장률
③ 국내 총생산 ④ 물가 상승률
⑤ 1인당 국내 총생산

중요 **2** 우리나라 국내 총생산(GDP)에 포함되는 항목을 [보기]에서 고른 것은?

보기
ㄱ. 유럽 축구팀에 소속된 우리나라 선수가 받은 연봉
ㄴ. 우리나라 가구 공장에서 목재를 사용하여 만든 의자의 가치
ㄷ. 우리나라에 진출한 외국 커피 전문점에서 판매된 음료의 매출액
ㄹ. 우리나라 시골에 사는 할머니가 텃밭에서 직접 재배하여 먹은 상추의 가치

① ㄱ, ㄴ ② ㄱ, ㄹ ③ ㄴ, ㄷ
④ ㄴ, ㄹ ⑤ ㄷ, ㄹ

3 다음을 보고 A 국의 국내 총생산을 옳게 계산한 것은? (단, A 국에서는 1년 동안 다음의 경제 활동만 이루어졌다고 가정한다.)

① 3만 원 ② 5만 원 ③ 6만 원
④ 8만 원 ⑤ 14만 원

4 빈칸에 들어갈 용어에 대한 설명으로 옳은 것은?

(　　　)은/는 국내 총생산을 그 나라의 인구수로 나눈 것이다.

① 한 나라의 경제 성장률을 알려 준다.
② 전체 국민의 소득 수준을 알 수 있다.
③ 국민들 사이의 소득 분배 상태를 보여 준다.
④ 한 나라의 경제 규모를 파악하기에 유용하다.
⑤ 국민의 평균 소득과 생활 수준을 파악할 수 있다.

5 밑줄 친 부분에 해당하는 사례를 [보기]에서 고른 것은?

국내 총생산은 <u>대가를 받지 않는 재화와 서비스의 가치</u>는 포함하지 않으므로 경제 활동의 규모를 정확하게 나타내지 못하는 한계가 있다.

보기
ㄱ. 봄철을 맞이하여 집안을 대청소하였다.
ㄴ. 친구들과 지하상가에 가서 유행하는 옷을 샀다.
ㄷ. 좋아하는 아이돌 가수의 MP3 음원을 구매하였다.
ㄹ. 주말마다 유기견 보호소에 가서 봉사 활동을 한다.

① ㄱ, ㄴ ② ㄱ, ㄹ ③ ㄴ, ㄷ
④ ㄴ, ㄹ ⑤ ㄷ, ㄹ

6 다음 글을 통해 알 수 있는 국내 총생산(GDP)의 한계로 가장 적절한 것은?

생산 활동 과정에서 발생하는 환경 오염, 교통사고로 인한 피해는 국내 총생산에 반영되지 않지만 이에 대한 정화 비용과 처리 비용은 국내 총생산에 계산에 포함되어 국내 총생산이 오히려 증가할 수 있다.

① 국민들 사이의 빈부 격차 정도를 나타내지 못한다.
② 국민의 삶의 질 수준을 정확하게 반영하지 못한다.
③ 생산의 결과가 공정하게 분배되었는지 알기 어렵다.
④ 시장에서 거래되는 재화와 서비스의 가치만을 측정한다.
⑤ 대가를 받지 않는 재화와 서비스의 가치를 포함하지 않는다.

내공 2 경제 성장과 경제 성장의 영향

7 경제 성장과 경제 성장률에 대한 설명으로 옳지 않은 것은?

① 경제 성장은 국민의 삶의 질 향상에 기여한다.
② 경제 성장은 한 나라의 국내 총생산이 증가하는 것이다.
③ 경제 성장률이 높아지면 그 나라의 경제 규모는 축소된다.
④ 경제 성장률은 실질 국내 총생산의 증가율로 측정할 수 있다.
⑤ 경제가 성장하면 한 나라가 생산하는 재화와 서비스의 총량이 커진다.

[8~9] 다음 글을 읽고 물음에 답하시오.

> 경제가 성장하면 국민의 소득이 증가하여 ㉠ 물질적으로 풍요로운 삶을 살게 되고, 삶의 질이 향상될 가능성이 커진다. 하지만 경제 성장이 ㉡ 반드시 삶의 질 향상으로 이어지는 것은 아니다.

8 밑줄 친 ㉠에 해당하는 내용으로 볼 수 없는 것은?

① 일자리가 늘어나고 실업이 감소한다.
② 더 많은 재화와 서비스를 소비할 수 있다.
③ 질 높은 교육이나 의료 혜택을 받을 수 있다.
④ 다양한 문화 시설과 문화생활을 즐길 수 있다.
⑤ 환경 파괴와 오염이 없는 쾌적한 환경이 만들어진다.

9 밑줄 친 ㉡의 이유에 해당하는 것만을 [보기]에서 있는 대로 고른 것은?

> 보기
> ㄱ. 경제 성장 과정에서 환경 오염이 심해질 수 있다.
> ㄴ. 여가 생활이 부족해져 삶의 균형이 깨질 수 있다.
> ㄷ. 빈부 격차가 커져 계층 간 갈등이 나타날 수 있다.
> ㄹ. 가사 노동이나 봉사 활동의 가치가 저하될 수 있다.

① ㄱ, ㄷ ② ㄱ, ㄹ ③ ㄴ, ㄹ
④ ㄱ, ㄴ, ㄷ ⑤ ㄴ, ㄷ, ㄹ

서술형 문제

출제율 ●●●●● 시험에 꼭 나오는 출제 가능성이 높은 예상 문제로, 내신 100점을 받기 위한 필수 문항들

10 밑줄 친 ㉠, ㉡의 가치가 국내 총생산에 포함되지 않는 이유를 각각 서술하시오.

> • 좋은 밀가루를 만들기 위해 친환경 농법으로 경작한 ㉠ 밀을 구입하였다.
> • 생산된 지 5년이 된 차를 ㉡ 중고차 시장에서 새 차의 절반 값으로 구매하였다.

중요 **11** 표는 갑국과 을국의 경제 지표를 나타낸 것이다. 이를 보고 물음에 답하시오.

구분	GDP(10억 달러)	1인당 GDP(달러)
갑국	1,000	20,000
을국	5,000	4,000

(1) 갑국과 을국 중 경제 규모가 더 큰 나라를 쓰시오.

(2) 갑국과 을국 중 국민의 평균적인 소득 수준이 높은 나라를 쓰고, 그 이유를 서술하시오.

12 밑줄 친 부분과 같이 경제 성장률을 측정하는 이유를 서술하시오.

> 경제 성장이란 한 나라의 재화와 서비스의 총생산량이 늘어나는 것, 즉 국내 총생산이 증가하는 것이다. 이러한 경제 성장 정도를 나타내는 지표인 경제 성장률은 물가의 변동을 제거한 실질 국내 총생산의 증가율로 측정한다.

02 물가와 실업

내공 1 물가와 경제생활

1 물가와 물가 지수

(1) 물가: 시장에서 거래되는 여러 상품의 가격을 종합하여 평균한 것 (가격: 개별 상품의 가치를 화폐 단위로 나타낸 것)

(2) 물가 지수: 기준 시점의 물가를 100으로 했을 때, 비교 시점의 물가 수준 예 소비자 물가 지수, 생산자 물가 지수 등

2 물가 상승

(1) 인플레이션: 물가가 일정 기간 동안 지속적으로 상승하는 현상

(2) 물가 상승의 요인

(총수요: 국민 경제에서 경제의 구성원들이 일정 기간 동안 구매하려는 재화와 서비스의 총량)

총수요>총공급	가계의 소비, 기업의 투자, 정부의 재정 지출과 같은 총수요가 증가하는데, 총공급이 이에 미치지 못하는 경우
생산비 상승	임금, 임대료, 국내외 원자재 가격이 상승하여 생산비가 오르는 경우
통화량 증가	시중에 공급되는 통화량이 많아지면서 소비나 투자가 활발해지고, 화폐의 가치가 하락하는 경우

(통화량: 한 나라 안에서 실제로 사용되는 화폐의 양)

(3) 물가 상승의 영향

구매력 감소	• 화폐의 가치가 하락하여 일정한 금액으로 살 수 있는 재화와 서비스의 수량과 질이 감소함 • 재화와 서비스의 가치는 상승함
부와 소득의 불평등한 재분배	• 현금을 보유한 사람들이 부동산이나 물건을 소유하고 있는 사람들에 비해 불리해짐 • 돈을 빌려준 채권자들이 돈을 빌린 채무자들에 비해 불리해짐
무역 불균형	• 자국 상품의 가격이 비싸져 수출이 감소하고, 상대적으로 싼 외국 상품의 수입이 증가함 • 수출업자는 불리해지고, 수입업자는 유리해짐
불건전한 경제 활동의 확산	사람들이 저축을 기피하고 부동산 투기와 같은 불건전한 거래에 집중하게 됨 → 기업의 투자 활동을 위축시켜 국민 경제의 성장을 방해함

인플레이션으로 울고 웃는 사람들

부동산 가격이 계속 오르고 있어. 난 부자다!

물가 상승

내 월급은 그대로인데, 살 수 있는 재화와 서비스는 더 적어졌어.

부동산 소유자

봉급생활자

인플레이션은 화폐의 구매력을 떨어뜨리므로 고정된 임금이나 연금, 이자로 생활하는 사람들, 현금이나 예금과 같은 금융 자산을 소유한 사람들은 손해를 보고, 임금을 지급하는 기업가는 이익을 본다. 또한 상대적으로 건물이나 토지 등과 같은 실물 자산의 가치가 높아지므로 실물 자산을 보유한 사람들은 유리해진다.

(기업가는 이익: 제품 가격이 올라 판매 수입이 느는데 직원 월급은 그대로이기 때문이야.)

3 물가 안정을 위한 노력

(1) 물가 안정의 필요성: 인플레이션은 국민의 정상적이고 건전한 경제 활동에 지장을 주고 경제 성장을 저해함

(2) 물가 안정을 위한 경제 주체들의 노력

정부	재정 지출 축소, 조세 인상, 공공요금과 생활필수품 가격의 인상 억제
중앙은행	통화량 축소, 이자율 인상 → 민간의 소비가 줄어들도록 유도
기업	경영과 기술 혁신을 통한 생산성 향상 노력
근로자	과도한 임금 인상 요구 자제, 자기 계발을 통해 생산성 향상에 기여
소비자	과소비와 사재기 자제, 건전하고 합리적인 소비 생활 실천

내공 2 실업과 경제생활

1 실업과 실업의 유형

(1) 실업과 실업률

① 실업: 일할 능력과 의사가 있는데도 일자리가 없어서 일을 못 하는 상태

② 실업률: 한 나라의 경제 활동 인구 중에서 실업자가 차지하는 비율

(2) 실업의 유형

경기적 실업	경제 상황이 좋지 못해 기업이 신규 채용이나 고용 인원을 줄이면서 발생하는 실업
구조적 실업	새로운 기술의 도입으로 산업 구조가 변화하여 기존의 기술이나 생산 방법이 필요 없어지면서 발생하는 실업
계절적 실업	계절에 따라 고용 기회가 감소하면서 발생하는 실업 → 농업, 건설업, 관광업 등에서 주로 발생함
마찰적 실업	기존에 다니던 직장을 그만두고 더 나은 조건의 일자리를 구하는 과정에서 일시적으로 발생하는 실업

실업률 통계를 위한 인구 분류

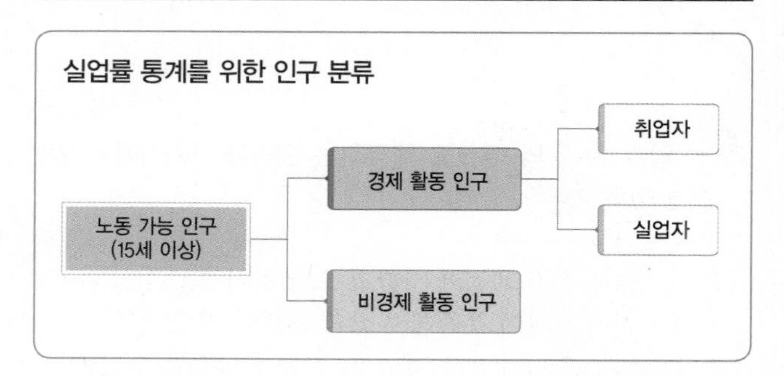

15세 이상 인구인 노동 가능 인구 가운데 일할 능력과 의사가 있는 사람을 경제 활동 인구라고 한다. 경제 활동 인구는 일자리가 있는 취업자와 일자리가 없는 실업자로 구분한다. 한편, 노동 가능 인구 가운데 일할 능력이 없는 노약자, 일할 의사가 없는 학생이나 전업주부, 직업 구하기를 포기한 구직 단념자 등을 비경제 활동 인구라고 한다.

2 실업의 영향

(1) 개인적 측면

경제적 고통	소득이 감소하여 생계유지에 어려움을 겪을 수 있음
심리적 고통	• 직업을 통한 자아실현의 기회가 상실됨 • 자아 존중감과 삶에 대한 자신감이 떨어질 수 있음 • 불확실한 미래에 대한 불안감이 커질 수 있음

(2) 사회적 측면

인적 자원의 낭비	일할 능력이 있는 사람들이 경제 활동에 참여하지 못하게 됨
경기 침체	가계 소득 감소로 인한 소비 감소 → 기업의 생산 활동과 투자가 위축되어 경제 전반의 활기를 떨어뜨림
재정 부담	세수는 줄어드는 반면, 실업 인구를 부양하기 위한 실업 수당의 지급 등 정부의 재정 부담이 증가함
사회 불안	빈곤 확산, 가족 해체, 생계형 범죄의 증가 등으로 사회 불안이 커질 수 있음

└ 세금으로 얻게 되는 정부의 수입

경제적 측면에서 실업의 영향

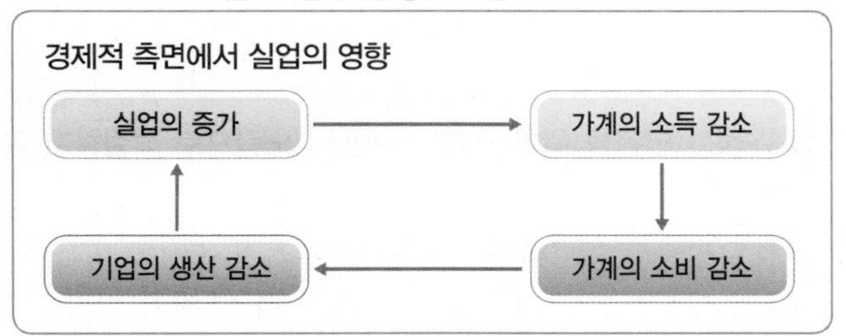

실업이 증가하면 가계의 소득이 줄어 소비가 감소하며, 이는 기업의 생산과 투자를 위축시킨다. 이로 인해 다시 경기가 침체되고 실업이 증가하는 악순환이 발생함으로써 국민 경제가 활력을 잃게 된다.

3 고용 안정을 위한 노력

(1) 고용 안정의 필요성: 실업은 개인의 삶과 사회의 안정 및 경제 성장에 부정적인 영향을 미침

(2) 고용 안정을 위한 경제 주체의 노력

① 정부

경기 활성화 정책	재정 지출 확대를 통한 투자와 소비 활성화
고용 안정 정책	• 직업 훈련과 취업 정보 제공 등의 취업 지원 • 실업 급여 지급을 통한 실업자 생활 안정 등

② 기업과 근로자 ┌ 근로자와 기업은 신뢰를 바탕으로 서로 협력하여 바람직한 노사 관계를 확립해야 해.

기업	고용 안정과 일자리 창출을 위한 경영 방안 모색
근로자	새로운 기술 습득 → 생산성과 업무 처리 능력 향상, 꾸준한 자기 계발 노력

실업의 유형에 따른 대책

경기적 실업	다양한 경제 정책을 통해 경제를 활성화하여 기업이 생산과 고용을 늘리도록 유도함
구조적 실업	미래의 유망한 직업이나 기술에 요구되는 인력을 개발하거나 직업 훈련을 시행함
마찰적 실업, 계절적 실업	적절한 구직 정보를 제공하고, 취업 박람회 등을 개최하여 직업 탐색에 드는 시간과 비용을 줄일 수 있도록 도움

개념 확인하기

정답과 해설 15쪽

1 (   )은 물가가 일정 기간 동안 지속적으로 상승하는 현상이다.

2 물가 상승에 대한 설명이 맞으면 ○표, 틀리면 ×표를 하시오.

(1) 경제 전체의 공급이 경제 전체의 수요보다 많으면 물가가 상승한다. (   )

(2) 시중에 공급되는 통화량이 많아지면 화폐 가치가 하락하여 물가가 상승한다. (   )

(3) 임금, 임대료, 국내외 원자재 가격 등과 같은 생산비가 오르면 물가가 상승한다. (   )

3 다음 괄호 안의 내용 중 알맞은 말에 ○표를 하시오.

(1) 물가가 오르면 화폐의 가치가 (상승, 하락)하여 살 수 있는 상품의 수량이 감소하게 된다.

(2) 물가가 오르면 외국 상품에 비해 자국 상품의 가격이 상대적으로 비싸져 수출이 (감소, 증가)하게 된다.

(3) 물가가 오르면 현금을 보유한 사람이 부동산이나 물건을 소유하고 있는 사람에 비해 (불리, 유리)해진다.

4 일할 능력과 의사가 있는데도 일자리가 없어서 일을 못 하는 상태를 (   )이라고 한다.

5 실업의 유형과 원인을 옳게 연결하시오.

(1) 경기적 실업 •　　　　• ㉠ 산업 구조가 변한 경우

(2) 구조적 실업 •　　　　• ㉡ 경제 상황이 좋지 못한 경우

(3) 계절적 실업 •　　　　• ㉢ 더 나은 조건의 직장을 원하는 경우

(4) 마찰적 실업 •　　　　• ㉣ 계절이 바뀌어 고용이 줄어든 경우

6 다음 빈칸에 들어갈 내용을 쓰시오.

(1) 노동 가능 인구 가운데 학생, 전업주부, 구직 단념자 등은 (   )에 해당한다.

(2) 실업으로 일할 능력이 있는 사람들이 경제 활동에 참여하지 못하면 (   )이 낭비된다.

(3) 정부는 실업을 해결하기 위해 (   ) 지출을 늘려 투자와 소비를 활성화하는 방법을 활용한다.

족집게 문제

내공 1 물가와 경제생활

1 ㉠, ㉡에 들어갈 말이 옳게 연결된 것은?

> (㉠)은/는 시장에서 거래되는 여러 상품의 가격을 종합한 평균적인 가격 수준으로, 오르기도 하고 내리기도 하면서 경제생활에 영향을 미친다. 일반적으로 경제가 성장하면 (㉠)도 같이 오르는데, 일정 기간 동안 (㉠)이/가 지속적으로 상승하는 현상을 (㉡)이라고 한다.

	㉠	㉡
①	물가	경제 성장
②	물가	인플레이션
③	이자	경제 성장
④	이자	인플레이션
⑤	시장 가격	인플레이션

2 물가 상승의 요인을 [보기]에서 고른 것은?

> 보기
> ㄱ. 총공급이 총수요보다 많은 경우
> ㄴ. 국내외 원자재 가격이 상승한 경우
> ㄷ. 시중에 공급되는 통화량이 감소한 경우
> ㄹ. 기업의 투자와 정부 지출이 급격히 증가한 경우

① ㄱ, ㄴ ② ㄱ, ㄹ ③ ㄴ, ㄷ
④ ㄴ, ㄹ ⑤ ㄷ, ㄹ

3 다음 내용과 같은 현상의 영향으로 옳은 것은?

> 가영이는 작년에 일주일 치 용돈을 받으면 버스 카드를 충전하고, 남은 돈으로 간식도 사 먹을 수 있었는데, 올해에는 그 돈으로 버스 카드만 충전하기에도 빠듯하다.

① 화폐의 가치가 하락한다.
② 부동산 투기 행위가 줄어든다.
③ 경기 활성화로 고용이 증가한다.
④ 수출이 증가하고 수입이 감소한다.
⑤ 부와 소득의 불평등 현상이 해소된다.

중요 **4** ㉠, ㉡에 들어갈 용어로 옳지 않은 것은?

> 물가가 지속적으로 오르는 현상을 인플레이션이라고 한다. 인플레이션이 발생하면 (㉠)은/는 불리해지고 (㉡)은/는 유리해진다.

① ㉠ – 채권자
② ㉠ – 예금 소유자
③ ㉡ – 수출업자
④ ㉡ – 토지 소유자
⑤ ㉡ – 임금을 지급하는 기업가

5 물가 안정을 위한 경제 주체들의 노력으로 적절하지 않은 것은?

① 근로자는 과도한 임금 인상 요구를 자제한다.
② 중앙은행은 통화량을 줄이고, 시중 은행의 이자율을 높인다.
③ 소비자는 과소비와 사재기를 자제하고 합리적으로 소비한다.
④ 정부는 재정 지출을 늘리고 조세를 줄이며, 공공요금을 인상한다.
⑤ 기업은 경영과 기술 혁신을 통해 생산 비용을 절감하고 생산의 효율성을 높인다.

내공 2 실업과 경제생활

6 (가)~(마)에 대한 설명으로 옳지 않은 것은?

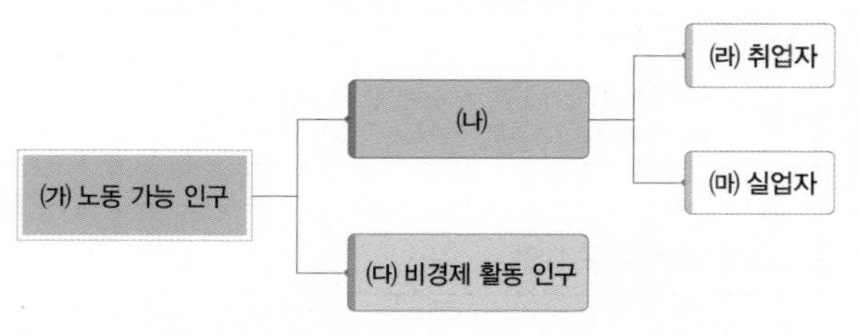

① (가)는 15세 이상 인구이다.
② (나)는 경제 활동 인구이다.
③ (다)는 실업률 계산 시 제외된다.
④ 실업률은 (나) 중에서 (라)가 차지하는 비율이다.
⑤ (마)에는 학생, 전업주부, 직업 구하기를 포기한 구직 단념자 등은 포함되지 않는다.

중요 **7** (가), (나)에 해당하는 실업의 유형을 옳게 연결한 것은?

> (가) 가현 씨는 공장 자동화로 수공업 일자리가 사라지면서 직장을 잃었다.
> (나) 나현 씨는 더 높은 연봉을 받을 수 있는 직장을 구하기 위해 퇴사하고, 구직 활동을 하고 있다.

	(가)	(나)
①	경기적 실업	계절적 실업
②	경기적 실업	마찰적 실업
③	구조적 실업	경기적 실업
④	구조적 실업	마찰적 실업
⑤	계절적 실업	마찰적 실업

8 표는 실업의 유형에 따른 원인과 대책을 정리한 것이다. (가)~(마)에 대한 설명으로 옳지 않은 것은?

유형	원인	대책
(가)	경기 침체	(라)
구조적 실업	(다)	미래 유망 기술이나 직업에 필요한 인력 개발
계절적 실업	계절에 따른 고용 감소	적절한 구직 정보 제공
(나)	새로운 일자리 탐색	(마)

① (가)는 마찰적 실업이다.
② (나)는 개인의 선택에 따른 자발적인 실업이다.
③ (다)는 기술 발달로 인한 산업 구조의 변화가 해당한다.
④ (라)는 정부의 재정 지출 증가를 통해 일자리를 늘리는 방법이 해당한다.
⑤ 취업 박람회 개최는 (라)보다 (마)에 적절한 방법이다.

9 고용 안정을 위한 경제 주체들의 노력으로 바람직한 것을 [보기]에서 있는 대로 고른 것은?

> 보기
> ㄱ. 근로자는 생산성과 업무 처리 능력을 향상한다.
> ㄴ. 기업과 근로자는 신뢰를 바탕으로 서로 협력한다.
> ㄷ. 기업은 일자리 창출을 위한 경영 방안을 모색한다.
> ㄹ. 정부는 재정 지출을 줄여 투자와 소비를 억제한다.

① ㄱ, ㄴ ② ㄴ, ㄹ ③ ㄷ, ㄹ
④ ㄱ, ㄴ, ㄷ ⑤ ㄱ, ㄷ, ㄹ

서술형 문제

출제율 ●●●●● 시험에 꼭 나오는 출제 가능성이 높은 예상 문제로, 내신 100점을 받기 위한 필수 문항들

10 다음 사례에 나타난 경제 현상을 쓰고, 이러한 현상이 나타난 원인을 서술하시오.

> 제1차 세계 대전에서 패한 독일은 전쟁 배상금을 마련하기 위해 화폐를 마구 찍어 내었다. 그 결과 3년 사이에 물가가 무려 100억 배나 상승하였고, 아이들은 돈을 장난감 삼아 놀기도 하였다.

중요 **11** 다음 글을 읽고 물음에 답하시오.

> (㉠)은/는 15세 이상 인구 중 일할 능력과 의사가 있는 사람을 말하며, 이 중 일자리가 있는 사람을 취업자, 일자리가 없는 사람을 (㉡)(이)라고 한다.

(1) ㉠, ㉡에 들어갈 용어를 각각 쓰시오.

(2) ㉡의 증가가 사회에 미치는 영향을 두 가지 이상 서술하시오.

12 (가), (나)와 같은 고민을 하는 사람들을 위한 정부의 역할을 각각 서술하시오.

> (가) 물가는 오르는데 매달 회사에서 정해진 월급을 받고 있으니 생활이 어렵습니다.
> (나) 대학교 졸업한 지 1년이 넘었는데 아직도 취업을 못 했습니다. 언제쯤 돈을 벌 수 있을까요?

국제 거래와 환율

내공 1 국제 거래의 의미와 특징

1 국제 거래의 의미와 종류

(1) 국제 거래: 국가 간에 생산물이나 생산 요소 등이 국경을 넘어 상업적으로 거래되는 것 – 자국 내에서 생산되지 않거나 부족한 재화, 자원, 기술, 서비스 등을 얻을 수 있어.

(2) 국제 거래의 종류

① 수출: 우리나라 기업이 다른 나라에 물품을 판매하는 것

② 수입: 외국으로부터 물품을 구입하여 국내로 들여오는 것

2 국제 거래의 특징

관세 부과	재화와 서비스의 수출과 수입 과정에서 통관 절차를 거치며 관세라는 세금을 내야 함
환율 고려	국가마다 다른 화폐를 사용하므로 화폐 간 교환 비율을 고려해야 함
거래의 제약	국가마다 법, 제도, 정책, 종교, 문화 등이 달라 재화나 서비스의 수입이 금지되거나 제한될 수 있음

- 통관: 국경을 통과하는 상품에 대해 관세청에서 실시하는 검사 절차
- 관세: 외국에서 수입하는 상품에 부과하는 세금

3 국제 거래의 발생 요인과 이익

(1) 국제 거래의 발생 요인

① 비교 우위: 한 국가가 다른 국가보다 상대적으로 더 저렴한 비용으로 재화와 서비스를 생산할 수 있는 능력

② 비교 우위로 인한 국제 거래의 발생 원리

원인	국가마다 자연환경(기후, 지형 등), 생산 요소(천연자원, 노동, 자본 등), 기술 수준 등 생산 여건의 차이로 생산비의 차이가 발생함
결과	생산에 유리한 품목을 특화하여 수출하고, 생산에 불리한 품목은 수입함으로써 상호 이익을 얻음

- 특화: 가장 효율적으로 생산할 수 있는 상품만을 전문적으로 생산하는 것

(2) 국제 거래로 인한 이익

소비자	자기 나라에는 없거나 부족한 상품과 서비스 등을 사용할 수 있음 → 상품 선택의 기회 확대
기업	• 넓은 해외 시장을 확보하여 많은 이윤을 얻을 수 있음 • 외국 기업과 경쟁하면서 기술 혁신을 이뤄 생산성을 높임
국가	세계 시장을 상대로 대규모로 생산하면 생산 단가가 낮아져 교역국 모두에게 이익이 됨

생산 여건의 차이와 비교 우위

덥고 습한 열대 기후 지역은 다른 기후 지역보다 열대 과일을 생산하기에 유리하다. 기술력이 뛰어난 국가는 첨단 기술이 집약된 상품을 생산하는 데 유리하다. 또 노동력이 풍부한 나라는 의류나 신발처럼 수공업이 필요한 상품의 생산에 유리하다.

각국은 생산에 유리한 조건을 갖춘 품목을 특화하여 교역함으로써 상호 이익을 얻는다. 이때 각국이 상대적으로 더 효율적으로 생산할 수 있는 품목에 대해 비교 우위가 있다고 말하는데, 한 나라의 비교 우위는 그 나라의 자연환경, 기술 수준, 생산 요소 등 다양한 요인에 의해 결정된다.

내공 2 국제 거래의 양상

1 국제 거래의 확대

(1) 국제 거래 품목의 확대: 재화뿐만 아니라 서비스, 노동, 자본, 기술 등 생산 요소, 지적 재산권 등으로 확대됨

- 재화: 예 원자재, 기계 등
- 지적 재산권: 예 문화 창작물, 특허권 등

(2) 국제 거래 규모의 확대

① 배경

세계화·개방화	교통과 정보 통신 기술 발달 → 전 세계가 하나의 나라처럼 통합되어 감
세계 무역 기구(WTO) 출범	• 의미: 국가 간 무역 장벽 제거 및 자유 무역 확대를 위해 설립된 국제기구 • 역할: 각종 불공정 무역 행위 규제, 국가 간 무역 마찰 조정, 국가 간 거래 시 준수해야 할 규칙 제정

② 영향: 자유 무역이 확대되고, 전 세계를 대상으로 이익을 얻기 위해 치열한 경쟁과 교류·협력이 이루어지고 있음

③ 사례: 외국인 근로자의 국내 취업과 내국인의 해외 취업 증가, 기업이 하나의 상품을 만들기 위해 국제적으로 분업하거나 여러 국가에서 재료나 부품을 수입함

국제 거래의 확대와 우리나라의 국제 거래

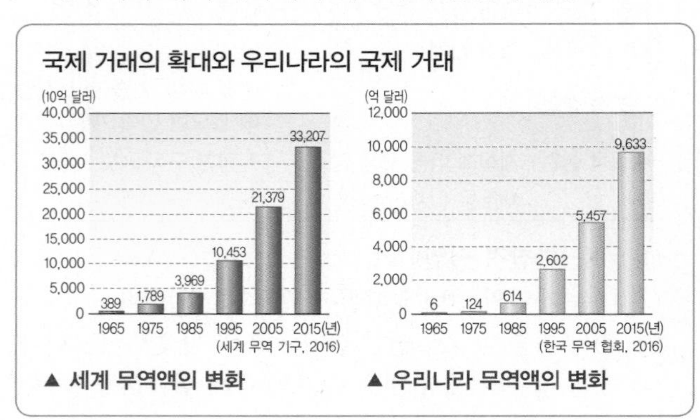

▲ 세계 무역액의 변화　▲ 우리나라 무역액의 변화

전 세계 무역 규모는 1965년 3,890억 달러에서 2015년 33조 2,070억 달러로 40여 년간 약 85배 늘어났다. 우리나라의 무역 규모도 1965년에는 6억 달러에 불과했지만, 2015년에는 9,633억 달러로 세계에서 아홉 번째로 큰 수준이 되었다. 오늘날 세계화·개방화 추세에 따라 국제 거래 규모는 더욱 커지고 있다.

2 경제적 상호 의존과 협력의 강화

(1) 지역 경제 협력체 구성

지역 경제 협력체	• 의미: 지리적으로 가깝고 경제적으로 상호 의존도가 높은 국가끼리 구성한 경제 협력체 • 사례: 유럽 연합(EU), 아시아·태평양 경제 협력체(APEC), 동남아시아 국가 연합(ASEAN) 등
목적	경쟁력 강화, 무역 증진을 통한 공동의 이익 추구
특징	회원국 간에는 자유 무역 촉진, 비회원국에는 무역 장벽을 쌓는 등의 차별을 하여 무역 갈등을 일으키기도 함

(2) 자유 무역 협정(FTA) 체결: 개별 국가 간, 개별 국가와 지역 경제 협력체 간 관세 및 비관세 장벽을 없애거나 완화하여 상호 경제적 이득을 추구함

내공 3 환율의 결정과 변동

1 환율의 의미

(1) 환율: 자국 화폐와 외국 화폐의 교환 비율

(2) 환율의 표시: 외국 화폐 1단위와 교환되는 자국 화폐의 가격으로 표시함 예 미국 화폐 1달러를 우리나라 돈 1,100원과 교환할 수 있다면 환율은 '1,100원/달러'가 됨

2 환율의 결정

(1) 환율의 결정: 외환 시장에서 외화의 수요와 공급에 의해 결정됨

(2) 외화의 수요와 공급

외화의 수요	• 외화가 해외로 나가는 것 • 수입, 자국민의 해외여행, 해외 투자, 유학, 외채 상환 시 발생
외화의 공급	• 외화가 국내로 들어오는 것 • 수출, 외국인 관광객 유치, 외국인의 국내 투자, 차관 도입 시 발생

외채 상환: 외국으로부터 빌려온 돈을 갚거나 돌려주는 것

차관: 한 나라의 정부나 기업이 다른 나라의 정부나 공적 기관에서 자금을 빌려오는 것

환율 / 수요 / 공급 / 균형 환율 / 0 / 균형 거래량 / 외화 거래량

▲ 환율의 결정

3 환율의 변동

(1) 환율 상승: 외화의 수요가 증가하거나 외화의 공급이 감소하는 경우
└ 외화의 가치가 높아지고, 원화의 가치가 낮아짐

(2) 환율 하락: 외화의 수요가 감소하거나 외화의 공급이 증가하는 경우
└ 외화의 가치가 낮아지고, 원화의 가치가 높아짐

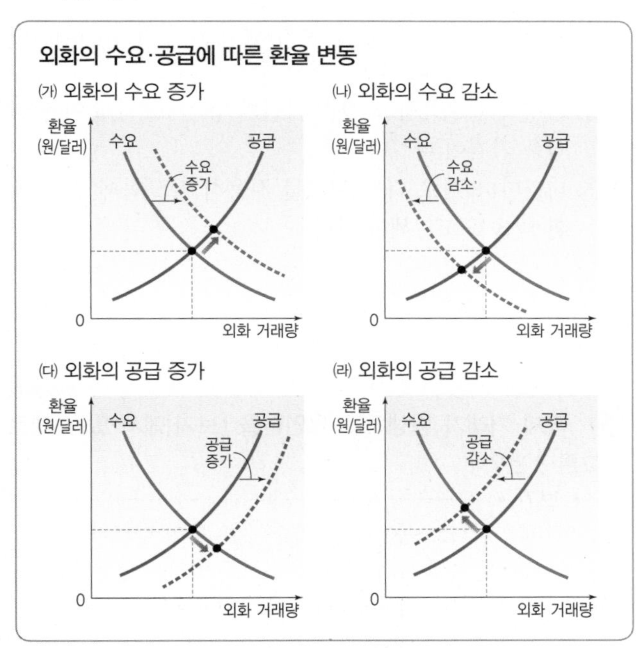

(가) 외화의 수요가 증가하면 외화의 수요 곡선이 오른쪽으로 이동하면서 환율이 상승하고, (나) 외화의 수요가 감소하면 수요 곡선이 왼쪽으로 이동하면서 환율이 하락한다. (다) 외화의 공급이 증가하면 외화의 공급 곡선이 오른쪽으로 이동하면서 환율이 하락하고, (라) 외화의 공급이 감소하면 공급 곡선이 왼쪽으로 이동하면서 환율이 상승한다.

내공 4 환율 변동의 영향

1 환율의 변동과 원화 가치

(1) 환율 상승: 외화의 가격 상승 → 원화 가치 하락

(2) 환율 하락: 외화의 가격 하락 → 원화 가치 상승

환율 변동과 원화 가치

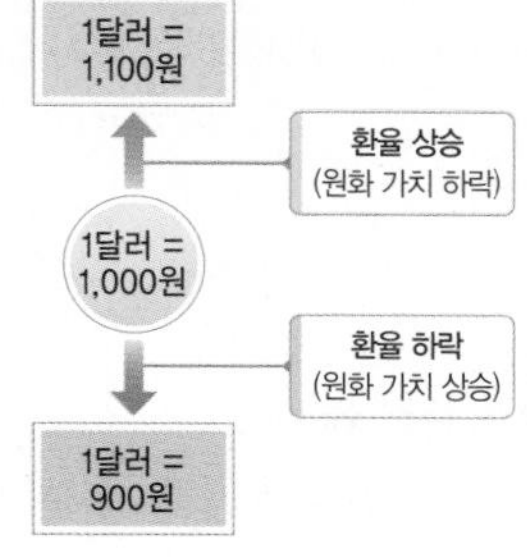

달러 환율이 1,000원에서 1,100원으로 상승하면 1달러를 살 때 100원이 더 필요하며, 이는 원화 가치의 하락을 뜻한다. 반대로, 달러 환율이 1,000원에서 900원으로 하락하면 1달러를 살 때 100원을 덜 지급하게 되며, 이는 원화 가치의 상승을 의미한다.

2 환율 변동이 미치는 영향

구분	환율 상승(원화 가치 하락)	환율 하락(원화 가치 상승)
수출입	• 외화로 표시되는 우리나라 상품의 가격 하락 → 수출 증가 • 수입품의 국내 가격 상승 → 수입 감소	• 외화로 표시되는 우리나라 상품의 가격 상승 → 수출 감소 • 수입품의 국내 가격 하락 → 수입 증가
물가	수입 원자재 가격 상승 → 생산 비용 증가 → 국내 물가 상승	수입 원자재 가격 하락 → 생산 비용 감소 → 국내 물가 안정
외채 상환	외채 상환에 대한 부담 증가	외채 상환에 대한 부담 감소
여행, 유학	외국인 관광객 증가, 자국민의 해외여행과 유학 감소	외국인 관광객 감소, 자국민의 해외여행과 유학 증가

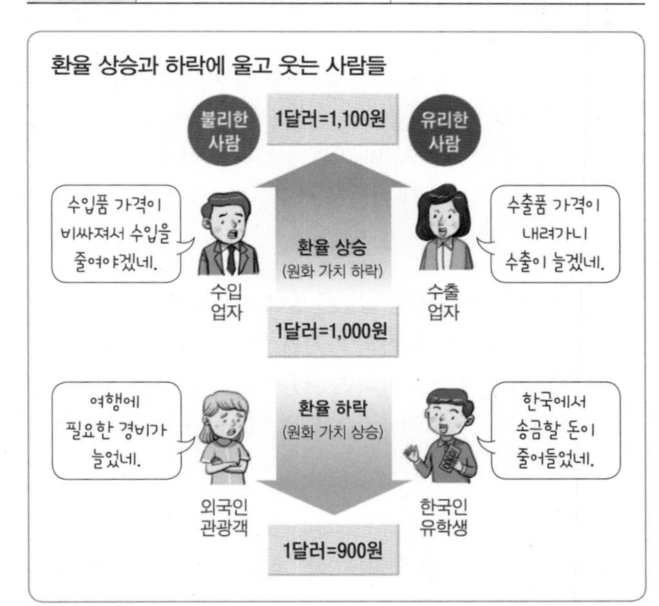

환율이 상승하면 외화로 표시되는 우리나라 상품의 가격이 하락하여 수출이 늘어나는 반면, 수입품의 국내 가격은 올라가므로 수입이 줄어들게 된다. 환율이 하락하면 원화의 가치가 상승하므로 원화로 같은 금액이라도 기존보다 더 많은 외화로 환전할 수 있어 유학 자금을 절약할 수 있지만, 외국인들의 우리나라 여행에 대한 부담이 증가하여 외국인 관광객이 감소할 수 있다.

개념 확인하기

정답과 해설 16쪽

1 국가 간에 생산물이나 생산 요소 등이 국경을 넘어 상업적으로 거래되는 것을 (　　　　)라고 한다.

2 다음 빈칸에 들어갈 내용을 쓰시오.

(1) 국제 거래를 할 때는 재화와 서비스의 수출과 수입 과정에서 (　　　　)라는 세금을 내야 한다.

(2) 국제 거래에서 각 국가는 서로 다른 화폐를 사용하므로 화폐 간의 교환 비율인 (　　　　)을 고려해야 한다.

3 다음 설명이 맞으면 ○표, 틀리면 ×표를 하시오.

(1) 많은 나라가 국제 거래를 하는 이유는 거래를 통해 이익을 얻을 수 있기 때문이다. (　　)

(2) 생산 여건의 차이로 인해 비슷한 상품을 생산하더라도 나라마다 생산비에 차이가 있다. (　　)

(3) 각국이 상대적으로 더 높은 비용을 들여 생산할 수 있는 품목에 대해 비교 우위가 있다고 말한다. (　　)

4 다음 설명에 해당하는 것을 [보기]에서 골라 기호를 쓰시오.

보기

ㄱ. 지역 경제 협력체
ㄴ. 자유 무역 협정(FTA)
ㄷ. 세계 무역 기구(WTO)

(1) 국가 간 자유로운 무역과 세계 교역 증진을 목적으로 설립되었다. (　　)

(2) 지리적으로 가깝고 경제적으로 상호 의존도가 높은 국가끼리 구성하였다. (　　)

(3) 개별 국가 간 관세 및 비관세 장벽을 없애거나 완화하여 상호 경제적 이득을 추구한다. (　　)

5 다음 괄호 안의 내용 중 알맞은 말에 ○표를 하시오.

(1) 환율이 오르면 원화의 가치가 (상승, 하락)한다.

(2) 외화의 수요가 증가하면 환율이 (상승, 하락)한다.

(3) 해외 투자가 늘어나면 외화의 (공급, 수요)이/가 증가한다.

6 환율 상승으로 인한 영향은 '상', 환율 하락으로 인한 영향은 '하'라고 쓰시오.

(1) 외국인 관광객이 감소한다. (　　)

(2) 수출이 증가하고 수입이 감소한다. (　　)

(3) 외채 상환에 대한 부담이 증가한다. (　　)

내공 쌓는 족집게 문제

내공 1 국제 거래의 의미와 특징

1 국제 거래에 대한 설명으로 적절하지 않은 것은?

① 국내 거래보다 비교적 제약이 적고 자유롭다.
② 전 세계를 대상으로 하므로 그 규모가 매우 크다.
③ 국제 거래에 참여하는 나라들은 이익을 얻을 수 있다.
④ 국가 간에 상품이나 생산 요소 등이 거래되는 것이다.
⑤ 국제 거래를 통해서 각국은 자기 나라에 없는 상품과 서비스를 사용할 수 있다.

2 다음 내용을 통해 알 수 있는 국제 거래의 특징으로 가장 적절한 것은?

> ○○파이에 함유된 제과용 젤라틴은 돼지가죽에서 추출하는 경우가 많다. 그러나 무슬림은 돼지고기를 먹으면 안 되기 때문에 이슬람권으로 수출되는 ○○파이는 소고기에서 추출한 젤라틴을 사용하여 만들어지고 있다.

① 재화와 서비스를 수출할 때 관세를 내야 한다.
② 재화와 서비스가 국경을 넘을 때 통관 절차를 거쳐야 한다.
③ 나라마다 종교와 문화 등이 달라 수입이 금지되거나 제한될 수 있다.
④ 나라마다 보유하고 있는 자원의 양, 기술 수준이 달라 상품 가격이 다르다.
⑤ 나라마다 서로 다른 화폐를 사용하므로 화폐 간의 교환 비율을 고려해야 한다.

3 국제 거래가 발생하는 요인만을 [보기]에서 있는 대로 고른 것은?

보기

ㄱ. 국가마다 노동, 자본, 기술 수준 등이 다르다.
ㄴ. 각국은 수출과 수입을 통해 상호 이익을 얻는다.
ㄷ. 같은 상품을 생산하더라도 나라마다 생산비가 다르다.
ㄹ. 각국이 모든 상품을 독자적으로 생산하는 것이 유리하다.

① ㄱ, ㄴ　② ㄴ, ㄷ　③ ㄷ, ㄹ
④ ㄱ, ㄴ, ㄷ　⑤ ㄴ, ㄷ, ㄹ

출제율 ●●●●● 시험에 꼭 나오는 출제 가능성이 높은 예상 문제로, 내신 100점을 받기 위한 필수 문항들

4 국제 거래가 필요한 이유로 옳지 않은 것은?

① 넓은 해외 시장을 확보함으로써 더 많은 이윤을 얻을 수 있기 때문
② 세계 시장을 대상으로 대규모 생산을 하면 생산 단가를 낮출 수 있기 때문
③ 국내 기업이 외국 기업과 경쟁하는 과정에서 기술 혁신을 이룰 수 있기 때문
④ 소비자의 상품 선택의 기회가 확대되어 풍요로운 소비 생활을 할 수 있기 때문
⑤ 각 나라의 생산 여건에 차이가 없어 같은 상품을 동일한 생산비로 만들 수 있기 때문

중요 **5** ㉠~㉤에 들어갈 내용이 옳게 연결되지 않은 것은?

> 오늘날 많은 나라가 국제 거래를 하는 이유는 거래를 통해 (㉠)을/를 얻을 수 있기 때문이다. 나라마다 자연환경, 보유한 자원, 기술 수준 등이 달라 비슷한 상품을 생산하더라도 (㉡)에 차이가 발생하게 된다. 따라서 각 나라는 생산에 유리한 품목을 (㉢)하여 생산하고, 생산에 불리한 품목은 (㉣)한다. 이때 각국이 상대적으로 더 적은 비용으로 생산할 수 있는 품목에 대해 (㉤)이/가 있다고 말한다.

① ㉠ – 이익 ② ㉡ – 생산비
③ ㉢ – 특화 ④ ㉣ – 수출
⑤ ㉤ – 비교 우위

6 다음 내용에서 설명하는 개념으로 가장 적절한 것은?

> 우리나라는 반도체와 옷을 모두 생산할 능력을 갖추고 있지만, 자본과 첨단 기술이 다른 나라에 비해 뛰어나므로 반도체를 생산하여 수출하고, 옷은 노동력이 풍부한 중국이나 베트남에서 수입해서 입는 것이 더 이익이다.

① 경제 협력 ② 관세 부과
③ 보호 무역 ④ 비교 우위
⑤ 비관세 장벽

내공 2 국제 거래의 양상

7 오늘날 국제 거래의 양상으로 옳은 것을 [보기]에서 고른 것은?

> 보기
> ㄱ. 국가 간 경제 협력이 약화하고 있다.
> ㄴ. 노동, 자본, 기술 등 생산 요소의 거래가 증가하고 있다.
> ㄷ. 자유 무역이 확대되고 국가 간 상호 협력이 긴밀해지고 있다.
> ㄹ. 문화 창작물, 특허권 등 지적 재산권의 국제 거래는 줄어들고 있다.

① ㄱ, ㄴ ② ㄱ, ㄷ ③ ㄴ, ㄷ
④ ㄴ, ㄹ ⑤ ㄷ, ㄹ

8 그래프는 세계 무역액의 증가 추이이다. 이러한 변화가 나타나게 된 배경으로 옳지 않은 것은?

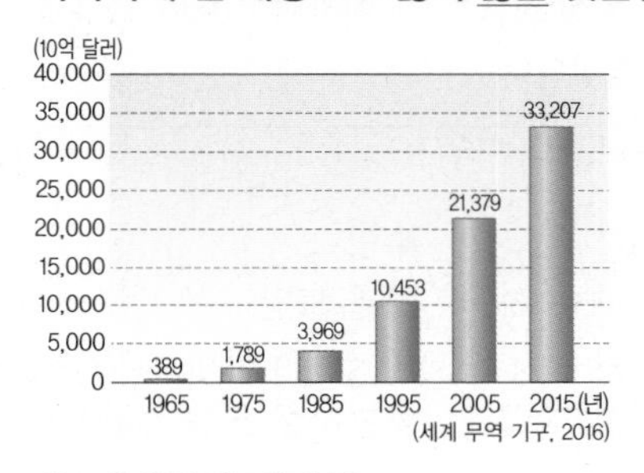

① 세계화와 개방화
② 관세 비율의 확대
③ 지역 경제 협력체 구성
④ 교통과 정보 통신 기술 발달
⑤ 세계 무역 기구가 주도하는 자유 무역의 확대

9 밑줄 친 '협력체'에 해당하는 사례만을 [보기]에서 있는 대로 고른 것은?

> 오늘날 국제 경제에서 지리적으로 가깝고 경제적으로 상호 의존도가 높은 국가들이 경제 협력 강화를 위해 협력체를 구성하는 움직임이 나타나고 있다.

> 보기
> ㄱ. 유럽 연합(EU)
> ㄴ. 세계 무역 기구(WTO)
> ㄷ. 동남아시아 국가 연합(ASEAN)
> ㄹ. 아시아·태평양 경제 협력체(APEC)

① ㄱ, ㄷ ② ㄴ, ㄷ ③ ㄷ, ㄹ
④ ㄱ, ㄷ, ㄹ ⑤ ㄴ, ㄷ, ㄹ

내공 3 환율의 결정과 변동

10 환율에 대한 설명으로 옳지 않은 것은?

① 두 나라의 화폐가 교환되는 비율이다.
② 외화의 수요와 공급에 의해 결정된다.
③ 외화의 수요가 증가하면 환율이 상승한다.
④ 환율의 상승은 외화 가격의 상승을 의미한다.
⑤ 환율의 하락은 원화 가치의 하락을 의미한다.

11 밑줄 친 ㉠, ㉡에 해당하는 것을 옳게 연결한 것은?

> 시장에서 상품 가격이 수요와 공급에 의해 결정되는 것처럼 외화의 가격인 환율도 ㉠ 외화의 수요와 ㉡ 외화의 공급에 의해 결정된다.

	㉠	㉡
①	수출	수입
②	수출	차관 도입
③	해외 투자	외국인의 국내 투자
④	외채 상환	자국민의 해외 유학
⑤	외국인 관광객 유치	자국민의 해외여행

중요 **12** 환율이 상승하는 데 영향을 미치는 요인을 [보기]에서 고른 것은?

> 보기
> ㄱ. 외국으로 여행을 떠나는 우리나라 사람들이 줄어들었다.
> ㄴ. 우리나라로 한국어를 배우러 오는 외국인들이 늘어났다.
> ㄷ. 우리나라 기업이 중국에서 운동화를 대량으로 수입하였다.
> ㄹ. 세계 경제가 침체하면서 우리나라 텔레비전 수출량이 줄어들었다.

① ㄱ, ㄴ ② ㄱ, ㄷ ③ ㄴ, ㄷ
④ ㄴ, ㄹ ⑤ ㄷ, ㄹ

13 다음 그래프에 대한 설명으로 옳은 것은?

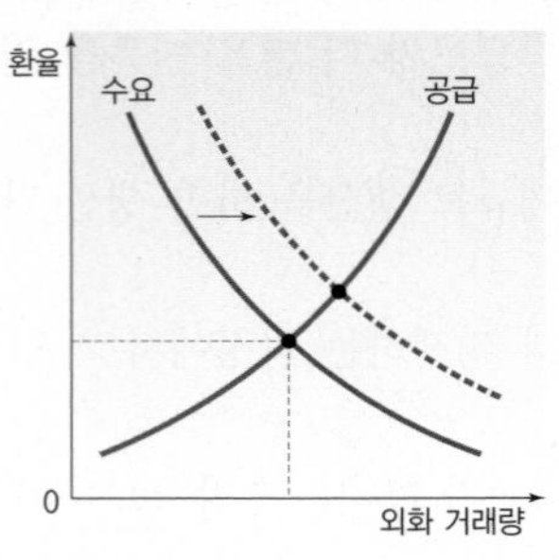

① 외화의 공급이 증가하여 환율이 하락하였다.
② 외화의 공급이 감소하여 환율이 상승하였다.
③ 외화의 수요가 증가하여 환율이 상승하였다.
④ 외화의 수요가 감소하여 환율이 하락하였다.
⑤ 외화의 수요와 공급이 증가하여 환율이 상승하였다.

내공 4 환율 변동의 영향

14 다음 내용을 통해 알 수 있는 환율과 원화 가치와의 관계로 옳은 것은?

> 작년에 해외여행을 할 때는 30만 원으로 300달러를 환전할 수 있었는데, 올해 30만 원을 환전하니 250달러밖에 되지 않았다.

① 환율 상승 – 원화 가치 상승
② 환율 상승 – 원화 가치 하락
③ 환율 하락 – 원화 가치 상승
④ 환율 하락 – 원화 가치 하락
⑤ 환율 하락 – 원화 가치 변동 없음

15 다음과 같은 현상이 우리 경제에 미치는 영향으로 옳은 것은?

> 미국 달러에 대한 환율이 1달러당 1,000원에서 900원으로 하락하였다.

① 국내 물가가 상승한다.
② 외국인 관광객이 증가한다.
③ 해외여행과 유학이 감소한다.
④ 수출이 증가하고 수입이 감소한다.
⑤ 외채 상환에 대한 부담이 감소한다.

[16~17] 다음 글을 읽고 물음에 답하시오.

> 환율이 1,000원에서 지난 한 달 동안 꾸준히 상승하여 1,100원이 되었다. 이렇게 환율이 계속해서 상승하면 ㉠ 유리해지는 사람과 ㉡ 불리해지는 사람이 생긴다.

16 위와 같은 환율 변동이 우리 경제에 미칠 영향을 [보기]에서 고른 것은?

보기

ㄱ. 외채 상환에 대한 부담이 감소한다.
ㄴ. 수입품의 국내 가격이 상승하여 수입이 감소한다.
ㄷ. 수입 원자재 가격이 상승하여 국내 물가가 상승한다.
ㄹ. 외국인 관광객이 감소하고 우리 국민의 해외여행과 유학이 증가한다.

① ㄱ, ㄴ ② ㄱ, ㄷ ③ ㄴ, ㄷ
④ ㄴ, ㄹ ⑤ ㄷ, ㄹ

중요 **17** 밑줄 친 ㉠, ㉡에 해당하는 사람을 옳게 연결한 것은?

	㉠	㉡
①	수입업자	수출업자
②	수입업자	외국인 관광객
③	수출업자	외국인 관광객
④	수출업자	한국인 유학생
⑤	한국인 유학생	수입업자

18 밑줄 친 ㉠~㉤의 내용 중 옳지 않은 것은?

> 환율이 상승하면 ㉠ 원화의 가치가 하락하므로 외화로 표시되는 수출품의 가격을 낮출 수 있어 ㉡ 수출이 증가한다. 반대로 환율이 하락하면 원화의 가치가 상승하므로 ㉢ 수입 원자재 가격의 하락 효과를 얻을 수 있어 ㉣ 국내 물가 안정에 도움이 되지만, 외화로 빚을 진 경우에는 ㉤ 갚아야 할 빚이 늘어나는 부정적인 효과가 발생한다.

① ㉠ ② ㉡ ③ ㉢ ④ ㉣ ⑤ ㉤

서술형 문제

19 밑줄 친 부분에 해당하는 내용을 두 가지 이상 서술하시오.

> 오늘날 많은 나라가 국제 거래를 하는 이유는 거래를 통해 상호 간에 이익을 얻을 수 있기 때문이다. 따라서 국제 거래가 국내 거래보다 자유롭지 못함에도 불구하고 세계화의 흐름에 따라 국제 거래의 규모는 점점 커지고 있다.

20 (가), (나)의 경우 외화의 수요와 공급은 어떻게 변화할지 각각 서술하시오.

> (가) 우리나라 국민의 해외여행이 증가하고, 외국산 자동차의 수입이 증가하였다.
> (나) 우리나라의 반도체 수출이 지속해서 증가하고, 우리나라를 방문하는 외국인 관광객도 증가하였다.

중요 **21** 다음과 같은 환율 변동이 밑줄 친 ㉠, ㉡에 미치는 영향을 상품 가격의 변동과 관련지어 서술하시오.

> 미국 달러 대비 원화 환율이 1달러당 1,200원에 마감되었다. 이는 전달보다 100원 이상 오른 것이다. 이로써 우리나라의 ㉠ 수출과 ㉡ 수입도 이러한 영향을 받을 수밖에 없게 되었다.

국제 사회의 이해 ~ 국제 사회의 모습과 공존 노력

내공 1 국제 사회의 의미와 특성

1 국제 사회의 의미와 구성

(1) 국제 사회: 세계 여러 나라가 서로 교류하고 의존하면서 국제적으로 공존하는 사회

(2) 국제 사회의 구성: 주권을 가진 국가를 기본 단위로 하여 구성됨 → 각 국가의 주권은 동등한 지위를 인정받음

- 주권: 국가의 의사를 최종적으로 결정할 수 있는 최고의 권력으로, 대외적 독립성을 가져.

(3) 오늘날의 국제 사회: 세계화·정보화로 정치, 경제, 문화 등 여러 부문에서 폭넓게 교류하며, 상호 의존성이 증대됨

2 국제 사회의 특성

- 자국의 이익: 국가의 독립과 안전 보장, 통상과 교역 및 시장의 확대를 통한 경제적 이익의 추구 등을 의미해.

(1) 자국의 이익 추구: 각국은 국제 관계에서 자국의 이익을 최우선으로 추구함

(2) 힘의 논리 작용: 국력에 따라 주권을 행사하는 정도에 차이가 있음 → 군사력과 경제력이 큰 강대국이 약소국을 위협하거나, 약소국보다 많은 영향력을 행사함

(3) 중앙 정부의 부재: 강제성을 가진 중앙 정부가 존재하지 않음 → 국가 간 분쟁과 갈등 해결이 쉽지 않음

(4) 국제 사회의 질서 존재: 국제법, 국제기구, 국제 여론 등이 국가의 행위에 일정한 제약을 주어 국제 사회의 질서 유지에 기여함

- 국제법: 국가 간 합의에 의해 만들어진 국제 규범 예 조약, 일반적으로 승인된 국제 법규

(5) 국제 협력의 강화: 국가 간 경제적·문화적 교류 증대로 상호 의존성이 높아짐 → 환경, 빈곤, 인권, 난민 등 국제 사회의 문제에 공동으로 대응할 필요성이 커짐

국제 사회의 특징을 보여 주는 사례

(가)

▲ 국제 연합 안전 보장 이사회

(나)

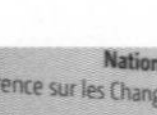

▲ 「파리 협정」(2015)

(가) 국제 연합(UN) 안전 보장 이사회의 중요한 안건은 상임 이사국인 미국, 영국, 프랑스, 러시아, 중국이 모두 찬성해야 의결되며 이 중 한 국가라도 거부권을 행사하면 의결이 이루어지지 않는다. 이와 같이 국제 사회에서는 힘의 논리에 따라 군사력, 경제력이 큰 강대국들이 많은 영향력을 행사하고 있다.

(나) 온실가스 배출로 인해 지구 온난화가 심각해지자, 세계 197개국이 온실가스 배출을 의무적으로 줄이는 합의문을 채택하였다. 그러나 몇몇 선진국은 자국의 산업과 경제 발전을 위해 이에 합의하지 않았다. 이것은 국제 사회에서 각국이 자국의 이익을 최우선으로 추구하고 있는 모습을 보여 준다.

내공 2 국제 사회의 행위 주체

1 국가

(1) 국가의 의미와 특징

의미	일정한 영토와 국민을 바탕으로 하여 주권을 가진 행위 주체
특징	• 국제 사회의 가장 기본적이고 대표적인 행위 주체 • 국제법상 평등하고 독립된 주체로서 국제 사회에 참여함

(2) 국가의 역할: 자국의 안전 보장과 국력 확장을 위해 여러 가지 공식적인 활동을 함

외교 활동	자국의 이익 추구, 자국민 보호를 위한 외교 활동을 수행함
국제기구 활동	다양한 국제기구에 회원국으로 가입하여 공식적인 활동을 수행함

2 국제기구

(1) 국제기구: 정부, 민간단체, 개인 등을 회원으로 하여 국제적인 목적이나 활동을 위해 조직된 행위 주체 → 정치, 경제, 환경 등 다양한 영역에서 활동함

(2) 국제기구의 종류 – 참여하는 주체에 따른 분류

정부 간 국제기구	각국 정부를 회원으로 하는 국제기구 → 협상을 통해 회원국들의 이익을 조화롭게 달성하기 위해 노력함 예 국제 연합(UN), 유럽 연합(EU), 경제 협력 개발 기구(OECD), 국제 통화 기금(IMF), 세계 무역 기구(WTO) 등
국제 비정부 기구	국경을 넘어 활동하는 개인과 민간단체가 중심이 되어 만들어진 국제기구 → 다양한 국제 문제를 해결하기 위해 노력 예 그린피스, 국제 사면 위원회, 국경 없는 의사회, 국제 적십자사 등

국제기구의 다양한 활동

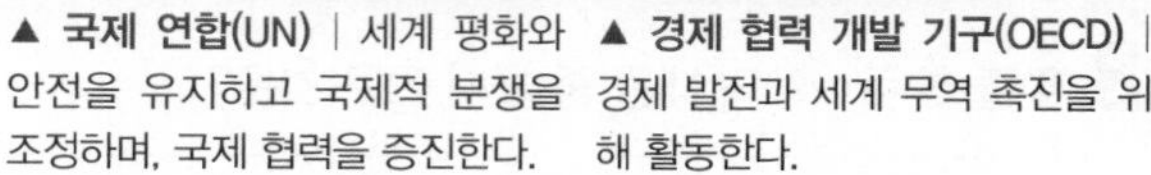

▲ 국제 연합(UN) | 세계 평화와 안전을 유지하고 국제적 분쟁을 조정하며, 국제 협력을 증진한다.

▲ 경제 협력 개발 기구(OECD) | 경제 발전과 세계 무역 촉진을 위해 활동한다.

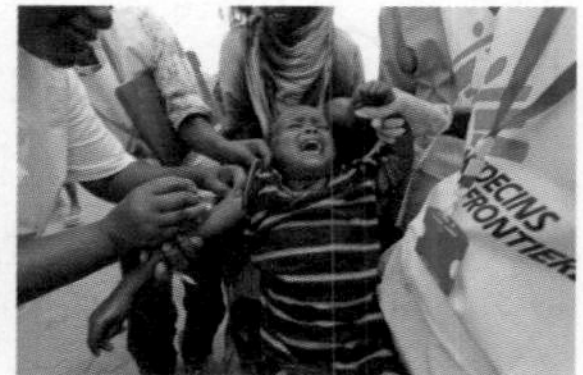

▲ 그린피스 | 환경 보호, 핵무기 반대를 통한 평화 증진을 목표로 국제적인 활동을 한다.

▲ 국경 없는 의사회 | 자연재해, 질병, 전쟁 등으로 생존의 위협에 처한 사람들을 구호한다.

3 다국적 기업

(1) 다국적 기업: 한 나라에 본사를 두고, 여러 나라에 자회사와 공장을 설립하여 국제적 규모로 상품을 생산하고 판매하는 기업 → 세계화에 따라 수와 규모가 커지고 있음

(2) 다국적 기업의 영향: 국제 사회의 상호 의존성을 높임, 경제력을 바탕으로 정치, 경제, 문화 전반에 큰 영향을 미침
└ 개별 국가의 정책이나 국제 관계에까지 영향력을 끼쳐.

4 기타

(1) 국가 내부적 행위체: 소수 인종, 소수 민족, 지방 정부 등

(2) 국제적으로 영향력 있는 개인: 국제 연합(UN) 사무총장, 강대국의 전·현직 국가 원수, 종교 지도자, 유명 기업인 등
└ 예 교황 등

내공 3 국제 사회의 경쟁과 갈등, 협력

1 국제 사회에서의 경쟁과 갈등
┌ 경쟁이 과열되면 갈등으로 이어질 수 있어.

(1) 국제 사회의 경쟁: 정치, 경제, 사회, 문화 등 다양한 분야에서 자국의 이익 실현을 위해 노력하는 과정에서 발생함
예 경제 발전, 자원 확보, 과학 기술 개발을 둘러싼 경쟁 등

(2) 국제 사회의 갈등: 자원 확보를 둘러싼 갈등, 민족과 인종 및 종교의 차이에서 비롯되는 갈등, 환경 문제를 둘러싼 갈등, 영토 분쟁, 무역 분쟁 등 → 평화적으로 해결하지 못하면 테러나 전쟁으로 이어지기도 함

국제 사회의 갈등 사례

(가) 카슈미르는 주민의 70%가 이슬람 교도로, 종족·종교 구성상 파키스탄에 속해야 했지만, 영국에서 독립할 때 인도에 편입되었다. 이 때문에 인도와 파키스탄은 카슈미르를 둘러싸고 여러 차례 전쟁을 겪었다.

(나) 동아시아의 중요한 해상로이자 석유, 천연가스 등 자원이 풍부한 것으로 알려진 남중국해를 두고 중국, 베트남, 필리핀 등의 영유권 분쟁이 벌어지고 있다.

(가)는 민족과 종교, (나)는 자원과 영토를 둘러싸고 국가 간 갈등이 발생한 사례이다. 이 밖에도 국제 사회에서는 역사 문제, 환경 문제, 다국적 기업 간의 경쟁 등 다양한 요인으로 인해 갈등이 발생하고 있다. 이러한 갈등은 국제 문제나 국제 분쟁으로 이어질 수 있어 이를 방지하고 해결할 필요가 있다.

2 국제 사회의 협력

(1) 국제 협력의 필요성
┌ 예 빈곤, 전쟁, 환경 문제, 인권 문제 등

국제 사회의 문제 해결	국제 사회의 문제는 국경을 초월하여 발생하며 전 세계에 영향을 미침 → 국제 사회의 행위 주체들이 협력하여 해결해야 함
상호 이익의 증진	한 국가의 경제는 다른 국가들로부터 영향을 받음 → 지리적으로 가깝고 상호 의존도가 높은 국가 간에 경제 협력을 맺어 상호 이익을 증진함

(2) 국제 협력의 방법: 각국 정상들 간의 회의, 국가 간 조약이나 협약 체결, 다양한 국제기구의 활동, 영향력 있는 지도자들의 국제 협력을 통한 갈등 해결 촉구 등
└ 예 인권 선언, 국제 환경 협약 등

내공 4 국제 사회의 공존을 위한 노력

1 국제 사회의 공존을 위한 외교 활동

(1) 외교: 한 국가가 국제 사회에서 자국의 이익을 평화적으로 달성하기 위해 수행하는 모든 활동 – 예 동맹, 조약, 협력 등

(2) 외교 활동의 목적과 중요성

목적	• 국가적 차원: 자국의 정치적 안전과 경제적 이익 실현, 자국의 국제적 위상 강화 등 • 국제적 차원: 국가 간 분쟁의 해결과 예방, 국가 간 우호 증진 등
중요성	자국의 이익 추구 및 국제 사회의 평화와 공존의 실현을 위해 외교 활동의 중요성이 커지고 있음

(3) 오늘날의 외교 활동
예 정상회담, 대사의 교환, 정부 간 협상 등 ┐

① 외교 주체의 변화: 국가 원수, 외교관의 공식적인 외교 활동뿐만 아니라 민간 외교 활동도 활발하게 전개되고 있음

② 외교 분야의 확대: 정치나 군사 분야뿐만 아니라 경제, 문화, 환경, 자원, 스포츠 등의 분야로 확대되고 있음
└ 예 일반 시민이 예술, 문화, 체육 활동을 통해 외교 사절의 역할을 하는 것, 국제 비정부 기구에 참여하여 활동하거나, 자원봉사를 통해 국제 문제의 해결에 이바지하는 것 등

2 국제 사회의 문제 해결과 공존을 위한 노력

(1) 국제 사회의 노력

국제법 준수	상호 합의를 통해 만든 국제법을 준수함
국제기구에 참여	국제 연합(UN) 등 다양한 국제기구를 통해 분쟁을 해결하고 국제 협력을 증진함
민간단체를 통한 국제 협력	다양한 활동을 통해 갈등을 조정하고 국제 사회의 문제 해결을 위해 노력함 예 사막화를 막기 위한 나무 심기 활동, 의료 봉사 활동 등

(2) 국제 관계 발전을 위한 시민의 자세

① 세계 시민 의식 함양: 공동체 의식을 바탕으로 국제 사회 문제에 관심을 가지고, 이를 해결하기 위해 적극적으로 행동하는 참여 의식과 책임 의식을 가짐

② 세계 시민으로서의 자세: 지구촌의 상호 의존성 이해, 세계의 다양한 문화를 편견 없이 이해, 보편적 가치의 존중, 국제 사회의 문제에 대한 책임감과 해결 노력 등

국제 사회의 공존을 위한 다양한 노력

(가)

▲ 미국과 쿠바의 국교 정상화

(나)

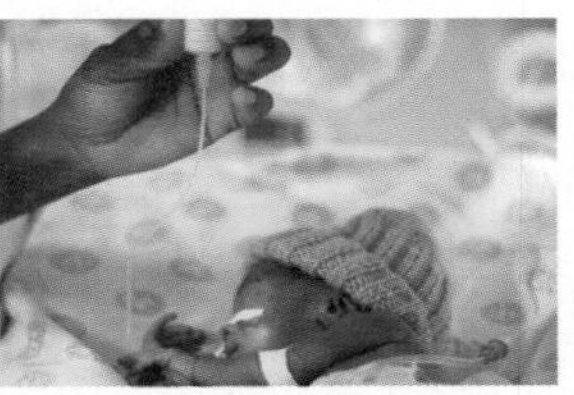

▲ '신생아 살리기 모자 뜨기' 활동

(가) 2015년 미국과 쿠바 양국은 외교 협상을 통해 1962년 '쿠바 미사일 위기' 이후 53년간의 국교 단절을 깨고, 국교 정상화를 선언하였다.

(나) 국제 비정부 기구인 '세이브 더 칠드런'은 저체온증, 감기, 폐렴 등으로부터 보호가 필요한 아프리카와 아시아의 신생아들에게 털모자를 전달하는 활동을 하고 있다.

정답과 해설 18쪽

1 세계 여러 나라가 서로 교류하고 의존하면서 국제적으로 공존하는 사회를 (　　　　)라고 한다.

2 국제 사회의 특성에 대한 설명이 맞으면 ○표, 틀리면 ×표를 하시오.

(1) 국가는 국제 관계에서 자국의 이익을 최우선으로 추구한다. (　　)

(2) 힘의 논리가 작용하기 때문에 강대국이 약소국보다 큰 영향력을 행사한다. (　　)

(3) 국가 간 분쟁이나 갈등이 발생했을 때 이를 중재하고 조정해 줄 강력한 중앙 정부가 존재한다. (　　)

3 다음 설명에 해당하는 국제 사회의 행위 주체를 [보기]에서 골라 기호를 쓰시오.

보기
ㄱ. 국가　　ㄴ. 다국적 기업
ㄷ. 정부 간 국제기구　　ㄹ. 국제 비정부 기구

(1) 국제적 규모로 상품을 생산·판매한다. (　　)

(2) 국제법상 평등하고 독립적인 주체이다. (　　)

(3) 개인, 민간단체가 중심이 되어 국제 문제를 해결하기 위해 노력한다. (　　)

(4) 각국 정부를 회원으로 하며 회원국들의 이익을 조화롭게 달성하기 위해 노력한다. (　　)

4 다음 괄호 안의 내용 중 알맞은 말에 ○표를 하시오.

(1) 국제 사회에서 국가 간의 (경쟁, 협력)이 과열되면 갈등으로 이어질 수 있다.

(2) 국가 간의 상호 의존성이 (축소, 확대)되면서 공동의 이익을 위한 국제 협력이 (감소, 증가)하고 있다.

5 (　　　　)는 한 국가가 국제 사회에서 자국의 이익을 평화적으로 달성하기 위해 수행하는 모든 활동을 말한다.

6 외교에 대한 설명이 맞으면 ○표, 틀리면 ×표를 하시오.

(1) 정상 회담, 정부 간 협상 등을 통해 국가 원수나 외교관들만이 할 수 있는 활동이다. (　　)

(2) 정치나 군사 분야뿐만 아니라 경제, 문화, 환경, 스포츠 등으로 외교의 분야가 확대되고 있다. (　　)

족집게 문제

내공 1 국제 사회의 의미와 특성

1 국제 사회에 대한 옳은 설명을 [보기]에서 고른 것은?

보기
ㄱ. 주권 국가들을 기본 단위로 하여 구성된다.
ㄴ. 국력에 따라 주권을 행사하는 정도에 차이가 있다.
ㄷ. 중앙 정부를 대신하여 국제기구가 강제력을 행사한다.
ㄹ. 오늘날 정치와 경제 부분에서만 국가 간 교류가 이루어지고 있다.

① ㄱ, ㄴ　② ㄱ, ㄹ　③ ㄴ, ㄷ
④ ㄴ, ㄹ　⑤ ㄷ, ㄹ

2 국제 사회의 특성으로 옳지 않은 것은?

① 각국의 주권은 원칙적으로 평등하다.
② 국가 간 경쟁과 갈등의 심화로 협력이 줄어들고 있다.
③ 국가는 국제 관계에서 자국의 이익을 최우선으로 추구한다.
④ 국가 간 분쟁이나 갈등을 조정하는 중앙 정부가 존재하지 않는다.
⑤ 국제법, 국제기구, 국제 여론 등이 국가 행위를 제약하여 국제 사회 질서 유지에 기여한다.

중요 **3** 밑줄 친 부분을 통해 알 수 있는 국제 사회의 특성으로 가장 적절한 것은?

온실가스 배출로 인해 지구 평균 기온이 상승하는 지구 온난화가 심각해지자, 2015년 세계 197개국이 온실가스 배출을 의무적으로 줄이는 합의문을 채택하였다. 그러나 몇몇 선진국은 자국의 산업과 경제 발전을 위해 이에 합의하지 않았다.

① 각국은 자국의 이익을 우선시한다.
② 국가 간 상호 의존성이 커지고 있다.
③ 각국은 원칙적으로 평등한 주권을 지닌다.
④ 분쟁이 발생했을 때 조정과 해결이 어렵다.
⑤ 강대국이 국제 사회에서 큰 영향력을 행사한다.

출제율 ●●●●● 시험에 꼭 나오는 출제 가능성이 높은 예상 문제로, 내신 100점을 받기 위한 필수 문항들

4 밑줄 친 '이것'에 해당하는 내용만을 [보기]에서 있는 대로 고른 것은?

> 국제 사회는 무정부 상태므로 여러 국가 사이에 갈등이 발생할 경우 이를 해결하기 쉽지 않다. 하지만 세계 여러 국가들은 이것을 통해 국제 질서를 유지하고 있다.

보기
ㄱ. 국제기구의 결정을 존중함
ㄴ. 국가 간 합의에 의한 국제법을 준수함
ㄷ. 국제 여론으로 국제 질서를 위협하는 행위를 견제함
ㄹ. 군사력과 경제력이 큰 강대국의 입장을 무조건 따름

① ㄱ, ㄴ ② ㄱ, ㄷ ③ ㄴ, ㄹ
④ ㄱ, ㄴ, ㄷ ⑤ ㄴ, ㄷ, ㄹ

내공 2 국제 사회의 행위 주체

중요 **5** 빈칸에 들어갈 국제 사회의 행위 주체에 대한 옳은 설명을 [보기]에서 고른 것은?

> (　　　)은/는 일정한 영토와 국민을 바탕으로 주권을 가진 행위 주체이며, 국제법상 평등하고 독립된 주체로서 국제 사회에 참여한다.

보기
ㄱ. 개인과 민간단체를 회원으로 한다.
ㄴ. 국제 사회에서 가장 기본적인 행위 주체이다.
ㄷ. 국제적인 목적이나 활동을 위해 조직된 단체이다.
ㄹ. 자국의 안전 보장과 국력의 확장을 위해 노력한다.

① ㄱ, ㄴ ② ㄱ, ㄷ ③ ㄴ, ㄷ
④ ㄴ, ㄹ ⑤ ㄷ, ㄹ

6 국제 비정부 기구에 대한 설명으로 옳은 것은?

① 각국 정부를 회원으로 한다.
② 국제법상 독립된 주권을 행사한다.
③ 개인, 민간단체가 중심이 되어 국제 문제 해결을 위해 노력한다.
④ 세계 여러 나라에 자회사와 공장을 설립하여 상품을 생산한다.
⑤ 국제 연합(UN), 경제 협력 개발 기구(OECD), 세계 무역 기구(WTO) 등이 이에 해당한다.

7 다음과 같은 국제 사회의 행위 주체에 대한 설명으로 옳은 것은?

> • 국제 연합(UN) • 국제 통화 기금(IMF)
> • 세계 무역 기구(WTO) • 경제 협력 개발 기구(OECD)

① 국경을 넘나들면서 경영 활동을 한다.
② 국제 사회의 독립된 주체로서 외교 활동을 한다.
③ 국가 내부에 속하며 국제 사회에 영향력을 행사한다.
④ 민간 차원에서 다양한 국제 문제 해결을 위해 노력한다.
⑤ 협상을 통해 회원국들의 이익을 조화롭게 달성하기 위해 노력한다.

[8~9] 다음 글을 읽고 물음에 답하시오.

> (㉠)은/는 한 국가의 범위를 넘어 세계 여러 나라에 자회사와 공장을 두고 생산과 판매 활동을 한다. 오늘날 경제력을 바탕으로 국제 사회의 중요한 행위 주체로 활동하고 있다.

8 ㉠에 들어갈 용어로 옳은 것은?

① 국가 ② 지방 정부
③ 다국적 기업 ④ 국제 비정부 기구
⑤ 정부 간 국제기구

9 ㉠에 대한 옳은 설명을 [보기]에서 고른 것은?

보기
ㄱ. 국제 사회의 상호 의존성을 심화시킨다.
ㄴ. 다양한 국제 문제를 해결하기 위해 노력한다.
ㄷ. 세계화에 따라 수와 규모가 점차 축소되고 있다.
ㄹ. 개별 국가의 정책이나 국제 관계에까지 영향력을 끼치기도 한다.

① ㄱ, ㄴ ② ㄱ, ㄹ ③ ㄴ, ㄷ
④ ㄴ, ㄹ ⑤ ㄷ, ㄹ

10 다음에서 설명하는 국제기구로 옳은 것은?

> • 대표적인 정부 간 국제기구로, 제2차 세계 대전 이후 설립되었다.
> • 주요 기관에는 총회, 안전 보장 이사회, 국제 사법 재판소 등이 있다.
> • 전쟁을 방지하고 국가 간 갈등을 중재하는 등 국제 사회의 평화 유지를 위해 활동한다.

① 국제 연합(UN)
② 유럽 연합(EU)
③ 국제 통화 기금(IMF)
④ 세계 무역 기구(WTO)
⑤ 경제 협력 개발 기구(OECD)

11 다음과 같은 국제 사회의 행위 주체에 해당하는 사례를 [보기]에서 고른 것은?

> 국경을 초월하여 활동하는 민간단체로, 환경, 의료, 빈곤, 노동, 인권, 평화 등 다양한 국제 문제를 해결하기 위해 노력한다.

• 보기 •
ㄱ. 그린피스　　ㄴ. 유럽 연합
ㄷ. 세계 무역 기구　　ㄹ. 국제 사면 위원회

① ㄱ, ㄴ　② ㄱ, ㄹ　③ ㄴ, ㄷ
④ ㄴ, ㄹ　⑤ ㄷ, ㄹ

12 국제 사회의 행위 주체가 활동하는 사례에 해당하지 <u>않는</u> 것은?

① 교황이 사회적 소수자에 관한 관심과 관용을 촉구한다.
② 가까운 지역의 국가들 간에 자유 무역을 활성화하는 협약을 맺는다.
③ 한 국가 내의 여러 지역 기업들 간에 상품을 공동으로 생산하여 판매한다.
④ 국제 연합(UN)이 분쟁 지역에 평화 유지군을 파견하여 무력 충돌을 감시한다.
⑤ 국제 환경 단체가 기후 변화로 파괴되는 빙하를 보호하기 위한 캠페인을 한다.

내공 3 국제 사회의 경쟁과 갈등, 협력

13 국제 사회에서 나타나는 경쟁과 갈등에 대한 설명으로 옳지 <u>않은</u> 것은?

① 각국은 자국의 이익 실현을 위해 서로 경쟁한다.
② 세계화로 국가 간 경쟁이 더욱 치열해지고 있다.
③ 국제 사회에서의 경쟁과 갈등은 다양한 분야로 확대되고 있다.
④ 모든 경쟁은 갈등과 분쟁으로 이어져 국제 사회의 질서를 해친다.
⑤ 갈등을 평화적으로 해결하지 못하면 테러나 전쟁으로 이어지기도 한다.

중요 **14** (가), (나)에 대한 설명으로 옳지 <u>않은</u> 것은?

> (가) 현재 중국의 통치 아래에 있는 티베트와 위구르 등의 소수 민족이 중국에 대해 독립을 주장하면서 갈등을 빚고 있다.
> (나) 세계 3대 석유, 천연가스 매장 지역인 카스피해의 자원 개발과 송유관 건설을 둘러싸고 인접한 국가들 간에 갈등이 심화하고 있다.

① (가)는 민족의 차이로 인한 갈등이다.
② (가)는 국가 간 경쟁의 과열로 인해 발생한다.
③ (나)는 자원과 영토를 둘러싸고 벌어진 갈등이다.
④ (가), (나)가 심각해지면 테러나 전쟁으로 이어질 수 있다.
⑤ (가), (나)와 같은 문제를 해결하기 위해 각 국가나 국제 기구, 영향력 있는 지도자들의 노력이 필요하다.

15 국제 사회에서 국가 간에 협력이 필요한 이유로 적절하지 <u>않은</u> 것은?

① 국제 사회의 문제가 전 세계적으로 영향을 주기 때문
② 국제 사회의 문제는 특정 국가의 노력만으로는 해결이 어렵기 때문
③ 무역의 확대로 한 국가의 경제가 다른 국가들로부터 많은 영향을 받기 때문
④ 경제 협력체를 구성하거나 협정을 맺으면 상호 간의 이익을 증진할 수 있기 때문
⑤ 국제 사회의 공존을 위해서 각국이 자국의 이익보다 국제 사회의 이익을 우선으로 추구하기 때문

내공 4 국제 사회의 공존을 위한 노력

16 외교 활동에 대한 설명으로 옳지 <u>않은</u> 것은?

① 국가 간의 우호를 증진하는 활동이다.
② 국가 간 스포츠 경기, 국제 문제 해결을 위한 자원봉사 등은 포함되지 않는다.
③ 오늘날 국제 사회의 평화와 공존을 위해 외교 활동의 중요성이 커지고 있다.
④ 오늘날에는 국가 원수, 외교관, 민간단체 등 다양한 주체에 의해 이루어진다.
⑤ 국제 사회에서 나타나는 갈등과 분쟁을 평화적이고 합리적으로 해결하는 방법이다.

17 다음과 같은 현상이 나타나는 원인으로 가장 적절한 것은?

> 오늘날 국제 사회에서 일어나는 전염병, 환경 오염, 핵 확산, 테러, 전쟁 등과 같은 다양한 문제를 해결하기 위해 외교 정책의 중요성이 커지고 있다.

① 국가 간 이념 대립의 심화
② 국제 사회에서 경쟁의 감소
③ 국가 간 상호 의존성의 증가
④ 외교 활동의 참여 주체 감소
⑤ 군사력을 통한 국가 간 갈등 해소

18 국제 사회의 공존과 발전을 위해 가져야 할 바람직한 자세만을 [보기]에서 있는 대로 고른 것은?

> 보기
> ㄱ. 국제 사회의 상호 의존성을 인식한다.
> ㄴ. 모든 국제 관계에서 경제적 이해관계를 우선적으로 고려한다.
> ㄷ. 국제 사회의 다양한 문제로 인해 고통받는 사람의 아픔을 공감한다.
> ㄹ. 국제 사회의 문제 해결을 위해 책임감을 가지고 적극적으로 행동한다.

① ㄱ, ㄴ ② ㄱ, ㄷ ③ ㄴ, ㄹ
④ ㄱ, ㄷ, ㄹ ⑤ ㄴ, ㄷ, ㄹ

서술형 문제

19 다음 글을 통해 알 수 있는 국제 사회의 특성을 서술하시오.

> 국제 연합(UN) 안전 보장 이사회의 중요한 안건은 상임 이사국인 미국, 영국, 프랑스, 러시아, 중국이 모두 찬성해야 의결된다. 이들 중 한 국가라도 거부권을 행사하면 해당 안건의 의결은 이루어지지 않는다.

20 다음 글을 읽고 물음에 답하시오.

> 정부, 민간단체, 개인 등을 회원으로 하여 국제 사회에 영향력을 행사하는 행위 주체로, 정치, 경제, 환경, 인권 등 다양한 국제 문제를 해결하기 위해 활동한다.

(1) 윗글에서 설명하는 국제 사회의 행위 주체를 쓰시오.

(2) (1)을 참여하는 주체에 따라 <u>두 가지</u>로 구분하여 서술하시오.

중요 **21** 다음 내용을 통해 알 수 있는 외교 활동의 목적을 국가적, 국제적 차원에서 각각 서술하시오.

> 1945년 이후 미국을 중심으로 한 자유주의 진영과 소련을 중심으로 한 공산주의 진영의 대립이 심화하면서 군사비 경쟁이 과열되어 이로 인해 만들어진 엄청난 무기들이 국제 사회에 큰 위협이 되었다. 마침내 1982년부터 미국과 소련은 군사비를 줄이기 위한 협상을 시작하였고, 1991년 정상회담을 통해 양국 간 장거리 핵무기를 3분의 1로 줄이는 협정을 체결하였다.

03 우리나라의 국가 간 갈등 문제

내공 1 우리나라와 일본의 갈등

1 우리나라의 외교적 환경

(1) 교류와 협력: 주변국인 중국, 일본 및 여러 국가와 활발하게 교류하고 협력하며 우호적인 관계를 맺고 있음

(2) 갈등: 다른 국가와 영토 주권 및 역사 인식 등을 둘러싸고 여러 가지 갈등을 겪기도 함

- 영토 주권: 일정한 영토에 대한 해당 국가의 관할권

2 독도를 둘러싼 갈등

- 독도는 명백한 우리 고유의 영토이므로 독도 문제는 외교적 교섭이나 사법적 해결 대상이 될 수 없어.

(1) 독도: 역사적, 지리적, 국제법적으로 명백한 우리의 고유 영토 → 우리나라가 영토 주권을 행사하고 있음

(2) 일본의 독도 영유권 주장

① 주장 목적: 독도의 해양 자원을 선점하고 그 주변 지역을 군사적 거점으로 활용하기 위해 독도의 영유권을 주장함

② 주장 근거: 1905년 독도를 불법적으로 자국 영토로 편입한 조치를 들어 독도가 일본의 땅이라고 주장해 옴

- 1905년 독도를 불법적으로 자국 영토로 편입한 조치: 시마네현 고시 제40호

③ 주장 방법

자국 내 여론 조성	독도가 일본의 영토이며 한국이 불법으로 점거하고 있다는 왜곡된 내용을 교과서에 기술함
국제 여론 조성	독도 문제를 국제 사법 재판소를 통해 해결하려고 함 → 독도를 분쟁 지역으로 만들고, 국제 사회에서의 힘의 논리를 이용하여 유리한 입장을 확보하고자 함

- 국제 사법 재판소: 국가 간의 분쟁을 국제법을 적용하여 해결하는 국제 연합(UN)의 사법 기관

3 우리나라와 일본 간 다양한 갈등 문제

(1) 역사 교과서 왜곡 문제: 일본이 교과서에서 독도 영유권 주장을 강화하고, 일본군 '위안부'와 관련된 기술을 삭제하거나 강제 동원이 드러나지 않게 기술함

(2) 일본군 '위안부' 문제: 일본의 침략 전쟁 당시 일본 정부와 일본군에 의해 강제 동원되었던 일본군 '위안부' 문제에 대해 진심 어린 사죄를 하지 않음

(3) 야스쿠니 신사 참배 문제: 일본 총리와 장관이 야스쿠니 신사를 참배함으로써 침략 전쟁을 미화하고 식민지 지배에 대해 반성하는 모습을 보이지 않음

(4) 세계 지도에 동해 표기 문제: 우리나라는 '동해', '일본해'를 함께 표기하자고 했지만, 일본은 '일본해' 표기를 고집함

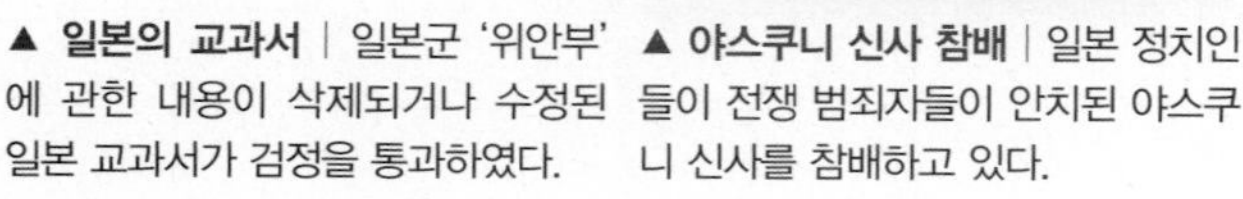

▲ 일본의 교과서 | 일본군 '위안부'에 관한 내용이 삭제되거나 수정된 일본 교과서가 검정을 통과하였다.

▲ 야스쿠니 신사 참배 | 일본 정치인들이 전쟁 범죄자들이 안치된 야스쿠니 신사를 참배하고 있다.

내공 2 우리나라와 중국의 갈등

1 중국의 동북공정

(1) 동북공정

의미	'동북 변경 지역의 역사와 현상에 관한 연구 과제'라는 뜻으로, 중국 동북 3성 지역을 연구하는 것
내용	고조선, 고구려, 발해 등 우리나라의 역사를 중국 고대 소수 민족의 지방 정권으로 규정함 → 중국 영토 안에서 이루어진 모든 역사를 중국의 역사로 왜곡하여 인식함

- 동북 3성: 지린성, 랴오닝성, 헤이룽장성

(2) 동북공정의 추진 배경

① 소수 민족 통합: 중국 내 여러 소수 민족의 독립을 막고 만주 지역에서의 영향력을 강화하고자 함

② 현재의 영토를 확고히 함: 한반도 통일 이후 발생할 수 있는 한·중 간 영토 분쟁의 소지를 줄이기 위함

(3) 대응 방안: 중국의 역사 왜곡 문제에 지속적인 관심을 가지고 고대사 연구를 통해 대응 논리를 마련해야 함

중국의 동북공정 사례

▲ 고구려 성산산성의 표지석

중국 정부가 중국 랴오닝성에 있는 고구려 성산산성의 표지석에 "고구려는 중국의 소수 민족 지방 정권이었다."라는 문구를 새긴 사실이 확인되었다. 이는 중국이 우리나라의 고대사에 대한 역사 왜곡을 계속 추진하고 있음을 보여 준다. 역사 왜곡은 한반도 통일 이후 영토 분쟁 발생 시 중국의 입장을 정당화하는 근거로 이용될 수 있으므로, 우리는 이러한 인식이 확산되지 않도록 대응해야 한다.

2 해양 자원을 둘러싼 갈등

(1) 중국 어선의 불법 조업: 중국 어선이 우리나라 배타적 경제수역을 침범하여 불법으로 어업 활동을 함 → 우리 정부의 단속을 둘러싸고 갈등이 발생함

- 배타적 경제수역: 한 국가가 해양 자원을 탐사, 개발, 보존 및 관리할 수 있는 권리가 미치는 수역

(2) 대응 방안: 정당한 주권 행사를 통해 국민의 권익을 보호하고, 중국 정부와 대화와 협상을 통해 해결해 나가야 함

중국 어선의 불법 조업

불법으로 조업을 벌이던 중국 어선이 단속 중이던 해경에 붙잡혔다. 검거 당시 어선에는 불법으로 잡은 꽃게, 홍어 및 잡어, 소라 등 총 2,750kg가량의 어류와 해산물이 있었던 것으로 확인되었다. 또 이들은 해경이 중국 어선에 올라타는 과정에서 해경에게 부상을 입힌 혐의도 받고 있다.

– 동아 일보, 2018. 4. 14. –

개념 확인하기

정답과 해설 19쪽

내공 3 우리나라와 주변국 간의 갈등 해결

1 정부의 활동

(1) 연구 기관 운영: 우리의 주장을 뒷받침할 객관적인 근거와 정당성을 국제 사회에 제시하기 위해 자료 수집과 연구를 담당하는 전문 기관을 운영함

(2) 홍보 활동: 연구를 통해 축적된 자료들을 바탕으로 국내외에 우리의 입장을 알리고 공감대를 이끌어 냄

(3) 외교 활동: 국가 간 갈등 문제를 평화적으로 해결하기 위해 지속적이고 다양한 외교 정책을 펼침

(4) 교육 활동: 주변 국가와 학술 교류 및 공동 연구를 통해 국가 간 역사 인식의 차이를 좁히기 위해 노력함

우호 관계에 있는 국가뿐만 아니라 적대 관계에 있는 국가에 대해서도 적절한 외교적 대응이 필요해.

2 시민 사회의 활동

(1) 학계

연구 기관	연구 활동을 통해 우리 정부의 입장을 뒷받침함
학자	국가 간 공동 역사 연구와 공동 저술을 통해 갈등 상황의 사실관계를 밝히고 상호 간의 이해를 넓힘

(2) 시민 단체

홍보와 교육	영토 주권, 역사적 사실, 우리나라가 직면한 갈등 문제를 국민에게 알림
국제 활동	• 주변국과의 연대, 교류 확대를 통해 해결책을 모색함 • 독도 갈등, 동해 표기 문제 등을 전 세계에 알림

(3) 개인: 국가 간 갈등 문제에 관심을 가지고 해결 방안을 함께 고민하며 다양한 활동에 자발적으로 참여함

주변국과의 갈등 해결을 위한 다양한 활동

▲ 사이버 외교 사절단 반크(VANK) | 반크는 동북공정 비판과 동해, 독도의 국제 표기를 수정하기 위한 활동 등 다양한 홍보 및 캠페인 활동을 하고 있다.

▲ 한·중·일이 함께 쓴 동아시아 근현대사 | 한·중·일 3국 공동 역사 편찬 위원회는 공동 연구를 통해 『한·중·일이 함께 쓴 동아시아 근현대사』를 편찬하였다.

국가 간 공동 연구 활동, 다양한 홍보와 교육 활동 등을 통해 갈등에 대한 우리의 입장을 세계에 알리고 국가 간 의견 차이를 좁히기 위해 노력하고 있다.

3 국가 간 갈등에 대처하는 자세

(1) 논리적 접근: 영토 주권 침해와 역사 왜곡 문제는 역사적 근거를 바탕으로 논리적으로 대응해야 함

(2) 합리적 해결: 국가 간 갈등의 원인과 실태를 정확하게 파악하여 문제를 해결해 나가야 함

(3) 상호 협력과 이해: 평화적이고 합리적인 대화를 통해 문제를 원만하게 해결하고자 노력해야 함

1 (   )는 우리의 고유 영토이지만, 일본이 영유권을 주장하면서 우리나라와 일본 간에 갈등이 지속되고 있다.

2 독도에 대한 설명이 맞으면 ○표, 틀리면 ×표를 하시오.

(1) 독도는 역사적, 지리적, 국제법적으로 명백한 우리나라의 영토이다. (   )

(2) 일본은 경제적·군사적으로 독도를 활용할 목적으로 영유권을 주장하고 있다. (   )

(3) 우리나라는 독도 문제를 국제 사법 재판소를 통해 해결하기 위해 노력하고 있다. (   )

3 다음 괄호 안의 내용 중 알맞은 말에 ○표를 하시오.

(1) 중국은 역사 왜곡을 통해 중국 내 소수 민족의 이탈을 (방지, 추진)하고자 한다.

(2) 우리나라는 세계 지도에 (동해, 서해)를 일본해로만 표기하려는 일본과 갈등하고 있다.

(3) (일본, 러시아)은/는 침략 전쟁 당시 강제 동원되었던 군 위안부 문제에 대해 진심 어린 사죄를 하지 않고 있다.

(4) 중국 어선이 우리나라의 수역에서 불법 (경비, 조업) 활동을 하면서 해양 자원을 둘러싼 우리나라와 중국 간의 갈등이 증가하고 있다.

4 중국은 (   )을 통해 중국 영토 안에서 이루어진 우리나라의 역사를 중국의 역사로 통합하려는 역사 왜곡을 시도하였다.

5 국가 간 갈등을 해결하기 위한 정부와 시민 사회의 활동을 옳게 연결하시오.

(1) 정부 •   • ㉠ 지속적이고 다양한 외교 정책

(2) 시민 사회 •   • ㉡ 학자들의 공동 역사 연구와 공동 저술

6 국가 간 갈등에 대처하는 바람직한 자세만을 [보기]에서 있는 대로 골라 기호를 쓰시오.

보기

ㄱ. 역사적 근거를 바탕으로 논리적으로 대응한다.
ㄴ. 국가 간 갈등의 원인과 실태를 정확히 파악한다.
ㄷ. 국가 간 대화를 통해 상호 이해와 협력을 이끌어 낸다.
ㄹ. 우리나라에 불리한 역사적 사실은 은폐하거나 왜곡한다.

족집게 문제

내공 1 우리나라와 일본의 갈등

1 다음은 독도를 둘러싼 일본과의 갈등에 대한 설명이다. 밑줄 친 ㉠~㉤ 중 옳지 않은 것은?

> 독도는 ㉠ 역사적, 지리적, 국제법적으로 명백한 우리의 고유 영토이다. 우리 주민이 독도에 살고 있고, 우리 경찰이 독도를 경비하는 등 ㉡ 우리나라는 독도에 대한 영토 주권을 행사하고 있다. 하지만, ㉢ 일본은 1905년 독도를 불법적으로 자국 영토로 편입한 조치를 근거로 독도에 대한 영유권을 주장하고 있다. 일본이 이러한 주장을 하는 이유는 ㉣ 독도가 가진 경제적·군사적 가치 때문이다. 일본은 ㉤ 국제 여론을 조성하기 위해 세계 지도에 독도가 속한 우리나라 동쪽 해역을 동해로 표기하여 홍보하고 있다.

① ㉠ ② ㉡ ③ ㉢ ④ ㉣ ⑤ ㉤

중요 **2** 일본이 독도의 영유권을 주장하는 주된 목적을 [보기]에서 고른 것은?

보기
ㄱ. 독도의 해양 자원을 선점하기 위해
ㄴ. 독도 주민들의 이탈과 독립을 막기 위해
ㄷ. 침략 전쟁을 미화하고 사과하지 않기 위해
ㄹ. 독도와 그 주변 지역을 군사적 거점으로 활용하기 위해

① ㄱ, ㄴ ② ㄱ, ㄹ ③ ㄴ, ㄷ
④ ㄴ, ㄹ ⑤ ㄷ, ㄹ

3 빈칸에 들어갈 국제기구로 옳은 것은?

> 일본은 독도를 영토 분쟁 지역으로 확대한 후 (   )에 제소하여 힘의 논리로 해결하려 하고 있다. 하지만 우리나라는 독도가 우리 고유의 영토이므로 외교적 교섭이나 사법적 해결의 대상이 아니라는 입장을 밝혔다.

① 국제 적십자사 ② 국제 통화 기금
③ 국제 사면 위원회 ④ 국제 사법 재판소
⑤ 경제 협력 개발 기구

4 우리나라와 일본 간 갈등 문제에 해당하는 것을 [보기]에서 고른 것은?

보기
ㄱ. 세계 지도에 동해를 일본해로만 표기할 것을 주장한다.
ㄴ. 일본 어선이 우리나라 수역을 침범하여 불법으로 어업 활동을 한다.
ㄷ. 역사 연구를 통해 우리나라의 고대사를 자국의 역사에 포함시키려 한다.
ㄹ. 침략 전쟁 당시 일본군 '위안부' 문제에 대해 진심 어린 사과를 하지 않는다.

① ㄱ, ㄴ ② ㄱ, ㄹ ③ ㄴ, ㄷ
④ ㄴ, ㄹ ⑤ ㄷ, ㄹ

5 밑줄 친 내용과 관련된 일본의 조치에 해당하는 것은?

> 독도는 행정 구역상 경상북도 울릉군에 속해 있는 우리나라의 고유한 영토이다. 그러나 일본은 독도를 자국 영토라고 주장하고 있다.

① 독도의 해양 자원을 선점하고 있다.
② 독도를 군사적 거점으로 활용하고 있다.
③ 일본인이 독도에 살면서 주권을 행사하고 있다.
④ 독도를 한국과 일본이 공동 소유해야 한다고 주장하고 있다.
⑤ 국제 사회에서 독도를 분쟁 지역으로 인식시키려고 하고 있다.

6 일본 정치인들의 야스쿠니 신사 참배가 문제가 되는 이유로 옳은 것은?

① 우리나라를 침략하겠다는 의지를 보이기 때문이다.
② 식민 지배를 반성하는 모습과 거리가 멀기 때문이다.
③ 한·일 간 영토 분쟁의 소지를 불러일으키기 때문이다.
④ 일본의 독도 영유권 주장의 근거를 만드는 행위이기 때문이다.
⑤ 우리의 역사를 일본 역사로 통합하려는 의도를 보이기 때문이다.

출제율 ●●●●● 시험에 꼭 나오는 출제 가능성이 높은 예상 문제로, 내신 100점을 받기 위한 필수 문항들

내공 2 우리나라와 중국의 갈등

7 동북공정에 대한 옳은 설명을 [보기]에서 고른 것은?

보기
ㄱ. 영토 분쟁을 평화롭게 해결하기 위해 이루어진 역사 연구이다.
ㄴ. '동북 변경 지역의 역사와 현상에 관한 연구 과제'라는 뜻이다.
ㄷ. 중국 내 여러 소수 민족의 연합과 통일을 이루기 위해 추진하였다.
ㄹ. 고조선, 고구려, 발해 등의 우리나라 역사를 중국 고대 소수 민족의 지방 정권으로 왜곡하였다.

① ㄱ, ㄴ ② ㄱ, ㄹ ③ ㄴ, ㄷ
④ ㄴ, ㄹ ⑤ ㄷ, ㄹ

8 중국이 동북공정을 추진한 배경으로 옳지 않은 것은?

① 만주 지역에서의 영향력을 강화하기 위해서
② 연구를 통해 왜곡된 역사적 사실을 바로잡기 위해서
③ 중국의 여러 소수 민족이 독립하는 것을 막기 위해서
④ 영토 분쟁 발생 시 중국의 입장을 정당화하는 근거를 마련하기 위해서
⑤ 한반도 통일 이후에 나타날 수 있는 영토 분쟁의 소지를 줄이기 위해서

중요 **9** 중국이 다음과 같은 활동을 하는 의도로 옳은 것은?

> 중국 인민 교육 출판사가 간행한 중국 중학교 교과서 『중국 역사』에는 발해가 당나라의 소수 민족 정권으로 묘사되어 있다.

① 중국인들의 민족 정체성을 확고히 하고자 한다.
② 중국의 역사적·문화적 영향력을 높이고자 한다.
③ 동북 변경 지역의 유물을 보존하고 연구하고자 한다.
④ 고대 중국 지방 정부에 대한 연구 결과를 널리 알리고자 한다.
⑤ 중국 영토 안에서 이루어진 모든 역사를 중국의 역사로 통합하고자 한다.

10 다음과 같은 중국의 태도에 대응하는 방법으로 옳지 않은 것은?

> 중국은 동북 3성의 고구려 관련 박물관에 동북공정의 논리를 반영한 시설물을 설치하고, 동북공정 관련 논문이나 출판물을 꾸준히 발간하고 있다.

① 중국의 역사 왜곡 문제에 지속적인 관심을 가진다.
② 중국의 역사 왜곡을 지적하며 바로잡을 것을 요구한다.
③ 중국이 의도한 역사 왜곡 내용이 확산하지 않도록 대응한다.
④ 중국 내부에서만 공유되는 역사 인식이므로 민감하게 반응하지 않는다.
⑤ 우리의 고대사 연구를 통해 중국의 역사 왜곡에 대한 대응 논리를 마련한다.

11 우리나라와 갈등을 일으키는 중국의 행위만을 [보기]에서 있는 대로 고른 것은?

보기
ㄱ. 중국은 침략 전쟁을 미화하고, 식민지 지배를 정당화하며 반성하지 않는다.
ㄴ. 중국 어선들이 우리나라의 배타적 경제 수역을 넘어 어류와 해산물을 잡는다.
ㄷ. 중국은 고조선, 고구려, 발해 등 우리나라 역사를 고대 중국의 역사로 편입하려 하고 있다.
ㄹ. 중국은 동북 3성에 동북공정 관련 시설물을 설치하고, 다양한 동북공정 관련 출판물을 발간하고 있다.

① ㄱ, ㄴ ② ㄱ, ㄷ ③ ㄴ, ㄹ
④ ㄱ, ㄷ, ㄹ ⑤ ㄴ, ㄷ, ㄹ

12 다음과 같은 문제를 해결하기 위한 우리 정부의 노력으로 가장 적절한 것은?

> 우리나라의 배타적 경제 수역을 침범하여 불법으로 어업 활동을 하는 중국 어선을 단속하는 과정에서 우리나라 어민이나 해경이 부상을 당하는 경우가 발생한다.

① 군사력을 이용하여 불법 어선을 통제한다.
② 중국 어선의 불법 조업 문제를 국제적으로 비난한다.
③ 중국과 우리나라의 어민이 스스로 해결하도록 돕는다.
④ 중국 정부와의 대화와 협상을 통해 해결책을 마련한다.
⑤ 중국과의 우호적 관계를 위해 우리나라의 수역을 개방한다.

내공 3 우리나라와 주변국 간의 갈등 해결

13 국가 간 갈등의 해결을 위해 필요한 노력으로 옳지 <u>않은</u> 것은?

① 우리나라가 직면한 갈등 문제를 국민에게 알린다.
② 적대적 관계에 있는 국가에 대해서는 외교 활동을 자제한다.
③ 연구를 통해 축적된 자료들을 바탕으로 국제 사회에 우리의 입장을 알린다.
④ 객관적인 증거를 마련하기 위해 자료 수집과 연구를 위한 전문 기관을 운영한다.
⑤ 주변 국가와 학술 교류 및 공동 연구를 통해 국가 간 인식의 차이를 좁히기 위해 노력한다.

14 국가 간 갈등 해결을 위한 정부와 시민 사회의 활동 모습으로 옳지 <u>않은</u> 것은?

① 시민 단체 – 주변국과의 민간 교류를 통해서 해결책을 모색한다.
② 정부 – 우리나라가 직면한 갈등 문제와 우리의 주장을 국내외에 알린다.
③ 정부 – 국가 간 갈등 문제를 평화롭게 해결하기 위해 다양한 외교 정책을 펼친다.
④ 개인 – 국가 간 갈등 문제는 정부가 앞장서서 해결할 수 있도록 참여하지 않는다.
⑤ 학계 – 국가 간 공동 역사 연구와 공동 저술을 통해 갈등 상황의 사실관계를 밝힌다.

15 우리나라와 주변국 간의 갈등에 대처하는 바람직한 자세만을 [보기]에서 있는 대로 고른 것은?

보기
ㄱ. 갈등의 원인과 실태를 정확하게 파악한다.
ㄴ. 국제 사회의 여론에 크게 신경 쓰지 않는다.
ㄷ. 객관적 근거를 바탕으로 논리적으로 대응한다.
ㄹ. 상호 협력과 이해를 통해 원만하게 해결해 나간다.

① ㄱ, ㄴ ② ㄱ, ㄷ ③ ㄴ, ㄹ
④ ㄱ, ㄷ, ㄹ ⑤ ㄴ, ㄷ, ㄹ

서술형 문제

16 일본이 독도의 영유권 주장을 위해 밑줄 친 부분과 같이 대응하는 이유를 서술하시오.

일본은 우리의 영토인 독도를 일본의 땅이라고 주장하고 있다. 자국의 교과서에 왜곡된 내용을 실어 일본 국민의 여론을 몰아가고 있으며, 나아가 독도를 영토 분쟁 지역으로 만들어 <u>국제 사법 재판소를 통해 독도의 영유권 문제를 해결하려고</u> 하고 있다.

중요 17 다음 글을 읽고 물음에 답하시오.

중국은 '동북 변경 지역의 역사와 현상에 관한 연구 과제'라는 뜻의 역사 연구를 통해 고조선, 고구려, 발해를 중국 고대 소수 민족 지방 정권으로 전락시켜 중국 역사로 편입시키려 하고 있다. 이는 우리나라의 역사를 중국 역사로 인식하려는 역사 왜곡으로 양국 간 갈등의 원인이 되고 있다.

(1) 윗글에서 설명하는 역사 연구의 명칭을 쓰시오.

(2) 중국이 (1)을 시도하는 의도를 <u>두 가지</u> 서술하시오.

18 다음 글을 통해 알 수 있는 국가 간 갈등 해결을 위한 시민 단체의 노력을 서술하시오.

사이버 외교 사절단 반크(VANK)는 '글로벌 동해 홍보 대사 양성 누리집'을 개설하여 운영함으로써 동해 표기의 정당성을 알리고, 국내외 동포 누구나 동해가 일본해로 단독 표기된 것을 바로 잡을 수 있는 오류 시정 활동에 참여하도록 독려하고 있다.

시험 하루 전!! 끝내주는~

내공 점검

01 인권 보장과 기본권

1 인권에 대한 옳은 설명을 [보기]에서 고른 것은?

보기
ㄱ. 인권은 국가의 법에 의해 부여된 권리이다.
ㄴ. 인간이 태어날 때는 인권이 존재하지 않는다.
ㄷ. 인권은 국가 권력이 함부로 침해할 수 없는 권리이다.
ㄹ. 얼굴색, 인종 등을 초월하여 모든 사람이 동등하게 누리는 보편적 권리이다.

① ㄱ, ㄴ ② ㄱ, ㄷ ③ ㄴ, ㄷ
④ ㄴ, ㄹ ⑤ ㄷ, ㄹ

2 다음 헌법 조항에 대한 설명으로 옳은 것은?

제10조 모든 국민은 인간으로서의 존엄과 가치를 가지며, 행복을 추구할 권리를 가진다. 국가는 개인이 가지는 불가침의 기본적 인권을 확인하고, 이를 보장할 의무를 진다.

① 청구권을 규정하고 있다.
② 국민에게 주권이 있음을 명시하고 있다.
③ 우리 헌법의 근본 가치를 규정하고 있다.
④ 침해된 기본권의 구제 방안을 알려주고 있다.
⑤ 인간을 수단으로 대해야 한다는 것을 나타낸다.

3 다음 내용에서 설명하는 기본권에 해당하지 않는 것은?

현대 사회에서 사회적·경제적 약자에게 인간다운 생활을 보장하기 위해 강조하는 권리

① 근로의 권리
② 교육을 받을 권리
③ 인간다운 생활을 할 권리
④ 공무를 담당할 수 있는 권리
⑤ 쾌적한 환경에서 생활할 권리

4 다음 헌법 조항에 나타난 기본권의 제한 규정에 해당하지 않는 사례는?

제37조 ② 국민의 모든 자유와 권리는 국가 안전 보장·질서 유지 또는 공공복리를 위하여 필요한 경우에 한하여 법률로써 제한할 수 있으며, 제한하는 경우에도 자유와 권리의 본질적인 내용을 침해할 수 없다.

① 어린이집에 폐회로 텔레비전을 설치한다.
② 모든 집회와 시위를 전면적으로 금지한다.
③ 군사 시설 보호 구역 내에서 사진 촬영을 금지한다.
④ 개발 제한 구역 안에서의 토지 이용이나 건축 등을 제한한다.
⑤ 찜질방, 노래방, 게임방 등에 청소년의 야간 출입을 금지한다.

02 인권의 침해 및 구제

5 인권 침해에 해당하는 사례가 아닌 것은?
① 임신했다는 이유로 직장에서 해고당했다.
② 남성이라는 이유로 간호사 채용에서 배제되었다.
③ 자격시험 결과를 발표할 때 수험 번호와 이름을 함께 공개하였다.
④ 동일한 노동을 하는 계약직과 정규직 직원에게 동일한 임금을 지급하였다.
⑤ 지하철이나 버스의 손잡이가 신체적 차이의 고려 없이 같은 높이로 설치되었다.

6 인권 보호를 위해 가져야 할 자세로 옳지 않은 것은?
① 인권 침해 문제에 관심을 가진다.
② 다른 사람의 인권을 소중히 생각한다.
③ 헌법에 규정된 인권만 구제됨을 인식한다.
④ 인권 구제 기관의 종류와 특징을 알아 둔다.
⑤ 인권이 침해되었을 때 정해진 방법과 절차에 따라 적극적으로 해결하려고 노력한다.

7 ㉠에 공통으로 들어갈 기관으로 옳은 것은?

> 일상생활에서 인권 침해나 차별 행위를 당했을 경우에는 (㉠)에 진정할 수 있다. 진정이 들어오면 (㉠)은/는 인권 침해 행위에 대해 조사한 후, 구제에 필요한 사항을 해당 기관에 권고하거나 요청하는 등의 방법으로 침해된 국민의 인권을 구제해 준다.

① 법원　② 헌법 재판소
③ 국가 인권 위원회　④ 국민 권익 위원회
⑤ 대한 법률 구조 공단

8 다음 그림에서 가로 열쇠 ㉠에 들어갈 국가 기관의 역할로 옳은 것은?

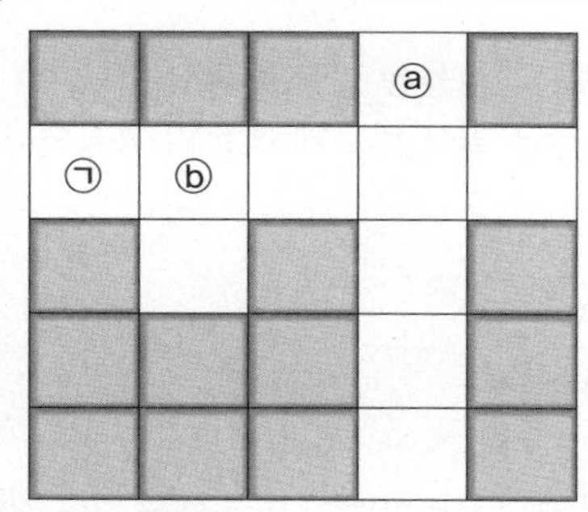

[가로 열쇠]
㉠ 기본권이 충실히 보장되도록 하는 독립된 헌법 기관
[세로 열쇠]
ⓐ 재판을 요구할 수 있는 권리
ⓑ 사법 기능을 통해 국민의 침해받은 권리를 구제해 주는 국가 기관

① 민사 재판을 담당한다.
② 위헌 법률 심판을 청구한다.
③ 헌법 소원 심판을 담당한다.
④ 국민의 고충 민원을 해결한다.
⑤ 인권 침해 우려가 있는 제도의 개선을 권고한다.

03 근로자의 권리와 노동권 침해 및 구제

9 근로자의 권리에 대한 설명으로 옳지 않은 것은?

① 근로자는 최저 임금을 보장받을 수 있다.
② 모든 국민은 근로의 권리를 가지고 있다.
③ 청소년도 「근로 기준법」의 보호를 받는다.
④ 근로 조건의 기준이 법률로 명시되어 있다.
⑤ 외국인 노동자는 「근로 기준법」의 적용을 받지 않는다.

10 노동 삼권에 대한 옳은 설명을 [보기]에서 고른 것은?

보기
ㄱ. 법이 보장하는 노동자의 권리이다.
ㄴ. 근로자는 근로 조건의 개선을 위해 단결할 수 있다.
ㄷ. 교섭이 원만히 이루어지지 않는다고 해서 노동조합이 단체 행동을 해서는 안 된다.
ㄹ. 근로자 단체는 노동 조건과 무관한 회사의 경영 문제에 관해서 적극 개입할 수 있다.

① ㄱ, ㄴ　② ㄱ, ㄹ　③ ㄴ, ㄷ
④ ㄴ, ㄹ　⑤ ㄷ, ㄹ

11 청소년의 노동권에 대한 옳은 설명을 [보기]에서 고른 것은?

보기
ㄱ. 청소년의 임금은 부모가 수령해야 한다.
ㄴ. 청소년의 근로는 시간과 장소에 제한이 있다.
ㄷ. 원칙적으로 만 15세 이상인 청소년은 근로할 수 있다.
ㄹ. 청소년은 일이 미숙하기 때문에 최저 임금을 적용받지 않는다.

① ㄱ, ㄴ　② ㄱ, ㄹ　③ ㄴ, ㄷ
④ ㄴ, ㄹ　⑤ ㄷ, ㄹ

12 (가), (나)에 대한 설명으로 옳지 않은 것은?

> (가) 갑은 회사가 어려워지면서 6개월 동안 월급을 받지 못하였다. 그런데 회사가 최종 부도로 처리되자 사장은 밀린 월급을 줄 수 없다고 하였다.
> (나) 사장은 직원들의 노동조합 탈퇴를 유도하기 위해 노동조합 가입자에게는 성과급을 지급하지 않고, 다른 사람들에게는 성과급을 지급하였다.

① (가) – 임금 체불에 해당한다.
② (가) – 수사 기관에 신고할 수 있다.
③ (가) – 민사 소송을 통해 구제받을 수 있다.
④ (나) – 부당 노동 행위에 해당한다.
⑤ (나) – 노동 위원회에 권리 구제를 요청할 수 있다.

01 국회

1 국회에 대한 옳은 설명을 [보기]에서 고른 것은?

보기
ㄱ. 법을 해석하여 적용하는 기관이다.
ㄴ. 법률을 제정·개정하는 입법 기관이다.
ㄷ. 국가 정책을 세우고 법률을 집행하는 기관이다.
ㄹ. 대의 민주 정치에서 국민이 선출한 대표로 구성된 기관이다.

① ㄱ, ㄴ ② ㄱ, ㄷ ③ ㄴ, ㄷ
④ ㄴ, ㄹ ⑤ ㄷ, ㄹ

2 ㉠, ㉡에 들어갈 내용을 옳게 연결한 것은?

• 가영: 선생님, 우리나라 국회는 어떻게 구성되어 있나요?
• 교사: 우리나라 국회는 지역구 국회 의원과 (㉠) 국회 의원으로 구성되어 있어요.
• 나현: 법률안은 국회 의원만 제출할 수 있나요?
• 교사: 법률안은 국회 의원 외에도 (㉡)이/가 국회 의장에게 제출할 수 있어요.

	㉠	㉡		㉠	㉡
①	비례 대표	법원	②	비례 대표	정부
③	소수 대표	법원	④	소수 대표	정부
⑤	직능 대표	법원			

3 국회의 기능에 대한 설명으로 옳은 것은?
① 국회는 각종 정책을 집행한다.
② 국회는 직접 조약을 체결하고 비준한다.
③ 국회는 국가의 1년 예산안을 작성하여 운영한다.
④ 국회는 대통령이 국무총리, 대법원장 등을 임명할 때 동의권을 행사한다.
⑤ 국회는 탄핵 심판권 행사로 고위 공무원의 위법 행위에 대해 심판할 수 있다.

4 표는 우리나라 국회의 기능을 정리한 것이다. 밑줄 친 ㉠~㉤에 대한 설명으로 옳지 않은 것은?

입법 관련	법률 제정·개정, ㉠ 헌법 개정안 의결, ㉡ 조약의 체결에 대한 동의
재정 관련	㉢ 예산안 심의·확정, 결산 심사, ㉣ 조세의 종목 및 세율 결정
일반 국정	㉤ 국정 감사 및 국정 조사, 중요 공무원의 임명 동의, 탄핵 소추 의결

① ㉠ – 헌법 개정안은 국회의 의결 이후 국민 투표로 확정된다.
② ㉡ – 대통령이 외국과 맺은 조약을 최종적으로 확인하고 동의한다.
③ ㉢ – 국회가 예산안을 심의·의결하여 국민의 의사를 반영한다.
④ ㉣ – 조세의 종목과 세율은 법률로 정한다.
⑤ ㉤ – 공무원이 맡은 일을 바르게 하는지 감찰한다.

02 행정부와 대통령

5 ㉠에 해당하는 사례만을 [보기]에서 있는 대로 고른 것은?

국회에서 만들어진 법을 집행하고, 국가의 목적이나 공익을 적극 실현하기 위해서 여러 가지 정책을 만들고 실행하는 국가 작용을 (㉠)(이)라고 한다.

보기
ㄱ. 정당 해산 심판으로 정당을 해산하였다.
ㄴ. 산사태 위험 지구 등의 도로를 정비하였다.
ㄷ. 저소득층 노인을 위한 건강 검진을 지원하였다.
ㄹ. 기후 변화 적응을 위한 환경 정책을 마련하였다.

① ㄱ, ㄴ ② ㄱ, ㄷ ③ ㄴ, ㄹ
④ ㄱ, ㄷ, ㄹ ⑤ ㄴ, ㄷ, ㄹ

6 우리나라의 행정 기관과 그 역할에 대한 설명으로 옳지 않은 것은?
① 대통령 – 최고 책임자로 행정부를 통솔한다.
② 행정 각부 – 구체적인 행정 사무를 처리한다.
③ 감사원 – 세금이 목적에 맞게 사용되는지 조사한다.
④ 국무 회의 – 국정 관련 주요 정책을 논의하고 결정한다.
⑤ 국무총리 – 국무 회의의 의장으로서 행정 각부를 지휘한다.

7 빈칸에 들어갈 국가 기관으로 옳은 것은?

> (　　　)은/는 한국 철도 시설 공단을 감사한 결과, 한국 철도 시설 공단이 철도 보호 지구 내에서 건물을 증축할 때 시공 업체나 지방 자치 단체로부터 사전에 신고를 받고 안전 감독을 해야 할 의무가 있지만, 이를 제대로 하지 않았다고 발표하였다.

① 국회　② 감사원　③ 대통령
④ 국무총리　⑤ 헌법 재판소

8 다음과 같은 권한을 가지는 국가 기관에 대한 설명으로 옳은 것은?

> • 헌법을 수호하기 위해 긴급 명령을 내리거나 계엄을 선포할 수 있다.
> • 행정부를 지휘·감독하며, 중요 정책에 대하여 국민 투표를 제안할 수 있다.

① 두 번까지 연임할 수 있다.
② 헌법 기관을 구성할 수 있다.
③ 국회의 인사 청문회를 거쳐서 임명된다.
④ 입법, 행정, 사법에 대한 권한을 갖는다.
⑤ 국무총리의 명을 받아 행정 각부를 지휘한다.

9 대통령의 행정부 수반으로서의 권한을 [보기]에서 고른 것은?

> 보기
> ㄱ. 외교 사절을 맞이하거나 해외에 파견한다.
> ㄴ. 헌법 및 법률에 따라 국군을 지휘하고 통솔한다.
> ㄷ. 헌법 재판소장, 대법원장, 감사원장 등을 임명한다.
> ㄹ. 법률을 집행하는 데 필요한 사항에 대해 대통령령을 제정한다.

① ㄱ, ㄴ　② ㄱ, ㄷ　③ ㄴ, ㄷ
④ ㄴ, ㄹ　⑤ ㄷ, ㄹ

03 법원과 헌법 재판소

10 법원의 기능에 대한 설명으로 옳지 않은 것은?

① 가족 관계 등록 업무, 강제 집행 등을 담당한다.
② 재판을 통해 법률을 해석하고 적용하여 법적 분쟁을 해결한다.
③ 대통령을 포함한 고위 공직자에 대한 파면 요구의 타당성을 심판한다.
④ 헌법이나 법률을 위반한 국가 기관의 행정 처분에 대해 심사하여 이를 취소하거나 변경한다.
⑤ 재판과 관련된 법률의 헌법 위반 여부가 문제가 될 경우에 헌법 재판소에 심판을 제청한다.

11 ㉠의 대상에 해당하지 않는 것은?

> (　㉠　)은/는 좁은 의미로는 법률의 위헌 여부를 심사하는 작용을 가리키지만, 넓은 의미로는 헌법에 관한 쟁의나 헌법에 대한 침해를 사법적 절차에 따라 해결하는 작용을 말한다.

① 국가 고위 공직자에 대한 탄핵 심판
② 입법부가 제정한 법률의 헌법 위반 심판
③ 행정부가 제정한 명령, 규칙의 헌법 위반 심판
④ 국가 권력에 의한 국민의 기본권 침해 시 헌법 소원 심판
⑤ 정당의 목적이나 활동이 민주 질서에 위배될 때 정당 해산 심판

12 다음은 교사와 학생의 대화이다. 밑줄 친 ㉠~㉤ 중 옳지 않은 것은?

> • 교사: 헌법에 관한 분쟁을 사법적 절차에 따라 해결하는 국가 기관은 어디일까요?
> • 가영: ㉠ 헌법 재판소입니다.
> • 교사: 헌법 재판소 재판관은 어떻게 구성되나요?
> • 나영: ㉡ 국회에서 3명을 선출하고, ㉢ 대법원장이 3명을 지명하고, ㉣ 국무총리가 3명을 임명해요.
> • 다영: 헌법 재판소장은 ㉤ 국회의 동의를 얻어 대통령이 임명해요.

① ㉠　② ㉡　③ ㉢　④ ㉣　⑤ ㉤

핵심 문제 Ⅲ 경제생활과 선택

01 경제생활과 경제 문제

1 경제 활동의 종류와 사례가 옳게 연결되지 않은 것은?

① 생산 – 방학에 학교 앞에 있는 분식집에서 아르바이트를 하였다.
② 생산 – 시험이 끝나고 친구들과 함께 영화관에 가서 영화를 보았다.
③ 소비 – 백화점에 가서 요즘 유행하는 옷과 신발을 구매하였다.
④ 소비 – 추석에 고속버스를 타고 강원도에 있는 할머니 댁을 방문하였다.
⑤ 분배 – 독특한 아이디어를 내 회사 매출에 이바지한 대가로 성과급을 받았다.

2 그림은 경제 주체 간의 상호 작용을 나타낸 것이다. 이에 대한 옳은 설명만을 [보기]에서 있는 대로 고른 것은?

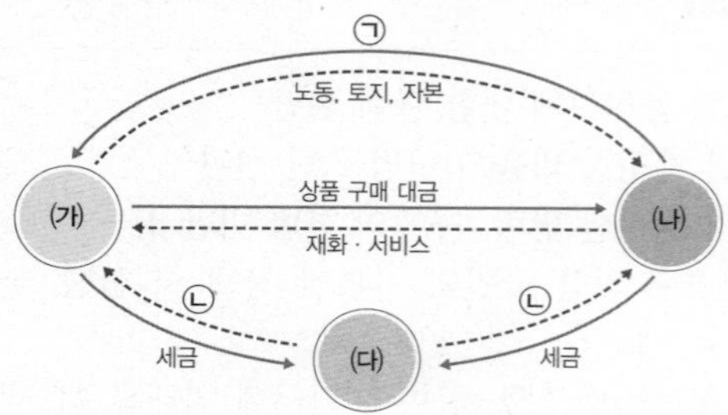

보기
ㄱ. (가)는 가계, (나)는 기업에 해당한다.
ㄴ. ㉠은 임금, 지대, 이자에 해당한다.
ㄷ. ㉡에 들어갈 말은 공공재, 사회 간접 자본이다.
ㄹ. (다)는 최소의 비용으로 최대의 이윤을 추구한다.

① ㄱ, ㄴ ② ㄴ, ㄷ ③ ㄷ, ㄹ
④ ㄱ, ㄴ, ㄷ ⑤ ㄴ, ㄷ, ㄹ

3 자원의 희소성에 대한 설명으로 옳지 않은 것은?

① 장소와 시대에 따라 달라질 수 있다.
② 인간의 욕구와 필요에 따라 달라진다.
③ 선택의 문제가 발생하게 되는 원인이 된다.
④ 자원의 가격을 결정하는 중요한 요인이 된다.
⑤ 자원의 절대적인 양이 부족한 경우에만 나타난다.

4 표는 가훈이가 야식으로 먹고 싶은 음식의 가격과 만족감을 정리한 것이다. 가장 합리적인 선택은?

먹고 싶은 음식	가격	만족감
치킨	18,000원	모두 동일함
피자	24,000원	
떡볶이	10,000원	
곱창 볶음	20,000원	
족발과 보쌈	30,000원	

① 치킨 ② 피자
③ 떡볶이 ④ 곱창 볶음
⑤ 족발과 보쌈

5 밑줄 친 ㉠, ㉡과 관련된 내용으로 옳지 않은 것은?

> ㉠ 경제 문제를 어떻게 해결할 것인지를 결정하는 방식을 ㉡ 경제 체제라고 한다.

① ㉠ – 자원의 희소성 때문에 발생한다.
② ㉠ – “누구를 위하여 생산할 것인가?”는 생산물의 분배와 관련된 문제이다.
③ ㉡ – 시장 경제 체제에서는 개인의 자유로운 이익 추구를 인정한다.
④ ㉡ – 시장 경제 체제보다 계획 경제 체제에서 자원이 효율적으로 사용된다.
⑤ ㉡ – 계획 경제 체제에서는 경제 활동이 국가의 계획과 명령에 따라 이루어진다.

02 기업의 역할과 사회적 책임

6 다음은 기업에 대한 설명이다. 밑줄 친 ㉠~㉤ 중 옳지 않은 것은?

> 기업은 ㉠ 이윤을 얻기 위해 생산 활동을 하는 경제 주체로, ㉡ 좋은 품질의 재화와 서비스를 생산하려고 노력한다. 또한 기업은 생산 활동을 하기 위해 ㉢ 가계가 제공하는 노동력과 자본을 사용하기 때문에, 기업의 생산이 확대될수록 ㉣ 사회 전체의 고용과 소득이 늘어나게 된다. 더불어 기업은 ㉤ 정부에 세금을 납부하고 공공재를 생산함으로써 정부의 재정에 이바지하기도 한다.

① ㉠ ② ㉡ ③ ㉢ ④ ㉣ ⑤ ㉤

7 (가)에 들어갈 내용을 [보기]에서 고른 것은?

> 기업에게는 이윤 극대화와 일자리 창출과 같은 경제적 책임과 함께 ______(가)______ 와/과 같은 법적인 책임이 요구된다.

보기
ㄱ. 성실한 세금 납부
ㄴ. 노동자의 권리 보호
ㄷ. 취약 계층에게 일자리를 제공하는 것
ㄹ. 기부와 같은 사회 공헌 활동에 참여하는 것

① ㄱ, ㄴ ② ㄱ, ㄷ ③ ㄴ, ㄷ
④ ㄴ, ㄹ ⑤ ㄷ, ㄹ

8 빈칸에 들어갈 개념에 대한 설명으로 옳지 않은 것은?

> (　　　)(이)란 혁신과 창의성을 바탕으로 한 생산 활동을 통해 기업을 성장시키려는 도전 정신이다.

① 새로운 가치 창출에 이바지하여 경제를 발전시키는 원동력이다.
② 새로운 상품과 기술 개발을 통해 기업을 성장시키려는 태도이다.
③ 기존에 인기 있는 상품을 더 많이 생산하여 판매하려는 추진력이다.
④ 새로운 시장의 개척, 새로운 생산 방법을 도입하는 것도 이에 해당한다.
⑤ 외부 환경의 변화에 유연하고 신속하게 대처하여 기업을 지속해서 성장시키는 능력이다.

03 금융 생활의 중요성

9 생애 주기와 그에 따른 경제생활이 옳게 연결된 것은?

① 유소년기 – 소득과 소비가 모두 크게 증가한다.
② 노년기 – 취업을 하면서 소득이 발생하기 시작한다.
③ 청년기 – 경제적으로 자립하기 어려워 부모의 소득에 의존한다.
④ 중·장년기 – 은퇴로 인해 소득이 줄거나 없어져 연금으로 생활한다.
⑤ 중·장년기 – 자녀 교육, 은퇴 계획 수립 등으로 소비가 집중적으로 증가한다.

10 자산 관리에 대한 설명으로 옳지 않은 것은?

① 자신의 소득을 활용하여 자산을 확보하고 운영하는 것이다.
② 안전성과 유동성보다 수익성을 고려하여 자산을 운용해야 한다.
③ 평균 수명이 증가하면서 자산 관리에 대한 필요성이 증가하고 있다.
④ 자신이 추구하는 목적과 투자 기간을 고려하여 적절한 자산을 선택해야 한다.
⑤ 자산을 늘리는 것뿐만 아니라 지출에 대한 체계적인 관리도 함께 이루어져야 한다.

11 그림은 자산별 수익과 위험 간의 관계를 나타낸 것이다. ㉠, ㉡에 들어갈 자산의 종류가 옳게 연결된 것은?

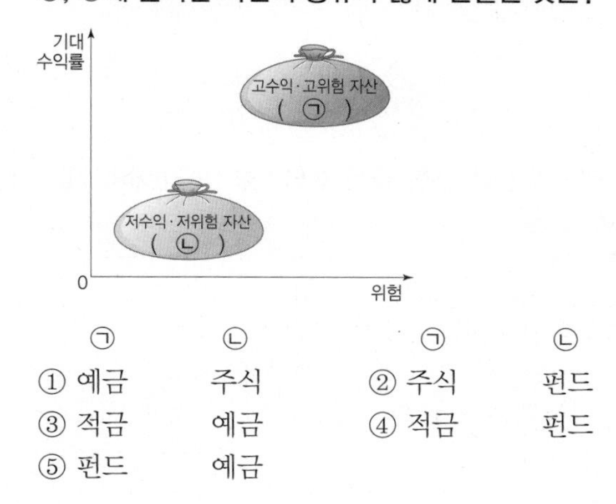

	㉠	㉡
①	예금	주식
②	주식	펀드
③	적금	예금
④	적금	펀드
⑤	펀드	예금

12 신용 관리가 중요한 이유를 [보기]에서 고른 것은?

보기
ㄱ. 신용이 없으면 다른 사람보다 낮은 이자를 지불해야 한다.
ㄴ. 신용이 있으면 현재의 소득보다 더 많은 소비를 할 수 있다.
ㄷ. 신용을 많이 이용하면 갚아야 할 빚이 줄어들어 경제생활에 도움이 된다.
ㄹ. 신용도가 떨어지면 개인뿐만 아니라 국가의 경제 성장에 장애 요인이 될 수 있다.

① ㄱ, ㄴ ② ㄱ, ㄷ ③ ㄴ, ㄷ
④ ㄴ, ㄹ ⑤ ㄷ, ㄹ

Ⅳ 시장 경제와 가격

01 시장의 의미와 종류

1 시장의 형성 과정을 순서대로 옳게 나열한 것은?

(가) 일정한 시기와 장소에 모여 거래를 하는 시장이 형성되었다.
(나) 생활에 필요한 대부분의 물건을 스스로 만들어 사용하였다.
(다) 농사를 짓기 시작하자 자신이 쓰고도 남는 생산물이 발생하였다.
(라) 잉여 생산물을 다른 물건과 바꾸어 쓰는 물물 교환이 이루어졌다.

① (가)－(나)－(다)－(라) ② (나)－(가)－(다)－(라)
③ (나)－(다)－(라)－(가) ④ (다)－(라)－(나)－(가)
⑤ (라)－(나)－(다)－(가)

2 시장의 역할에 대한 옳은 설명만을 [보기]에서 있는 대로 고른 것은?

보기
ㄱ. 거래에 드는 시간과 비용이 사라진다.
ㄴ. 다양한 상품을 소비할 수 있도록 해 준다.
ㄷ. 분업과 특화를 촉진하여 생산성을 증대시킨다.
ㄹ. 상품에 관한 정보를 쉽게 교환할 수 있게 해 준다.

① ㄱ, ㄴ ② ㄱ, ㄹ ③ ㄷ, ㄹ
④ ㄱ, ㄴ, ㄷ ⑤ ㄴ, ㄷ, ㄹ

3 밑줄 친 부분에 해당하는 사례를 [보기]에서 고른 것은?

시장은 눈에 보이는 일정한 장소를 차지하는 시장과 상품이 거래되지만 <u>눈에 보이는 장소가 없는 시장</u>으로 구분할 수 있다.

보기
ㄱ. 백화점 ㄴ. 재래시장
ㄷ. 외환 시장 ㄹ. 주식 시장

① ㄱ, ㄴ ② ㄱ, ㄷ ③ ㄴ, ㄷ
④ ㄴ, ㄹ ⑤ ㄷ, ㄹ

02 시장 가격의 결정

4 다음과 같은 경향을 그래프로 옳게 표현한 것은?

다른 조건이 일정하다면 공급자는 상품의 가격이 상승하면 공급량을 늘리고, 가격이 하락하면 공급량을 줄이는 경향이 있다.

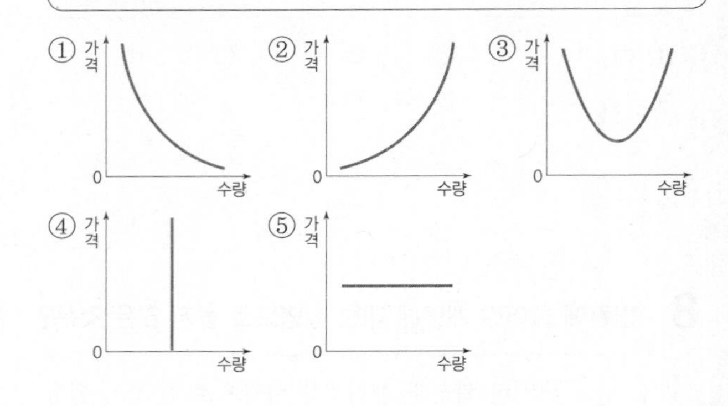

[5~6] 표는 가격에 따른 가방의 수요량과 공급량을 나타낸 것이다. 물음에 답하시오.

가격(원)	10,000	20,000	30,000	40,000	50,000
수요량(개)	200	160	120	80	40
공급량(개)	40	80	120	160	200

5 가방의 균형 가격과 균형 거래량을 옳게 연결한 것은?

① 10,000원, 200개 ② 20,000원, 80개
③ 30,000원, 120개 ④ 40,000원, 160개
⑤ 50,000원, 40개

6 가방의 가격이 20,000원일 때 시장에서 나타날 수 있는 현상을 [보기]에서 고른 것은?

보기
ㄱ. 80개의 초과 수요가 발생한다.
ㄴ. 80개의 초과 공급이 발생한다.
ㄷ. 소비자들의 경쟁으로 가방 가격이 상승할 것이다.
ㄹ. 공급자들끼리의 판매 경쟁으로 가방의 가격이 하락할 것이다.

① ㄱ, ㄴ ② ㄱ, ㄷ ③ ㄴ, ㄷ
④ ㄴ, ㄹ ⑤ ㄷ, ㄹ

7 시장과 관련된 용어에 대한 설명으로 옳지 않은 것은?

① 공급자 – 상품을 판매하고자 하는 사람
② 공급 법칙 – 상품의 가격과 공급량이 음(−)의 관계에 있는 것
③ 수요 곡선 – 가격과 수요량의 관계인 수요 법칙을 나타낸 그래프
④ 수요량 – 일정한 가격 수준에서 수요자가 구매하고자 하는 상품의 양
⑤ 공급 – 판매 능력이 있는 공급자가 일정한 가격에 어떤 상품을 판매하고자 하는 욕구

8 다음 그래프에 대한 설명으로 옳은 것은?

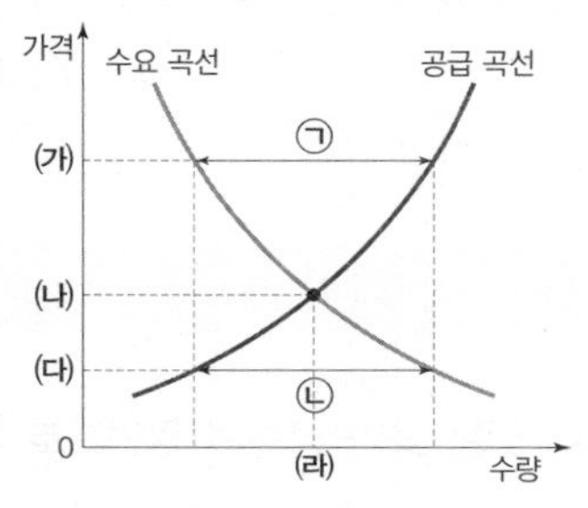

① (라)는 균형 거래량이다.
② (나)는 경쟁 가격이라고 한다.
③ 가격이 (다)일 때에는 공급량이 수요량보다 많다.
④ ㉠은 초과 수요 상태, ㉡은 초과 공급 상태이다.
⑤ 가격이 (가)일 때 공급자들 간 경쟁으로 가격이 상승한다.

03 시장 가격의 변동

9 ㉠, ㉡에 들어갈 용어를 옳게 연결한 것은?

스마트폰과 스마트폰 액세서리처럼 함께 소비할 때 더 큰 만족을 얻을 수 있는 재화를 (㉠)(이)라고 한다. 반면에 라면과 우동처럼 용도가 비슷하여 한 상품을 대신해서 사용할 수 있는 경쟁 관계의 재화를 (㉡)(이)라고 한다.

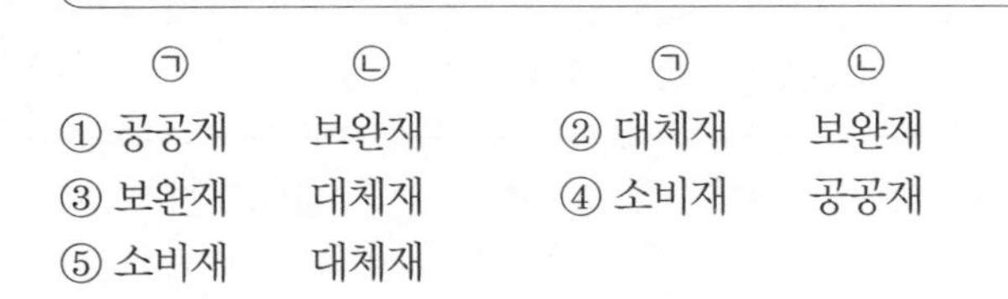

	㉠	㉡		㉠	㉡
①	공공재	보완재	②	대체재	보완재
③	보완재	대체재	④	소비재	공공재
⑤	소비재	대체재			

10 수요의 변화 요인과 그에 따른 시장의 변화를 옳게 연결하지 못한 것은?(단, 다른 조건은 변함 없다.)

	수요 변화 요인	수요 곡선 이동	가격 변화
①	소득 증가	오른쪽 이동	상승
②	인구 증가	오른쪽 이동	상승
③	선호도 감소	왼쪽 이동	하락
④	대체재의 가격 하락	왼쪽 이동	하락
⑤	보완재의 가격 하락	왼쪽 이동	하락

11 그래프는 어떤 상품의 시장 변화를 나타낸 것이다. 이에 대한 설명으로 옳지 않은 것은?

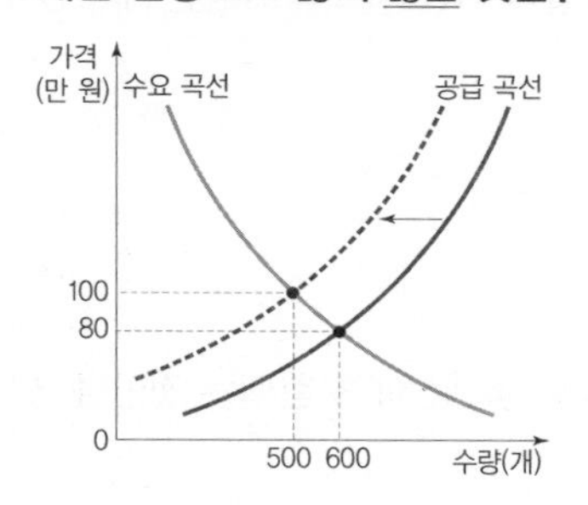

① 공급이 감소하였다.
② 균형 거래량이 600개에서 500개로 감소하였다.
③ 균형 가격이 80만 원에서 100만 원으로 상승하였다.
④ 미래에 상품 가격 인상이 예상되면 이러한 변화가 나타날 수 있다.
⑤ 상품을 생산하는 기업의 수가 증가하면 이러한 변화가 나타날 수 있다.

12 밑줄 친 내용을 통해 알 수 있는 시장 가격의 기능으로 가장 적절한 것은?

생산된 상품은 가격을 지급한 소비자에게 돌아가는데, 가격을 지급했다는 것은 소비로 얻는 만족이 그 가격 이상으로 크다는 뜻이다. 그러므로 <u>가격은 생산된 상품에 대한 만족이 가장 큰 소비자에게 상품이 돌아가게 하는 역할을 한다</u>.

① 소득의 재분배 기능
② 정부의 시장 규제 기능
③ 시장 경제의 신호등 기능
④ 자원의 효율적 배분 기능
⑤ 분업과 특화 촉진을 통한 생산성 증대 기능

핵심 문제 V 국민 경제와 국제 거래

01 국내 총생산과 경제 성장

1 밑줄 친 ㉠~㉤에 대한 설명으로 옳지 않은 것은?

> 국내 총생산(GDP)은 ㉠ 일정 기간 동안 ㉡ 한 나라 안에서 ㉢ 새롭게 생산된 ㉣ 최종 생산물의 가치를 ㉤ 시장 가격으로 환산한 것이다.

① ㉠ – 보통 1년이다.
② ㉡ – 국내에서 외국인이 생산한 것을 포함한다.
③ ㉢ – 생산 연도에 상관없이 새로 생산한 것을 포함한다.
④ ㉣ – 생산에 사용된 원료나 부품의 가치는 제외된다.
⑤ ㉤ – 소비자가 직접 길러 먹는 채소의 가치는 제외된다.

2 밑줄 친 ㉠~㉤ 중 국내 총생산에 포함되는 것만을 있는 대로 고른 것은?

> 오늘은 얼마 전 취업한 ㉠ 누나의 첫 월급날이다. 그래서 오늘 누나가 가족들이 좋아하는 ㉡ 삼겹살을 사왔다. 우리 가족은 누나를 축하하며 삼겹살을 ㉢ 엄마가 직접 기르신 상추에 싸 먹었다. 식사 후 누나는 가족들에게 ㉣ 첫 월급으로 구매한 선물을 나누어 주었고, 나는 ㉤ 식사 자리를 정리하고 설거지를 하였다.

① ㉠, ㉡ ② ㉢, ㉣ ③ ㉢, ㉤
④ ㉠, ㉡, ㉣ ⑤ ㉡, ㉢, ㉤

3 다음 글의 밑줄 친 부분에 대한 이유로 옳지 않은 것은?

> 국내 총생산은 한 나라의 생산 규모나 국민 전체의 소득 수준을 파악하기에 유용한 지표이지만, 실생활을 정확히 보여 주지는 못한다는 한계가 있다.

① 중간 생산물의 가치는 포함하지 않는다.
② 국민의 삶의 질을 제대로 반영하지 못한다.
③ 생산의 결과가 공정하게 분배되었는지 알 수 없다.
④ 시장에서 거래되는 재화와 서비스의 가치만 계산한다.
⑤ 빈부 격차의 정도가 어느 정도인지를 나타내지 않는다.

4 표는 갑국과 을국의 경제 성장률 변화를 나타낸 것이다. 이에 대한 옳은 분석을 [보기]에서 고른 것은?

구분	2016년	2017년	2018년
갑국	9%	6%	5%
을국	3%	1%	–2%

보기
ㄱ. 갑국은 을국보다 경제 규모가 크다.
ㄴ. 갑국은 지속적으로 경제가 성장하였다.
ㄷ. 갑국의 국내 총생산 규모는 2018년이 가장 작다.
ㄹ. 을국은 2017년에 비해 2018년도에 실질 국내 총생산이 줄어들었다.

① ㄱ, ㄴ ② ㄱ, ㄹ ③ ㄴ, ㄷ
④ ㄴ, ㄹ ⑤ ㄷ, ㄹ

02 물가와 실업

5 다음 내용을 통해 알 수 있는 물가 상승의 원인으로 가장 적절한 것은?

> 국제 원유 가격이 지속적으로 오르면서 대다수 기업의 제품 생산 원가가 높아져 공산품의 가격도 오를 전망이다.

① 경제 전체의 수요가 증가하는 경우
② 경제 전체의 공급이 감소하는 경우
③ 시장에 공급되는 통화량이 많아지는 경우
④ 원자재 가격이 상승하여 생산비가 오르는 경우
⑤ 화폐 가치가 하락하여 소비가 활발해지는 경우

6 물가 상승의 영향으로 옳은 것을 [보기]에서 고른 것은?

보기
ㄱ. 자국 상품의 가격이 비싸져 수출이 감소한다.
ㄴ. 화폐의 가치가 상승하고, 가계의 저축이 증가한다.
ㄷ. 일정한 금액으로 살 수 있는 재화와 서비스의 양이 증가한다.
ㄹ. 사람들이 저축보다 부동산 투기와 같은 불건전한 거래를 선호하게 된다.

① ㄱ, ㄴ ② ㄱ, ㄹ ③ ㄴ, ㄷ
④ ㄴ, ㄹ ⑤ ㄷ, ㄹ

7 밑줄 친 ㈎에 들어갈 내용으로 옳지 않은 것은?

> 실업은 개인적으로나 사회적으로 부정적인 영향을 미친다. 개인적으로는 생계유지와 자아실현에 어려움을 겪게 되고, 사회적으로는 ___㈎___

① 사회 내의 인적 자원이 낭비된다.
② 실업 인구 부양을 위한 정부의 재정 부담이 증가한다.
③ 경제 전반의 활기가 떨어지면서 경기 침체가 나타난다.
④ 빈곤이 확산되고 생계형 범죄가 발생할 가능성이 높아진다.
⑤ 가계의 소득이 늘어나 소비가 활발해지고 기업의 생산 활동과 투자가 늘어난다.

8 고용 안정을 위한 기업과 근로자의 노력으로 적절하지 않은 것은?

① 기업과 근로자는 상호 신뢰를 바탕으로 협력한다.
② 근로자는 자기 계발을 통해 업무 능력을 향상한다.
③ 기업은 시간제 근무나 임시 고용 일자리를 늘린다.
④ 기업은 새로운 시장을 개척하여 다양한 일자리를 창출한다.
⑤ 기업은 근로자의 노동 환경 및 처우를 개선하기 위해 노력한다.

03 국제 거래와 환율

9 국제 거래의 특징으로 옳은 것을 [보기]에서 고른 것은?

보기
ㄱ. 동일한 상품이라면 국가 간 가격 차이가 없다.
ㄴ. 거래 과정에서 통관 절차를 거치며 관세를 내야 한다.
ㄷ. 국내 거래에 비해 상품 및 노동과 자본의 거래가 자유롭다.
ㄹ. 세계화·개방화의 흐름 속에서 규모가 점차 확대되어 가고 있다.

① ㄱ, ㄴ ② ㄱ, ㄷ ③ ㄴ, ㄷ
④ ㄴ, ㄹ ⑤ ㄷ, ㄹ

10 밑줄 친 부분에 해당하지 않는 것은?

> 세계 각국이 국제 거래를 하는 이유는 거래를 통해 상호 이익을 얻을 수 있기 때문이다. 이러한 이익은 각국이 처한 생산 여건의 차이에서 비롯된다.

① 나라 간 환율에 차이가 있다.
② 각국이 보유한 기술 수준이 다르다.
③ 기후, 지형 등 자연환경에 차이가 있다.
④ 각국이 가진 천연자원의 종류와 양이 다르다.
⑤ 각국이 가진 노동, 자본 등 생산 요소의 양과 질에 차이가 있다.

[11~12] 그래프는 우리나라 외환 시장의 변화를 나타낸 것이다. 물음에 답하시오.

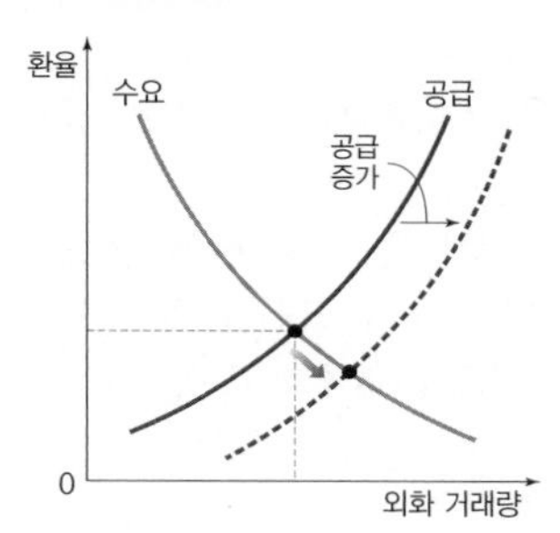

11 위 그래프와 같은 외화의 공급 변화에 영향을 끼치는 요인을 [보기]에서 고른 것은?

보기
ㄱ. 수출 증가
ㄴ. 외채 상환
ㄷ. 해외 투자 증가
ㄹ. 외국인 관광객 유치

① ㄱ, ㄴ ② ㄱ, ㄹ ③ ㄴ, ㄷ
④ ㄴ, ㄹ ⑤ ㄷ, ㄹ

12 위 그래프와 같은 환율의 변동이 국내 경제에 미치는 영향으로 옳은 것은?

① 국내 물가가 안정된다.
② 외국인 관광객이 증가한다.
③ 해외여행과 유학이 감소한다.
④ 수출이 증가하고 수입이 감소한다.
⑤ 외채 상환에 대한 부담이 증가한다.

핵심 문제 VI 국제 사회와 국제 정치

01 국제 사회의 이해

1 국제 사회의 특성으로 옳은 것은?

① 민간단체와 개인을 기본 단위로 하여 구성된다.
② 약소국이 강대국에 비해 더 큰 영향력을 행사한다.
③ 국가 간의 상호 의존과 국제 협력이 축소되고 있다.
④ 국가 간 갈등을 조정할 강력한 중앙 정부가 존재한다.
⑤ 각국은 국제 관계에서 공동의 이익보다 자국의 이익을 우선적으로 추구한다.

2 다음 사례에서 공통으로 나타난 국제 사회의 특성으로 가장 적절한 것은?

> • 지구 온난화가 심각해지자 179개국이 온실가스 감축에 합의하였다.
> • 유엔 정상 회담 회원국 정상들은 '뉴욕 선언'을 채택하여, 최근 심각해진 난민 수용과 지원을 위한 부담과 책임을 공평하게 분담하기로 약속하였다.

① 힘의 논리가 적용된다.
② 각국은 자국의 이익을 우선한다.
③ 각국의 주권은 동등하다고 인정된다.
④ 국제 사회의 문제에 공동으로 대응한다.
⑤ 세계 여론이 개별 국가의 행위를 제약한다.

3 빈칸에 들어갈 국제 사회의 행위 주체에 대한 설명으로 옳은 것은?

> (   )은/는 국제법상 평등하고 독립된 주체로서, 자국의 안전 보장과 국력의 확장을 위해 여러 가지 공식적인 활동을 한다.

① 국제적 규모로 상품을 생산하고 판매한다.
② 국제 사회에서 가장 기본적인 행위 주체이다.
③ 경제력을 바탕으로 국제 관계에 큰 영향을 끼친다.
④ 국경을 넘어 활동하는 민간단체와 개인으로 구성된다.
⑤ 국제 평화와 안전을 유지하고 국제적 분쟁을 조정한다.

4 (가), (나)에 해당하는 사례를 옳게 연결한 것은?

> (가) 각국의 정부를 회원국으로 하여 활동하는 국제기구이다.
> (나) 국경을 넘어 활동하는 개인과 민간단체가 중심이 되어 만들어진 국제기구이다.

	(가)	(나)
①	그린피스	국경 없는 의사회
②	국제 연합	세계 무역 기구
③	유럽 연합	국제 연합
④	국제 통화 기금	국제 적십자사
⑤	세계 무역 기구	경제 협력 개발 기구

5 다음 글을 통해 알 수 있는 다국적 기업의 영향으로 가장 적절한 것은?

> 전 세계 씨앗 시장 규모는 최근 10년 새 두 배 가까이 성장해 2016년 약 55조 원에 이르며, 다국적 기업이 세계 시장의 70%를 차지하고 있다. 이러한 현상이 심화하면서 세계 각국은 씨앗 주권을 지키기 위해 노력하고 있다.

① 국제 사회의 상호 의존성을 약화시킨다.
② 관련 국가에 환경 오염을 발생시킬 수 있다.
③ 관련 국가에 일자리와 자본 등을 제공해 준다.
④ 경제력을 바탕으로 개별 국가의 정책에 영향을 준다.
⑤ 세계화, 정보화 등으로 국제 사회에서 영향력이 축소되고 있다.

02 국제 사회의 모습과 공존 노력

6 다음 사례에 나타난 현상에 대한 설명으로 옳은 것은?

> 인도양과 대서양을 잇는 교통의 요지이자, 석유, 천연가스 등 자원이 풍부한 것으로 알려진 남중국해를 두고 중국, 베트남, 필리핀 등이 영유권 분쟁을 벌이고 있다.

① 개별 국가들의 협력과 의존이 확대되고 있다.
② 세계화로 인해 국제적 교류가 증대되고 있다.
③ 약소국에 대한 차별과 억압이 지속되고 있다.
④ 자원을 둘러싼 국가 간 갈등이 발생하고 있다.
⑤ 상호 의존도가 높은 국가들이 협력체를 구성하고 있다.

7 국제 사회에서 나타나는 협력의 사례를 [보기]에서 고른 것은?

보기
ㄱ. 특정 국가의 수출품에 대해 높은 관세를 부과한다.
ㄴ. 다국적 기업 간에 특허와 관련된 소송을 진행한다.
ㄷ. 지리적으로 가까운 국가끼리 경제 협력체를 구성한다.
ㄹ. 국가 간에 인권이나 환경 보호 등을 위한 협정을 체결한다.

① ㄱ, ㄴ ② ㄱ, ㄷ ③ ㄴ, ㄷ
④ ㄴ, ㄹ ⑤ ㄷ, ㄹ

8 외교 활동을 수행하는 목적으로 옳지 않은 것은?

① 다른 국가의 영토를 정복하기 위해
② 자국의 국제적 위상을 강화하기 위해
③ 자국의 독립과 안전을 유지하기 위해
④ 자국의 정치적·경제적 이익 실현을 위해
⑤ 국제 사회의 평화와 공존에 기여하기 위해

9 다음은 국제 사회의 공존을 위한 노력에 대한 설명이다. 밑줄 친 ㉠~㉤ 중 옳은 것은?

국제 사회가 복잡해지고 국가 간 갈등의 양상이 다양해지면서 ㉠ 전쟁을 통해 문제를 해결하는 것이 중요해지고 있다. 갈등을 해결하고 국제 사회가 공존을 이루기 위해서는 각국이 상호 합의를 통해 만든 ㉡ 헌법을 준수하고, ㉢ 극단주의 세력에 가담하여 국제 협력을 이끌어 내야 한다. 또한 일반 시민들은 다양한 ㉣ 정부 간 국제기구에 참여하여 국제 사회의 문제 해결을 위해 노력하고, ㉤ 세계 시민 의식을 공유함으로써 국제 사회의 공존을 위해 적극적으로 행동하는 자세를 가져야 한다.

① ㉠ ② ㉡ ③ ㉢ ④ ㉣ ⑤ ㉤

03 우리나라의 국가 간 갈등 문제

10 독도 문제에 대한 설명으로 옳지 않은 것은?

① 일본은 독도 영유권을 주장하며 매년 '다케시마의 날' 행사를 열고 있다.
② 일본 정부가 주민을 독도에 강제로 거주시키고, 경찰이 경비하도록 하고 있다.
③ 일본은 독도의 경제적·군사적 가치를 활용하기 위해 독도의 영유권을 주장하고 있다.
④ 일본은 독도를 한국인이 불법으로 점거하고 있다는 왜곡된 내용을 교과서에 싣고 있다.
⑤ 일본은 독도를 분쟁 지역으로 만들어 국제 사법 재판소를 통해 영유권 문제를 해결하려고 한다.

11 다음 내용을 통해 알 수 있는 우리나라와 중국 간 갈등 문제의 원인으로 옳은 것은?

중국은 중국의 여러 소수 민족의 독립을 막아 현재의 영토를 확고히 하고, 한반도 통일 이후 나타날 수 있는 영토 분쟁의 가능성에 대비하기 위해 중국 영토 안에서 이루어진 모든 역사를 중국의 역사로 인식하는 동북공정이라는 작업을 추진하였다.

① 중국이 우리나라의 역사를 왜곡하였다.
② 중국이 우리나라와의 무역을 거부하였다.
③ 중국이 우리 문화재의 반환을 거부하였다.
④ 중국이 우리나라의 고대사 연구를 방해하였다.
⑤ 중국이 우리나라 영토에 대한 영유권을 주장하였다.

12 다음 사례에 나타난 국가 간 갈등 해결의 방법으로 옳은 것은?

사이버 외교 사절단 반크(VANK)는 일본의 독도 왜곡 교육에 맞서 한·중·일 3개 국어로 된 독도 서예 엽서를 만들어 배포하였다.

① 힘의 논리를 통해 유리한 입장을 확보한다.
② 전문 기관을 세워 자료 수집과 연구 활동을 한다.
③ 주변국과의 외교 활동을 통해 해결책을 모색한다.
④ 갈등 문제에 대한 우리의 입장을 국내외에 알린다.
⑤ 국가 간 공동 역사 연구를 통해 사실관계를 밝힌다.

대단원별 서술형 문제 Ⅰ 인권과 헌법

01 인권 보장과 기본권

1 표는 인권의 특성과 의미를 나타낸 것이다. ㉠, ㉡에 들어갈 내용을 서술하시오.

특성	의미
자연권	㉠
㉡	인간이 태어날 때부터 본래 지닌 권리
보편적 권리	인종, 성별, 신분 등에 관계없이 모든 사람이 동등하게 누릴 수 있는 권리
불가침의 권리	국가 권력이 함부로 침해할 수 없는 권리

2 대부분의 민주 국가에서 헌법에 인권을 국민의 기본권으로 규정하고 있는 이유를 서술하시오.

3 (가), (나)에서 설명하는 기본권을 쓰고, 각 기본권에 속하는 권리를 두 가지 이상 서술하시오.

> (가) 국가의 의사 결정에 참여할 수 있는 권리
> (나) 국가에 대해 일정한 행위를 요구할 수 있는 권리

4 헌법 재판소가 밑줄 친 부분과 같은 결정을 내린 이유를 기본권 제한의 한계를 토대로 서술하시오.

> 「집회 및 시위에 관한 법률」 제10조에 따라 얼마 전까지만 해도 우리나라에서는 야간에 집 또는 건물 밖에서 이루어지는 집회를 금지하였다. 그러나 헌법 재판소는 해가 질 때부터 다시 뜰 때까지는 너무 긴 시간이며, 직장인이나 학생 등이 집회에 참여할 권리를 박탈할 우려가 있어 「집회 및 시위에 관한 법률」 제10조가 위헌이라는 결정을 내렸다.

02 인권의 침해 및 구제

5 다음 글을 읽고 물음에 답하시오.

> 오늘날 우리의 일상생활에서는 성차별, 집단 따돌림, 사생활 침해 등과 같은 크고 작은 (㉠) 문제가 발생하고 있다.

(1) ㉠에 들어갈 용어를 쓰시오.

(2) (1)의 문제가 발생하는 원인을 두 가지 이상 서술하시오.

(3) (1)의 문제가 발생했을 때 이에 대처하는 바람직한 자세를 서술하시오.

6 다음 글을 읽고 물음에 답하시오.

> 5급 공무원 시험을 준비하던 나영이는 연령 제한으로 시험에 응시할 수 없게 되었다. 이에 단순히 나이가 많다는 이유만으로 기회 자체를 박탈당하는 것은 불합리하다며 (㉠)에 권리의 구제를 요청하였다. 이에 재판관 9명 중 8명이 시험 응시 연령 제한 규정은 헌법 제11조에서 보장하고 있는 기본권에 위배된다는 결정을 내렸다.

(1) ㉠에 들어갈 국가 기관을 쓰시오.

(2) 위 사례와 관련하여 (1) 기관의 역할을 서술하시오.

7 다음 내용에 해당하는 국가 기관을 쓰고, 그 역할을 서술하시오.

> 입법, 사법, 행정의 어디에도 소속되지 않은 독립된 국가 기구로서, 국민의 기본적 인권을 보호하기 위해 설립되었다.

8 다음 사례에서 침해된 인권을 구제받기 위한 방법을 두 가지 서술하시오.

> A 마을은 높은 지대에 위치하여 홍수 피해를 받지 않는 지역이었다. 하지만 지난해부터 비가 내리면 하수구가 넘치는 일이 자주 발생하여 주민들이 많은 피해를 입었다. 원인을 살펴보니 시에서 하수도 확장 공사를 제대로 시행하지 않아서 발생한 일이었다.

03 근로자의 권리와 노동권 침해 및 구제

9 노동 삼권의 종류와 그 의미를 각각 서술하시오.

10 다음 상황에서 침해된 노동권을 구제받을 수 있는 방법을 두 가지 서술하시오.

> 다훈 씨는 회사에 육아 휴직을 신청하였다. 그러자 회사에서는 다훈 씨에게 해고 통보를 하였다.

11 다음 글을 읽고 물음에 답하시오.

> 갑은 ○○ 자동차 회사에서 노동조합에 가입하여 활동하고 있다. 하지만 회사에서는 노동조합에서 탈퇴할 것을 강요하였다. 갑이 이에 따르지 않자, 근무 성적을 낮게 평가하여 불이익을 주었다.

(1) 위 사례와 관련된 노동권 침해 유형과 노동 삼권 중 갑이 침해당한 권리를 각각 쓰시오.

(2) 위와 같은 상황에서 노동자가 침해된 권리를 구제받기 위한 방법을 서술하시오.

01 국회

1 다음 헌법 조항을 통해 알 수 있는 국회의 지위를 두 가지 서술하시오.

> 제40조 입법권은 국회에 속한다.
> 제41조 ① 국회는 국민의 보통·평등·직접·비밀 선거에 의하여 선출된 국회 의원으로 구성된다.

2 ㉠에 들어갈 국회의 조직을 쓰고, 그 역할을 서술하시오.

> 국회는 효율적인 의사 진행을 위해 (㉠)을/를 둔다. (㉠)은/는 외교·통일, 국방, 보건·복지 등의 전문 분야별로 조직된다.

3 다음 내용과 관련된 국회의 권한을 쓰고, 국회가 이러한 권한을 가지는 이유를 서술하시오.

> • 매년 국가의 예산안을 심의·확정한다.
> • 정부가 예산을 제대로 집행하였는지 결산 심사를 한다.

4 국회의 권한 중 행정부를 견제할 수 있는 권한을 두 가지 이상 서술하시오.

02 행정부와 대통령

5 현대 국가에서 행정부의 기능이 강화되는 현상이 나타나는 이유를 서술하시오.

6 빈칸에 들어갈 행정부의 조직을 쓰고, 이 조직의 구성 방식과 역할을 서술하시오.

> 행정부의 최고 심의 기관인 (   )에서는 ○○ 지역에서 발생한 지진에 대한 대책 마련을 위한 논의가 이어졌다. 특히 주요 시설에 대한 지진 방재 대책을 점검하고, 앞으로 있을지도 모를 더 큰 규모의 지진에 대비하기 위한 방안이 집중적으로 다루어졌다.

7 다음과 같이 대통령의 임기와 선출 방식을 규정한 이유를 서술하시오.

> 우리나라의 대통령은 국민이 직접 선거를 통해 선출하며, 임기는 5년이고, 중임할 수 없다.

8 다음 헌법 조항에 나타난 대통령의 지위에 따른 권한을 세 가지 이상 서술하시오.

> 헌법 제66조 ① 대통령은 국가의 원수이며, 외국에 대하여 국가를 대표한다.

03 법원과 헌법 재판소

9 다음 헌법 조항과 관련된 개념을 쓰고, 그 의미를 서술하시오.

> 제101조 ① 사법권은 법관으로 구성된 법원에 속한다.
> 제101조 ③ 법관의 자격은 법률로 정한다.
> 제103조 법관은 헌법과 법률에 의하여 그 양심에 따라 독립하여 심판한다.

10 빈칸에 들어갈 헌법 재판소의 권한을 쓰고, 그 의미를 서술하시오.

> 헌법 재판소는 친일 반민족 행위자 6명의 후손 46명이 「친일 반민족 행위자 재산의 국가 귀속에 관한 특별법」이 그들의 기본권을 침해한다고 보아 청구한 (　　　)에서 합헌 결정을 내렸다. 헌법 재판소는 '특별법은 일본 제국주의에 저항한 3·1 운동의 헌법 이념을 구현하기 위한 것'이라는 판단을 내린 것이다.

11 다음 글을 읽고 물음에 답하시오.

> (　㉠　)은/는 헌법의 해석과 관련된 다툼을 다루는 헌법 재판을 통해 헌법 질서를 보호하고, 헌법에 위반되는 법률이나 공권력에 의해 침해된 국민의 기본권을 구제해 준다.

(1) ㉠에 들어갈 국가 기관의 이름을 쓰시오.

(2) (1)의 국가 기관의 위상을 두 가지 서술하시오.

(3) (1)의 국가 기관의 역할을 세 가지 이상 서술하시오.

대단원별 서술형 문제 Ⅲ 경제생활과 선택

01 경제생활과 경제 문제

1 다음 글을 읽고 물음에 답하시오.

> A 씨는 중학교 교사로서 ㉠ 사회 과목을 가르친다. A 씨는 퇴근하면서 마트에 들러 내일 있을 연구 수업에서 활용할 자료를 만드는 데 필요한 재료와 모둠 활동에 적극적으로 참여한 학생들에게 나누어 줄 ㉡ 선물을 구입하였다.

(1) 밑줄 친 ㉠, ㉡에 해당하는 경제 활동의 종류를 각각 쓰시오.

(2) ㉠, ㉡에 해당하는 경제 활동의 의미를 각각 서술하시오.

2 (가), (나)에 해당하는 경제 주체를 쓰고, 각각이 수행하는 경제 활동의 내용을 서술하시오.

(가) ---- 노동, 토지, 자본 ----> (나)
(가) <---- 임금, 지대, 이자 ---- (나)

3 다음 내용을 통해 알 수 있는 인간의 욕구와 자원의 희소성의 관계를 서술하시오.

> 무더운 열대 지방에서는 에어컨의 양이 많더라도 그것을 원하는 사람들의 수가 더 많아서 에어컨은 희소성이 있을 것이다. 반면, 추운 지방에서는 에어컨의 양이 적더라도 그것을 원하는 사람들의 수가 매우 적어서 에어컨은 희소성이 없을 것이다.

4 다음 글을 읽고 물음에 답하시오.

> 가람이는 다가오는 일요일에 무엇을 하며 지내는 것이 좋을지 생각하여 다음과 같이 정리해 보았다. (단, 비용은 모두 같다.)

선택	편익	만족감
시험공부하기	높은 성적	8
놀이공원 가기	친구들과의 우정	10
아르바이트하기	임금	6

(1) 가람이가 어떤 선택을 하는 것이 가장 합리적인지 쓰시오.

(2) (1)의 선택에서 기회비용은 무엇인지 쓰시오.

(3) (1)의 선택이 합리적인 이유를 서술하시오.

5 다음 글을 읽고 물음에 답하시오.

> (㉠)는 생산에 이용되는 주요 자원을 국가가 소유하고 무엇을 얼마나 생산할 것인지, 생산된 것을 누가 소비할지를 모두 정부가 결정한다.

(1) ㉠에 들어갈 경제 체제를 쓰시오.

(2) (1)의 경제 체제가 추구하는 목표를 쓰시오.

(3) (1)의 경제 체제의 장단점을 각각 서술하시오.

02 기업의 역할과 사회적 책임

6 밑줄 친 부분에 해당하는 내용을 두 가지 이상 서술하시오.

> 기업은 이윤을 더 많이 남기기 위해 새로운 상품을 개발하거나 생산 기술을 혁신하는데, 이러한 노력은 기업을 발전시킬 뿐만 아니라 사회 전체에 긍정적인 영향을 끼친다.

7 기업의 사회적 책임과 관련하여 밑줄 친 기업의 문제점을 지적하고, 기업가가 갖추어야 할 올바른 태도를 서술하시오.

> ○○ 자동차 회사는 자동차 배기가스 검사 결과를 조작한 후, 오염 물질을 적게 배출하는 자동차인 것처럼 홍보하였고, 이를 통해 큰 매출을 올렸다. 하지만 이 자동차가 환경 기준을 초과하는 배기가스를 뿜어 내고 있다는 것이 알려져 막대한 벌금을 내고 소비자들의 항의를 받게 되었다.

8 다음 글을 읽고 물음에 답하시오.

> • 기술 혁신을 통해 새로운 것을 창조하는 '창조적 파괴' 과정이다. – 슘페터 –
> • 변화를 탐구하고, 변화에 대응하며, 변화를 기회로 이용하는 정신이다. – 드러커, 피터 퍼디낸드 –

(1) 윗글이 공통으로 설명하는 개념을 쓰시오.

(2) (1)을 발휘하기 위한 혁신의 내용을 두 가지 이상 서술하시오.

03 금융 생활의 중요성

9 그림은 생애 주기에 따른 소득과 소비를 보여 주는 곡선이다. ㉡과 같은 상황에 대비하여 ㉠ 상황에서 개인이 해야 할 일을 서술하시오.

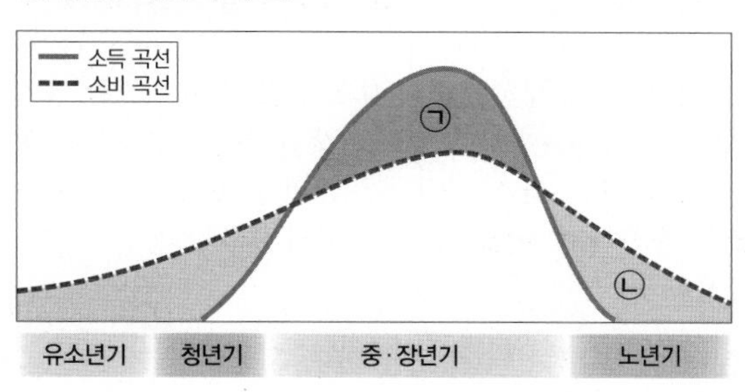

10 밑줄 친 ㉠, ㉡의 특징을 안전성과 수익성 측면에서 서술하시오.

> • 은행원: ㉠ 예금은 일정 금액까지는 원금이 보장되지만 정해진 이자 외에는 받을 수 없어요.
> • 증권사: ㉡ 주식은 배당금을 받거나 사고팔아 이익을 얻을 수 있지만, 원금을 손해볼 우려가 있어요.

11 다음 글을 읽고 물음에 답하시오.

> (㉠)(이)란 금전 거래에서 채무자가 약속된 날짜에 약속한 금액을 갚을 수 있는 능력이나 이에 대한 사회적인 믿음을 말한다. 현대 사회는 (㉠) 사회라고 불릴만큼 이를 바탕으로 한 경제 활동이 활발하다.

(1) ㉠에 공통으로 들어갈 말을 쓰시오.

(2) (1)을 관리하는 바람직한 자세를 두 가지 서술하시오.

서술형 문제 Ⅳ 시장 경제와 가격

01 시장의 의미와 종류

1 빈칸에 들어갈 용어를 쓰고, 그 의미를 서술하시오.

> 일상생활에서 개인에게 필요한 재화와 서비스는 매우 많지만, 이 모든 것을 스스로 생산하여 사용하는 것은 불가능하다. 그래서 사람들은 분업을 통해 재화나 서비스를 생산하고, 이를 (　　　)에서 교환한다.

2 다음 내용을 통해 알 수 있는 시장의 역할을 서술하시오.

> 시장이 생겨나면서 사람들은 자신이 필요로 하는 상품을 모두 다 생산할 필요가 없어졌다. 하나의 상품을 만드는 과정을 여러 단계로 나누고 더 잘 생산할 수 있는 분야를 맡음으로써 더 많은 상품이 생산되고 거래는 더욱 확대되었다.

3 밑줄 친 시장들이 어떤 종류의 시장에 속하는지 공통점과 차이점을 각각 서술하시오.

> • 가훈이는 부모님과 함께 <u>전자 상가</u>에 가서 컴퓨터를 구입하였다.
> • 나영이는 <u>인터넷 쇼핑몰</u>에서 친구에게 줄 생일 선물로 향수를 구입하였다.

02 시장 가격의 결정

4 그래프에 나타난 가격과 공급량의 관계를 서술하시오.

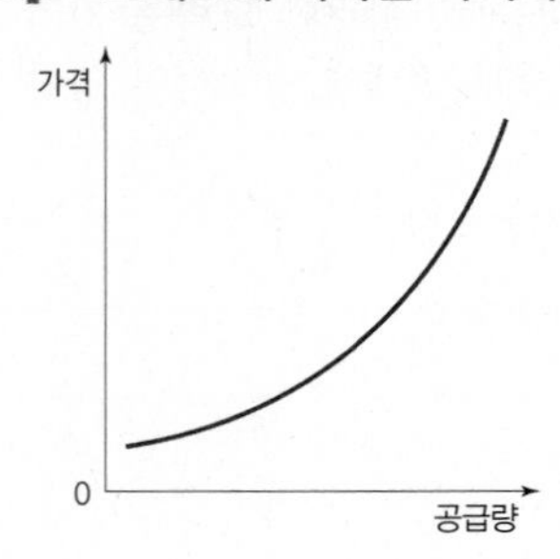

5 그래프에서 제품의 가격이 1,000원에서 2,000원으로 오를 경우 수요량의 변화를 서술하시오.

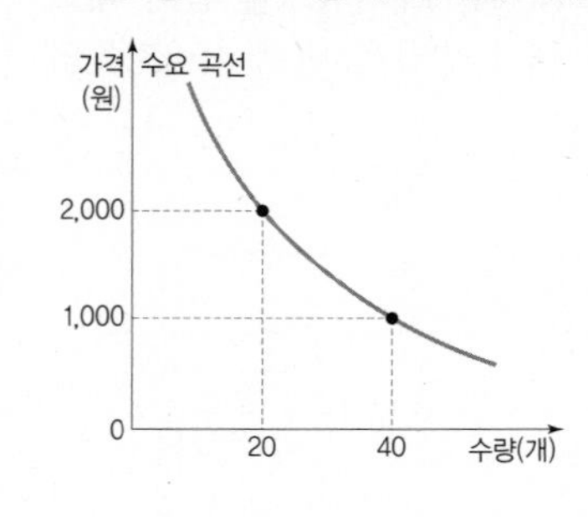

6 제시된 단어를 이용하여 균형 가격(시장 가격)의 의미를 서술하시오.

• 균형	• 일치	• 공급량
• 공급자	• 수요량	• 수요자

7 그래프는 오렌지 시장의 수요·공급 곡선을 나타낸 것이다. 물음에 답하시오.

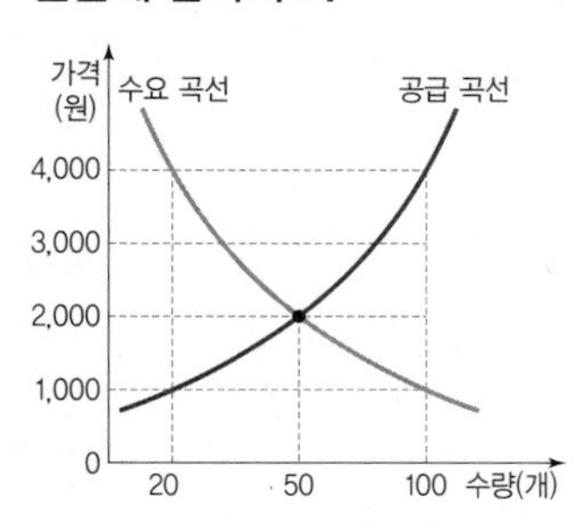

(1) 오렌지 시장의 균형 가격과 균형 거래량을 쓰시오.

(2) 오렌지의 가격이 4,000원일 때 시장에서 나타날 현상을 서술하시오.

03 시장 가격의 변동

8 (가), (나)에서 공통적으로 나타나는 수요의 변동을 서술하시오.

(가)

(나)

9 빈칸에 들어갈 용어를 쓰고, 그 의미를 서술하시오.

> 다훈이는 평소 즐겨 마시는 사이다의 가격이 상승하면 사이다 대신 콜라를 마신다. 즉 다훈이에게 콜라는 사이다의 (   )이다.

10 그래프에서 수요 곡선이 이동하게 된 요인을 세 가지 이상 쓰고, 균형 가격의 변화를 서술하시오.

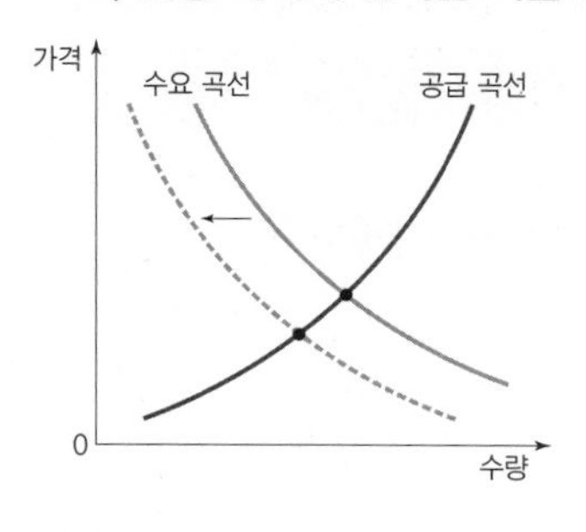

11 다음 글을 읽고 물음에 답하시오.

> 생산 요소의 가격 변화, 생산 기술의 발달, 공급자 수의 변화 등은 시장에서 (㉠)을/를 변화시키며, 이는 (㉠) 곡선 자체의 이동으로 표현된다.

(1) ㉠에 공통으로 들어갈 용어를 쓰시오.

(2) (1)이 증가할 경우 나타날 균형 가격과 균형 거래량의 변화를 각각 서술하시오.(단, 다른 조건은 변함 없다.)

12 그림을 통해 알 수 있는 시장 가격의 기능을 서술하시오.

01 국내 총생산과 경제 성장

1 국내 총생산(GDP)의 의미를 서술하시오.

2 (가)~(라) 중에서 우리나라 국내 총생산에 포함되지 않는 사례를 두 가지 고르고, 그 이유를 각각 서술하시오.

(가) A 씨는 극장에 가서 영화를 관람하였다.
(나) B 씨는 집에서 가사 노동과 육아를 담당하고 있다.
(다) C 씨는 교통사고로 고장난 차를 정비 업소에서 수리하였다.
(라) D 씨는 다국적 기업 싱가포르 지사에서 일하며 월급을 받고 있다.

3 다음 내용을 통해 알 수 있는 국내 총생산의 한계를 서술하시오.

교통사고로 병원에 다니거나 차를 고치는 등 사고를 처리하는 과정에서 드는 비용은 국내 총생산을 증가시키지만, 그로 인한 정신적, 육체적 피해는 국내 총생산에 포함되지 않는다. 반대로, 독서와 영화 감상을 위해 여가를 늘려 생활에 대한 만족도는 높아졌지만, 그만큼 일하는 시간이 줄면 오히려 국내 총생산은 감소할 수 있다.

4 밑줄 친 '긍정적인 영향'에 해당하는 내용을 두 가지 서술하시오.

경제 성장은 한 나라 경제의 생산 능력이 커져 재화와 서비스의 총생산량이 늘어나는 것으로, 국내 총생산이 증가하는 것을 의미한다. 경제가 성장하면 여러 측면에서 사람들에게 긍정적인 영향을 미치므로 대부분의 나라는 경제 성장을 정책의 주요 목표로 삼고 있다.

02 물가와 실업

5 다음 글을 읽고 물음에 답하시오.

시장에서 거래되는 여러 상품의 가격을 종합하여 평균한 값을 물가라고 한다. 물가는 오르기도 하고 내리기도 하면서 경제에 영향을 미친다. 이때 물가가 지속해서 오르는 현상을 (   )(이)라고 한다.

(1) 빈칸에 들어갈 용어를 쓰시오.

(2) (1)이 발생하는 요인을 두 가지 이상 서술하시오.

6 인플레이션이 발생할 때 유리해지는 사람을 [보기]에서 고르고, 그 이유를 서술하시오.

보기
ㄱ. 채무자 ㄴ. 임금 근로자
ㄷ. 연금 생활자 ㄹ. 부동산 소유자

7 다음 사례에 나타난 실업의 유형을 쓰고, 이를 해결하기 위한 방안을 서술하시오.

> ○○ 전자는 2000년대 초반에 MP3 플레이어를 전문적으로 생산해 선풍적인 인기를 끌었다. 하지만 MP3 플레이어의 기능이 스마트폰에 흡수되면서 수요가 줄어들었고 회사는 경영난에 빠지게 되었다. 그 결과 ○○ 전자는 대규모 인력 감축을 단행할 수밖에 없었다.

8 그림을 보고 물음에 답하시오.

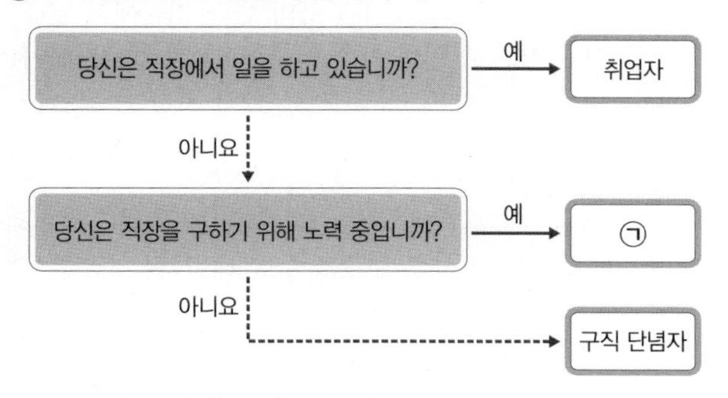

(1) ㉠에 들어갈 용어를 쓰시오.

(2) (1)에 해당하는 상태가 길어질 때 나타날 수 있는 개인적 영향을 두 가지 서술하시오.

03 국제 거래와 환율

9 다음 내용을 통해 알 수 있는 국제 거래의 특징을 서술하시오.

> 우리나라는 원(₩), 미국은 달러($), 일본은 엔(¥), 유럽은 유로(€), 영국은 파운드(£) 등으로 나라마다 사용하는 화폐의 단위가 서로 다르다.

10 다음과 같은 경제 협력체의 목적과 특징을 각각 서술하시오.

> • 유럽 연합(EU)
> • 동남아시아 국가 연합(ASEAN)
> • 아시아·태평양 경제 협력체(APEC)

11 그래프와 같이 환율이 변동한 요인을 두 가지 이상 서술하시오.

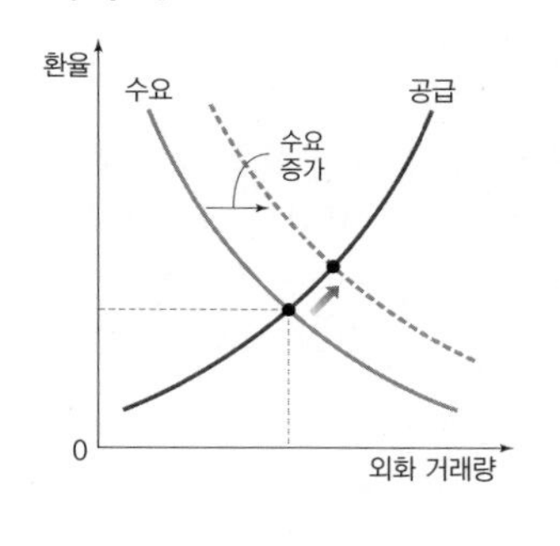

12 신문 기사를 읽고 물음에 답하시오.

> **○○ 신문** 2018. 8. 16.
>
> 올해 여름 휴가철 해외여행이 큰 폭으로 증가하였다. 더불어 방학을 맞아 해외로 어학연수를 떠나는 학생들도 지난달 대비 두 배 정도 늘었다. 반면, 우리나라로 들어오는 외국인 관광객과 외국인 유학생의 수는 줄어들었다.

(1) 위와 같은 현상이 일어난 원인이 되는 환율 변동 방향을 쓰시오.

(2) (1)과 같은 환율 변동이 수출입과 국내 물가에는 어떤 영향을 주는지 서술하시오.

01 국제 사회의 이해

1 국제 사회의 의미를 서술하시오.

2 (가)에 들어갈 내용을 서술하시오.

- 가현: 국제 사회는 국가 간 갈등 상황을 조정해 줄 중앙 정부가 없으므로 여러 국가 사이에 갈등이나 분쟁이 생길 경우 이를 해결하는 것이 쉽지 않아.
- 나현: 그렇지만 오늘날 국제 사회의 질서는 비교적 잘 유지되고 있어. 왜냐하면 ______(가)______

3 (가), (나)를 보고 물음에 답하시오.

(가) 경제 협력 개발 기구(OECD)는 경제 발전과 세계 무역 촉진, 회원국의 경제 성장과 생활 수준의 향상을 위해 활동한다.
(나) 국경 없는 의사회는 시리아, 예멘, 남수단 등 전쟁, 자연재해, 전염병 등으로 지원이 절실히 필요한 60여 개국에서 의료 지원을 하고 있다.

(1) (가), (나)가 속한 국제기구의 유형을 각각 쓰시오.

(2) (가), (나)를 구성하는 참여 주체를 쓰고, 이에 해당하는 사례를 각각 두 가지 이상 서술하시오.

4 국제 사회의 행위 주체로서 국가가 가진 특징을 서술하시오.

5 다음 사례를 보고 물음에 답하시오.

회사원 A 씨는 스위스 ○○ 사의 한국 지사에서 일하는 회사원이다. A 씨는 아침 식사로 전 세계에 지점이 있는 미국 △△ 사의 샌드위치를 즐겨 먹는다. 오늘은 평소 사고 싶었던 독일 ◇◇ 사의 자동차를 보러 전시장에 갈 예정이다.

(1) 윗글의 밑줄 친 부분에 공통으로 해당하는 국제 사회의 행위 주체를 쓰시오.

(2) (1)이 국제 사회에 미치는 영향을 두 가지 서술하시오.

02 국제 사회의 모습과 공존 노력

6 국제 사회에서 다음과 같은 협력이 이루어지는 이유를 서술하시오.

2015년 「파리 협정」 체결을 통해 197개국 당사자는 2100년까지 지구의 평균 기온의 상승 폭을 1.5℃ 이하로 제한하기로 합의하였고, 선진국은 연간 1천억 달러 이상을 개발 도상국에 지원하기로 하였다.

7 (가), (나) 사례에 나타난 국제 사회의 갈등 양상을 서술하시오.

> (가) 국제 비정부 기구인 그린피스가 다국적 기업에 해양 파괴를 중지할 것을 요구하고, 다국적 기업이 이에 대응하면서 갈등을 빚고 있다.
> (나) 동아시아의 중요한 해상로이자 석유, 천연가스 등 자원이 풍부한 것으로 알려진 남중국해의 영유권을 둘러싸고 중국, 베트남, 필리핀 등의 갈등이 고조되고 있다.

8 다음 사례들을 모두 포함하는 개념을 쓰고, 이러한 활동이 중요한 이유를 서술하시오.

> - 1997년 아시아 외환 위기 이후 이러한 경제 위기의 재발을 방지하기 위해 선진국과 개발 도상국 정상이 정기적으로 모이는 G20 정상 회의가 열렸다.
> - 2018년 북한과 미국의 정상이 만나 핵 개발 중단과 이로 인한 경제 제재의 해결에 대해 회담을 하였다.

9 다음 내용을 통해 알 수 있는 오늘날 외교 활동의 특징을 서술하시오.

> 미국과 중국은 한국 전쟁 이후 적대적인 관계를 유지해 왔다. 하지만 1971년 미국의 탁구 대표팀이 중국의 초청으로 중국에 방문하여 친선 경기를 펼쳤다. 그리고 경기 이후 양국은 정당 회담을 개최하였다.

03 우리나라의 국가 간 갈등 문제

10 일본이 다음과 같은 주장을 하는 이유를 독도가 지닌 가치를 중심으로 두 가지 측면에서 서술하시오.

> 일본의 역사 교과서에는 독도가 일본의 영토이며, 한국이 불법으로 점거하고 있다는 왜곡된 내용을 기술하고 있다. 더 나아가 1905년 2월 22일 독도를 불법적으로 자국 영토로 편입한 날을 '다케시마의 날'로 지정하여 기념하는 등 독도 영유권을 주장하고 있다.

11 다음 사례에 나타난 중국의 역사 왜곡의 내용을 서술하시오.

> 중국 정부가 중국 랴오닝성에 있는 고구려 성산산성과 중국 지린성 지린시 용담산성에 있는 표지석과 부조에 "고구려가 중국의 지방 정권이었다."라는 내용을 새겨 넣은 사실이 알려졌다.

12 다음과 같은 시민 사회 활동의 의의를 서술하시오.

> 한국, 중국, 일본의 지식인들은 한·중·일 3국 공동 역사 편찬 위원회를 만들고, 공동 연구를 통해 『미래를 여는 역사』(2005), 『한·중·일이 함께 쓴 동아시아 근현대사』(2012)를 편찬하였다.

MEMO

핵심만 빠르게~ 단기간에
내신 공부의 힘을 키운다

정답과 해설

중등 사회 2·1

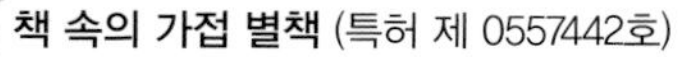
책 속의 가접 별책 (특허 제 0557442호)

정답과 해설'은 본책에서 쉽게 분리할 수 있도록 제작되었으므로
통 과정에서 분리될 수 있으나 파본이 아닌 정상제품입니다.

visang

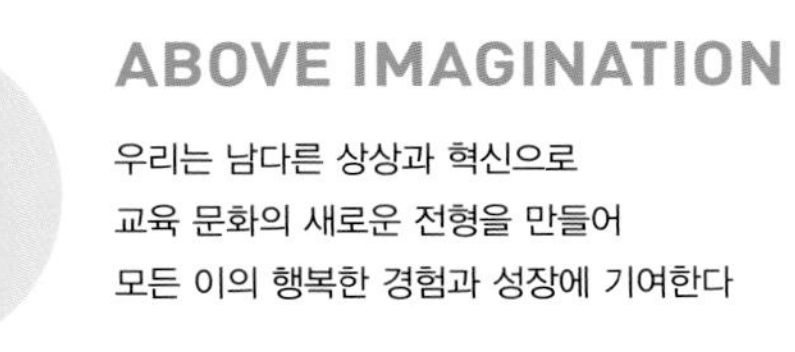

ABOVE IMAGINATION

우리는 남다른 상상과 혁신으로
교육 문화의 새로운 전형을 만들어
모든 이의 행복한 경험과 성장에 기여한다

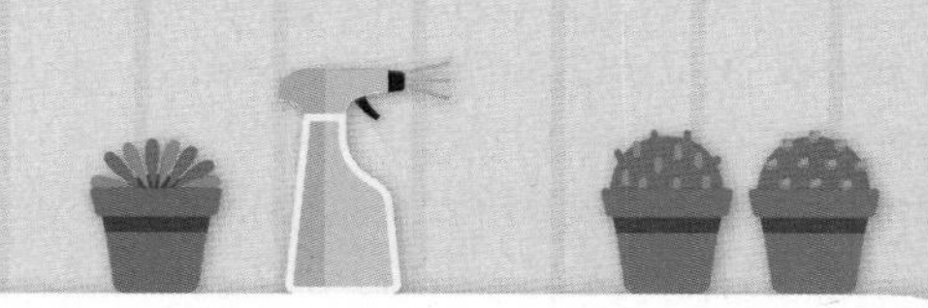

정답과 해설

I 인권과 헌법

01 인권 보장과 기본권

개념 확인하기 p. 10

1 인권 2 (1) – ㉣ (2) – ㉡ (3) – ㉠ (4) – ㉢ 3 (1) ㄷ (2) ㄹ (3) ㅁ (4) ㄴ (5) ㄱ 4 (1) ○ (2) × (3) ○ (4) ○ (5) ×

내공 쌓는 족집게 문제 p. 10~13

1 ③ 2 ② 3 ④ 4 ② 5 ④ 6 헌법 7 ④ 8 ⑤ 9 ① 10 ② 11 ④ 12 ② 13 ④ 14 ③ 15 ① 16 ② 17 ④ 18 ① [서술형 문제 19~21] 해설 참조

1 인권은 인간이 태어나면서부터 누구나 갖는 권리로, 인간이라는 이유만으로 누릴 수 있는 권리이다. 인권은 국가 권력이 함부로 침해할 수 없는 불가침의 권리이다. 인권을 존중하는 것은 인간의 존엄성을 실현하는 토대가 된다.
| 바로알기 | ③ 인권은 국가에서 법으로 보장하기 이전에 인간에게 자연적으로 주어진 권리이다.

2 인권의 특성 중 ㈎는 자연권, ㈏는 보편적 권리에 대한 설명이다.
| 바로알기 | ①, ③ 천부 인권은 인권이 인간이 태어날 때부터 하늘로부터 부여받은 권리라는 의미이다. ④, ⑤ 불가침의 권리는 인권은 국가 권력이나 다른 사람이 함부로 침해할 수 없는 권리라는 의미이다.

3 ㄴ. 근대 이후 계몽사상의 영향을 받은 사람들은 절대 군주의 억압에 맞서 인권 보장을 위해 투쟁하였고, 이러한 시민 혁명 과정에서 인권 보장에 관한 문서들이 등장하였다. ㄹ. 세계 인권 선언은 국가를 초월하여 국제적 차원에서 인권의 개념을 정립하고 인권 문제를 해결하고자 한다는 측면에서 의의가 있다.
| 바로알기 | ㄱ. 근대 이전에는 신분제 체제하에서 왕과 소수 귀족은 특권을 누리고 대다수 평민은 억압과 심한 차별을 받았다. 인권 사상은 근대 시민 혁명을 통하여 등장하였다. ㄷ. 인권은 오랜 기간 동안 수많은 사람들의 끊임없는 노력에 의해 확대되었다.

4 ②는 프랑스 인권 선언 제1조로, 인간이 태어날 때부터 존엄성을 인정받으며, 자유와 평등의 권리를 지니고 있다는 천부 인권의 내용을 담고 있다.

5 세계 인권 선언 제1조에는 인권이 태어날 때부터 하늘이 부여해 준 자연적 권리임을 선언하고 있으므로 천부 인권 사상과 자연권 사상이 반영되어 있다. 또한 제2조에는 인종, 성별 등에 상관없이 모든 자유와 권리를 누릴 수 있다고 했으므로 보편적 권리로서 인권의 특성이 반영되어 있다.
| 바로알기 | ㄹ. 제시된 조항에는 평등권 중심의 인권 사상이 반영되어 있다.

6 헌법은 한 나라의 최고 법으로서 다른 모든 법률이나 정책은 헌법에 따라 제정되고 시행된다. 또한 모든 국가 기관은 헌법이 정하는 내용과 절차에 따라 권한을 행사하여야 한다. 따라서 헌법에 인권을 국민의 기본권으로 규정하여 보장함으로써 국가는 국민의 인권 보호를 위해 노력해야 할 의무를 갖게 되고, 국민은 인권을 침해당하였을 때 구제받을 수 있다.

7 헌법은 국가 기관을 어떻게 조직하고 운영할 것인지 정하고, 국민의 기본적 인권을 규정한 한 나라의 최고 법이다.
| 바로알기 | ㄹ. 헌법에 국가가 개인의 기본권을 보장할 의무가 있음이 규정되어 있다.

8 헌법은 국민의 기본적 인권 보장과 국가 권력의 분립을 규정하고 있는데, 이를 통해 헌법이 국민의 인권 보장을 위한 법적 장치의 역할을 함을 알 수 있다.
| 바로알기 | ⑤ 우리나라 헌법은 인간의 존엄과 가치를 실현하는 데 필요한 기본적인 권리라면 헌법에 열거되지 않아도 보장된다고 명시하고 있다.

9 우리 헌법은 국민의 인권을 실질적으로 보장하기 위해 헌법 제10조에 국가가 국민의 기본권을 보장할 의무가 있음을 명시하였다.

10 자유권은 개인이 국가의 간섭을 받지 않고 자유롭게 생활할 권리로, 국가의 역할을 제한함으로써 얻을 수 있는 권리이므로 소극적 성격을 가진다. 청구권은 국가에 대해 일정한 행위를 요구할 수 있는 권리로 다른 기본권을 보장하기 위한 수단적 성격을 가진다.

11 신체의 자유, 정신적 자유, 사회·경제적 자유는 우리나라 헌법에서 보장하고 있는 자유권에 해당하는 내용이다. ④ 언론·출판, 집회·결사의 자유는 정신적 자유에 속한다.
| 바로알기 | ①은 평등권, ②는 사회권, ③은 참정권, ⑤는 청구권과 관련 있는 헌법 조항이다.

12 제시된 사례들은 장애나 성별 등에 의한 불합리한 차별이 나타나지 않은 것으로, 평등권이 보장된 내용이다. 평등권은 인종, 성별, 종교, 신분, 장애에 의해 불합리한 차별을 받지 않고 동등하게 대우받을 권리이다.
| 바로알기 | ①은 인간의 존엄과 가치 및 행복 추구권, ③은 청구권, ④는 참정권에 대한 설명이다. ⑤ 자유권은 제시된 사례들과 관계없다.

13 제시된 내용은 사회권에 대한 설명이다. 사회권에는 교육을 받을 권리, 근로의 권리, 인간다운 생활을 할 권리, 쾌적한 환경에서 살 권리 등이 있다.
| 바로알기 | ㄱ은 참정권, ㄷ은 청구권에 해당하는 권리이다.

14 ㈎ A 씨가 행사한 권리는 공무 담임권으로 참정권에 해당한다. ㈏ B 씨가 국가로부터 보장받은 권리는 인간다운 생활을 할 권리로 사회권에 해당한다.

15 ㈎는 건설 회사의 공사로 인해 주변 지역 주민들이 쾌적한 환경에서 생활할 권리, 즉 사회권을 침해당한 사례이다. ㈏는 경찰의 불법 체포로 인해 신체의 자유, 즉 자유권을 침해당한 사례이다. ㈐는 장애를 이유로 원하는 학교에 진학하지 못했으므로 평등권을 침해당한 사례이다.

16 우리나라 헌법은 국가 안전 보장, 질서 유지, 공공복리를 위하여 필요한 경우에 한해 법률로써만 기본권을 제한할 수 있도록 명시하고 있다. ㉠은 공공복리, ㉡은 국가 안전 보장, ㉢은 질서 유지이다.

17 기본권은 무제한으로 보장되는 것은 아니며, 제한되는 경우가 있다. 다만 기본권의 제한에도 한계가 있다. 기본권 제한은 국가 안전 보장, 질서 유지, 공공복리를 위한 목적에 한정되어야 하고, 국민의 대표 기관인 국회에서 제정한 법률에 의해 이루어져야 하며, 제한하더라도 자유와 권리의 본질적 내용까지 제한할 수는 없다.

| 바로알기 | ④ 국민의 기본권은 국회에서 제정한 법률로써만 제한할 수 있다. 대통령의 명령으로는 제한할 수 없다.

18 기본권은 다른 사람의 권리를 해치지 않는 범위 내에서 보장되며, 공익이나 질서 유지를 위해 기본권을 제한할 수도 있다. 제시된 사례는 다수 학생의 학습권 보호라는 공공복리를 위해 개인의 재산권이 제한된 경우이다.

서술형 문제

19 **| 예시답안 |** 인권. 인종, 성별, 지위, 재산 등에 관계없이 인간이라면 누구나 가지는 기본적인 권리이다.

구분	채점 기준
상	인권이라고 쓰고, 그 의미를 정확히 서술한 경우
하	인권이라고만 쓴 경우

20 (1) **| 예시답안 |** 청구권. 국가에 대해 일정한 행위를 요구할 수 있는 권리

구분	채점 기준
상	청구권이라고 쓰고, 그 의미를 정확히 서술한 경우
하	청구권이라고만 쓴 경우

(2) **| 예시답안 |** 다른 기본권을 보장하기 위한 수단적 성격의 기본권이다.

구분	채점 기준
상	다른 기본권을 보장하기 위한 수단적 성격의 기본권이라고 정확히 서술한 경우
하	단순히 청구권의 의미만 서술한 경우

21 **| 예시답안 |** 기본권. 기본권은 국가 안전 보장, 질서 유지, 공공복리를 위해 필요한 경우에 한하여 국회에서 제정한 법률로써만 제한할 수 있다.

구분	채점 기준
상	기본권이라고 쓰고, 기본권 제한의 목적과 방법을 정확히 서술한 경우
중	기본권이라고 쓰고, 기본권 제한의 목적과 방법 중 한 가지만 서술한 경우
하	기본권이라고만 쓴 경우

02 인권의 침해 및 구제

개념 확인하기 p. 15

1 (1) × (2) ○ (3) × (4) × (5) × 2 (1) – ㉡ (2) – ㉠ (3) – ㉣ (4) – ㉢ (5) – ㉤ 3 (1) 상소 (2) 헌법 소원 심판 (3) 행정 심판 4 (1) 확대 (2) 국가 인권 위원회 (3) 민사 소송 (4) 위헌 법률 심판

내공 쌓는 족집게 문제 p. 16~17

1 ⑤ 2 ② 3 ⑤ 4 ② 5 ③ 6 ① 7 ② 8 ④

[서술형 문제 9~11] 해설 참조

1 인권 침해는 다른 사람 또는 국가 기관에 의해 인권을 침해당하거나 보장받지 못하는 경우를 말한다. 인권 침해의 내용은 정신적·물질적인 것을 모두 포함하며, 자신의 인권뿐만 아니라 다른 사람의 인권 침해에도 관심을 두고 이를 해결하기 위해 함께 노력해야 한다.

| 바로알기 | ㄱ. 인권 침해는 일상생활 속에서 누구에게나 일어날 수 있다. ㄴ. 인권 침해는 개인뿐만 아니라 국가 기관이나 단체에 의해서도 일어난다.

2 인권 침해는 광범위하게 일어날 수 있으므로 인권 보장을 위해서는 인권의 내용과 인권 침해 시 구제 방법을 정확히 알아 두어야 한다.

| 바로알기 | ①, ④ 자신의 인권 못지않게 다른 사람의 인권을 존중하는 인권 감수성을 키워야 한다. ③ 공권력에 의해 인권 침해를 당한 경우에는 여러 국가 기관을 통해 침해된 권리를 구제받을 수 있다. ⑤ 인권 침해를 사전에 예방하는 것도 중요하다.

3 국가 기관에 의해서 인권 침해를 당한 경우에 인권을 구제받을 수 있는 방법으로는 헌법 소원 심판, 행정 심판, 행정 소송, 상소 제도, 입법 청원, 진정 등이 있다.

| 바로알기 | ㄱ. 입법 청원은 국회에 원하는 법률을 문서로 제출하여 제정되길 요구하는 것이다. ㄴ. 고소나 고발은 개인이나 단체에 의해 침해당한 인권을 구제받을 수 있는 방법이다.

4 **| 바로알기 |** ② 위헌 법률 심판은 법원의 재판 과정에서 어떤 법률이 헌법에 위반되는지 여부가 문제가 될 때 헌법 재판소가 그 법률의 위헌 여부를 심판하는 것이다.

5 개인 간의 관계에서 발생하는 인권 침해의 경우 피해자는 민사 소송을 제기하여 정신적·물질적 손해에 대한 배상을 청구할 수 있다.

| 바로알기 | ① 성별, 종교, 장애 등의 이유로 차별을 받으면 국가 인권 위원회에 진정할 수 있다. ② 언론 중재 위원회는 언론 보도로 개인의 인권이 침해된 경우에 도움을 요청할 수 있는 기관이다. ④, ⑤ 제시된 사례는 헌법 소원 심판이나 행정 심판과 관련이 없다.

6 ㄱ, ㄴ. 법원은 법을 적용하여 각종 분쟁을 해결하고, 국민의 침해받은 권리를 구제해 주는 국가 기관이다.

| 바로알기 | ㄷ. 국가 인권 위원회의 역할이다. ㄹ. 헌법 재판소의 역할이다.

7 제시된 사례와 같이 임신을 이유로 휴학을 허용하지 않은 것은 임신을 이유로 한 부당한 차별에 해당하며, 이것은 평등권을 침해한 것이다. 차별과 평등권 침해에 대해서 국가 인권 위원회에 진정을 제기하면 국가 인권 위원회는 이를 조사하여 바로잡아 준다.

8 국민 권익 위원회는 국가 기관의 잘못으로 인해 발생한 국민들의 고충 민원을 해결하고, 행정 기관의 잘못된 처분으로 인해 권리를 침해당한 국민이 행정 심판을 제기하면 이를 조사하여 잘못된 처분을 바로잡아 주는 기관이다.

서술형 문제

9 **| 예시답안 |** 제시된 사례들은 성별에 따른 차별에 해당한다. 차별은 합리적인 이유 없이 불평등하게 대우하는 것으로, 평등권을 침해하였으므로 인권 침해에 해당한다.

구분	채점 기준
상	성별에 따른 차별로, 평등권이 침해되어 인권 침해에 해당한다고 정확히 서술한 경우
하	차별이라고만 쓴 경우

10 (1) 참정권

(2) **| 예시답안 |** 헌법 재판소에 헌법 소원 심판을 청구하여 선거법 개정을 요구할 수 있다.

구분	채점 기준
상	헌법 재판소에 헌법 소원 심판을 청구해야 한다고 정확히 서술한 경우
하	헌법 재판소에 기본권 침해에 대한 구제를 청구해야 한다고만 서술한 경우

11 **| 예시답안 |** 국가 인권 위원회, 국가 기관이 국민의 인권을 침해하거나 법인, 단체 등이 개인의 평등권을 침해하는 경우 이를 조사하여 구제한다. 또한 인권 침해의 소지가 있는 법령, 제도의 문제점을 발견하여 개선할 것을 권고한다.

구분	채점 기준
상	국가 인권 위원회라고 쓰고, 그 역할 두 가지를 정확히 서술한 경우
중	국가 인권 위원회라고 쓰고, 그 역할을 한 가지만 서술한 경우
하	국가 인권 위원회라고만 쓴 경우

03 근로자의 권리와 노동권 침해 및 구제

개념 확인하기 p. 19

1 (1) 근로자 (2) 부당 해고 (3) 부당 노동 행위 (4) 노동 삼권 (5) 최저 임금 제도 2 (1) × (2) ○ (3) ○ (4) ○ 3 (1) ㄱ (2) ㄴ (3) ㄷ 4 (1) – ㉡ (2) – ㉠

내공 쌓는 족집게 문제 p. 20~21

1 ① 2 근로의 권리 3 ① 4 ② 5 ④ 6 ④ 7 ② 8 ④ 9 ⑤ [서술형 문제 10~12] 해설 참조

1 노동의 대가로 사용자에게 임금을 받는 사람은 모두 근로자에 해당한다. 육체노동뿐만 아니라 정신노동을 하거나 수입이 적거나 불규칙해도 모두 근로자에 속한다.
| 바로알기 | ① 건물 임대료는 노동의 대가가 아니라 자본을 대여한 대가이기 때문에 건물 임대업자는 근로자에 해당하지 않는다.

3 노동 삼권은 단결권, 단체 교섭권, 단체 행동권을 말한다. 단결권은 노동조합을 결성할 수 있는 권리, 단체 교섭권은 근로자가 노동조합을 통해 근로 조건에 관해 사용자와 교섭할 수 있는 권리, 단체 행동권은 교섭이 원만히 이루어지지 않았을 때 단체로 쟁의 행위를 할 수 있는 권리이다.

4 청소년 근로자도 성인 근로자와 마찬가지로 헌법과 「근로 기준법」의 보호를 받으므로 최저 임금제의 적용을 받는다.
| 바로알기 | ①, ④ 미성년자이기 때문에 부모의 동의가 필요하지만, 근로 계약과 임금을 받는 일은 청소년 본인이 직접 해야 한다. ③ 청소년 근로자는 원칙적으로 야간(오후 10시부터 오전 6시까지)이나 휴일에 근무해서는 안 된다. ⑤ 원칙적으로 15세 이상 18세 미만인 사람의 근로 시간은 하루 7시간, 1주일 40시간을 초과하지 못한다.

5 「근로 기준법」에 따르면, 원칙적으로 근로자를 해고하려면 적어도 30일 전에 알려 주어야 하며, 정당한 이유 없이 근로자를 해고할 수 없다. 근로 시간은 원칙적으로 1일 8시간, 1주 40시간 이상을 초과할 수 없다. 또한 임금은 원칙적으로 매달 1회 이상 일정한 날짜에 근로자 본인에게 직접 통화로 전액을 지급해야 하며, 반드시 최저 임금 이상 주어야 한다.
| 바로알기 | ㄹ. 근로 시간이 8시간이면 1시간 이상의 휴식 시간을 일하는 도중에 주어야 한다.

6 ㈎는 임금 체납, ㈏는 부당 해고, ㈐, ㈒는 부당 노동 행위에 해당한다. 업무 수행 능력과 관련 없는 성별, 나이, 출신 대학, 결혼 여부 등을 이유로 차별하면 노동권 침해에 해당한다.
| 바로알기 | ④ 사용자는 업무 수행에 필요한 능력을 갖춘 자를 근로자로 채용할 권리가 있다. 입사 시험에 불합격해 취업하지 못한 것은 노동권 침해에 해당하지 않는다.

7 부당 해고나 노동 삼권이 침해되는 부당 노동 행위를 당하면 노동 위원회에 구제 신청을 하거나 법원에 소를 제기함으로써 권리를 구제받을 수 있다.
| 바로알기 | ① 노동조합은 근로 조건의 유지·개선, 근로자의 지위 향상 등을 목적으로 근로자들이 조직한 단체이다. ③ 공정 거래 위원회는 독점 및 불공정 거래에 관한 사안을 심의·의결하기 위해 설립된 기관이다. ④ 국가 인권 위원회는 인권을 보호·증진하여 인간으로서의 존엄과 가치를 구현하고 민주적 기본 질서 확립을 위한 인권 전담 독립 기구이다. ⑤ 국민 권익 위원회는 고충 민원 처리와 이와 관련된 불합리한 행정 제도를 개선하고, 부패의 발생을 예방하며 부패 행위를 효율적으로 규제하는 업무를 수행하는 기관이다.

8 **| 바로알기 |** ④ 근로자의 권리 구제는 부당 노동 행위나 임금 체납, 부당 해고와 같이 근로자의 노동권이 침해될 때 근로자의 권리를 지키기 위한 것으로, 적법하고 정당한 해고 사안과는 관련이 없다.

9 **| 바로알기 |** ⑤ 노동 위원회의 판정에 불복하면 법원에 행정 소송을 제기할 수 있다.

서술형 문제

10 **| 예시답안 |** 단결권, 근로자가 근로 조건의 향상을 위해 노동조합을 결성하고 이에 가입하여 활동할 수 있는 권리이다.

구분	채점 기준
상	단결권이라고 쓰고, 그 의미를 정확히 서술한 경우
하	단결권이라고만 쓴 경우

11 **| 예시답안 |** ㉤, 임금은 원칙적으로 본인에게 직접 통화로 전액을 지급해야 한다는 「근로 기준법」을 위반했다.

구분	채점 기준
상	㉤이라고 쓰고, 임금을 본인에게 직접 통화로 전액을 지급해야 한다는 「근로 기준법」을 위반했기 때문이라고 정확히 서술한 경우
중	㉤이라고 쓰고, 임금을 본인에게 지급해야 한다고만 서술한 경우
하	㉤이라고만 쓴 경우

12 **| 예시답안 |** 고용 노동부에 진정하거나 법원에 민사 소송을 제기한다.

구분	채점 기준
상	고용 노동부에 진정, 법원에 민사 소송 제기를 정확히 서술한 경우
하	고용 노동부에 진정, 법원에 민사 소송 제기 중 한 가지만 서술한 경우

Ⅱ 헌법과 국가 기관

01 국회

개념 확인하기 p. 23

1 대의 민주 정치 2 (1) 법률 (2) 본회의 (3) 재적, 출석 (4) 지역구, 비례 대표 3 (1) × (2) × (3) ○ (4) × (5) ○ 4 (1) - ㉠ (2) - ㉢ (3) - ㉡ 5 ㄱ, ㄴ, ㄷ

내공 쌓는 족집게 문제 p. 24~25

1 ② 2 ③ 3 ① 4 ⑤ 5 ② 6 ④ 7 ② 8 ③ 9 ② [서술형 문제 10~12] 해설 참조

1 빈칸에 들어갈 정치 제도는 대의 민주 정치이다. 현대 국가는 영토가 넓고 인구가 많으며, 사회가 복잡하여 모든 국민이 직접 정치에 참여하기 어렵다. 이 때문에 대부분의 현대 국가에서는 국민이 대표자를 선출하고 선출된 대표자들을 중심으로 국가의 의사를 결정하는 대의 민주 정치를 실시하고 있다.
| 바로알기 | ㄴ. 오늘날 행정부의 업무가 광범위해지고 복지 행정이 중요시되면서 행정부의 권한이 강화되고 있다. ㄷ. 국민이 모든 공적인 문제에 대해 전문적인 지식을 갖기는 어렵다.

2 국회의 위상 중 ㉠은 입법 기관, ㉡은 국가 권력의 견제 기관, ㉢은 국민의 대표 기관에 해당한다.
| 바로알기 | ④ 법률을 집행하는 국가 기관은 행정부이다. ⑤ 헌법 수호 기관은 헌법 재판소이다.

3 **| 바로알기 |** ① 국회 의원은 각 지역구에서 선출된 지역구 국회 의원과 정당 득표율에 비례하여 선출된 비례 대표 국회 의원으로 구성된다.

4 제시된 내용에서 설명하고 있는 국회의 조직은 상임 위원회이다. 국회는 능률적인 의사 진행을 위해 전문성을 가진 의원들이 모여 관련된 안건이나 법률을 미리 조사하고 심사하는 위원회를 운영하고 있다.
| 바로알기 | ① 본회의는 국회에 제출되는 모든 법률안과 예산안 등을 최종적으로 심의·의결하는 회의이다. ② 임시회는 대통령 또는 국회 재적 의원 1/4 이상의 요구가 있을 때 수시로 열리는 회의이다. ③ 정기회는 매년 1회 정기적으로 열리는 회의이다. ④ 교섭 단체는 국회 의원들의 다양한 의사를 사전에 통합하고 조정하는 단체이다.

5 **| 바로알기 |** ② 임시회는 필요에 따라 수시로 열리는 회의이다. 매년 1회 정기적으로 열리는 회의는 정기회이다.

6 법률안이 제출되면 국회 의장은 법률안을 상임 위원회에 넘긴다. 상임 위원회에서 검토된 법률안은 본회의에서 의결되고, 대통령이 의결된 법률안을 최종적으로 공포한다. 이를 법률 제정 순서대로 나열하면 (라) - (나) - (다) - (마) - (가)이다.

7 국제법이나 다른 나라와의 약속인 조약은 국내법과 동일한 효력을 가지기 때문에 입법 기관인 국회의 동의가 필요하다.

8 국회는 국가 운영에 쓰이는 국민의 세금이 낭비되지 않도록 행정부가 세운 일 년 동안의 예산안을 심의하고 확정하는 권한을 가진다.

9 법률을 위반한 국무 위원의 파면을 요구하는 것은 탄핵 소추이다. 국회가 탄핵 소추를 의결하면 헌법 재판소에서 이를 심판하여 해당 공무원의 파면 여부를 결정한다.

서술형 문제

10 **| 예시답안 |** 각 분야에 전문성과 관심을 가진 국회 의원들이 모여 관련된 안건이나 법률을 미리 조사하고 심의함으로써 능률적으로 국회의 의사를 진행하기 위해서이다.

구분	채점 기준
상	능률적인 의사 진행을 위해 상임 위원회를 설치하여 운영한다고 정확히 서술한 경우
하	각 분야의 전문성을 가진 국회 의원들이 모여 회의를 한다고만 서술한 경우

11 **| 예시답안 |** 국회의 입법에 관한 권한에는 법률의 제정 및 개정, 헌법 개정안 제안 및 의결, 조약의 체결에 대한 동의 등이 있다.

구분	채점 기준
상	국회의 입법에 관한 권한 세 가지를 정확히 서술한 경우
중	국회의 입법에 관한 권한을 두 가지만 서술한 경우
하	국회의 입법에 관한 권한을 한 가지만 서술한 경우

12 **| 예시답안 |** 정부의 예산은 국민이 낸 세금으로 이루어지고, 세금을 집행하는 행정은 국민 생활에 영향을 주기 때문에 국민의 재산과 권리를 보호하기 위해 국민의 대표 기관인 국회의 예산안 심의·확정과 결산 심사가 필요하다.

구분	채점 기준
상	예산이 국민의 세금으로 이루어지고, 국민의 재산과 권리를 보호하기 위해서라고 정확히 서술한 경우
하	국회가 국민의 대표 기관이기 때문이라고만 서술한 경우

02 행정부와 대통령

개념 확인하기 p. 27

1 (1) – ⓒ (2) – ⓔ (3) – ⓜ (4) – ㉠ (5) – ⓛ 2 (1) × (2) × (3) ○ (4) × (5) ○ 3 (1) 대통령 (2) 대법원장 (3) 직접 (4) 국가 원수 4 ㉠ 국가 원수, ⓛ 행정부 수반

내공 쌓는 족집게 문제 p. 28~29

1 ㉠ 행정, ⓛ 행정부 2 ② 3 ③ 4 ④ 5 ④ 6 ① 7 ② 8 ④ 9 ② [서술형 문제 10~12] 해설 참조

2 ㉠에 들어갈 개념은 행정이다. 소방관이 화재를 진압하는 것, 범죄로부터 국민을 보호하기 위해 치안을 강화하는 것은 모두 행정 작용의 사례이다.
| 바로알기 | ㄴ. 예산안의 심의·확정은 국회의 권한이다. ㄹ. 법을 해석하고 적용하여 개인 간의 분쟁을 해결하는 것은 법원의 권한이다.

3 ⓛ에 들어갈 개념은 행정부이다. 행정부는 행정을 담당하는 국가 기관으로, 공익의 실현을 위해 정책을 결정하고 집행하며, 공권력을 행사할 수 있다. 현대 국가에서 복지 국가 사상이 강조되면서 행정 기능이 강화되는 현상이 나타나고 있다.
| 바로알기 | ③ 법률을 제정하는 국가 기관은 국회이다. 행정부는 법률이 정하는 범위 내에서 법률에서 정하지 않은 세부 사항에 대해 명령이나 규칙을 만들어 시행할 수 있다.

4 국무총리는 대통령을 보좌하여 행정 각부를 총괄하며, 대통령의 자리가 공석일 경우 대통령의 권한을 대행한다.
| 바로알기 | ① 국무총리는 국무 회의에서 부의장을 맡는다. ② 대통령이 국회의 동의를 얻어 국무총리를 임명한다. ③ 국회 의장은 국회에서 선출된다. ⑤ 대통령에 대한 설명이다.

5 국무 회의는 정부의 중요한 정책을 심사하고 논의하는 행정부의 최고 심의 기구로, 대통령, 국무총리, 국무 위원으로 구성된다.

6 ㄱ. 국무총리는 각 부처를 총괄하며, 대통령을 보좌하고 대통령의 명을 받아 행정 각부를 관리·감독한다. ㄴ. 행정 각부는 구체적인 행정 사무를 처리한다. ㄷ. 국무 회의는 대통령, 국무총리, 행정 각부의 장관을 비롯한 국무 위원으로 구성되는 행정부의 최고 심의 기관이다.
| 바로알기 | ㄹ. 감사원은 대통령 직속의 행정부 최고 감사 기관이다. ㅁ. 대통령의 권한은 국회나 헌법 재판소 등에 의해 견제될 수 있다.

7 대통령은 국무총리, 국무 위원 등 행정부의 고위 공무원을 임명하거나 해임할 수 있고, 법률안 거부권을 행사함으로써 국회를 견제할 수 있다.
| 바로알기 | ㄴ. 국정 감사 및 국정 조사권은 국회의 권한이다. ㄷ. 헌법 재판소장 임명 동의권은 국회의 권한이다. 대통령은 국회의 동의를 얻어 헌법 재판소장을 임명할 수 있다.

8 대통령이 가지는 국가 원수로서의 권한은 외국과의 조약 체결, 외교 사절의 파견 및 접견, 국민 투표 부의, 헌법 기관의 구성원 임명, 긴급 명령 및 계엄 선포 등이 있다.
| 바로알기 | ㉠ 국무 회의 참석, ⓒ 대통령령 제정은 대통령의 행정부 수반으로서의 권한에 해당된다.

9 대통령은 행정부 수반으로서 행정 작용에 대해 최종적인 책임을 진다. ② 국군 통수권은 행정부 수반으로서의 권한에 해당한다.
| 바로알기 | ① 외국과 조약 체결, ③ 긴급 명령 및 계엄 선포, ④ 헌법 기관의 구성원 임명, ⑤ 국민 투표 부의권은 대통령의 국가 원수로서의 권한에 해당한다.

10 **| 예시답안 |** 행정. 행정부는 국회에서 만든 법률을 집행하고, 공익을 실현하기 위해 각종 정책을 수립하여 실행한다. 또한 사회 질서를 유지하고, 국민을 보호하며, 공공시설을 만들고 관리한다.

구분	채점 기준
상	행정이라고 쓰고, 행정부의 역할을 두 가지 이상 정확히 서술한 경우
중	행정이라고 쓰고, 행정부의 역할을 한 가지만 서술한 경우
하	행정이라고만 쓴 경우

11 **| 예시답안 |** 감사원. 대통령 직속의 행정부 최고 감사 기관으로서 국가의 세입·세출에 대한 검사를 통해 국민의 세금이 제대로 쓰였는지 조사하고, 행정 기관이나 공무원의 직무 수행 등을 감찰하여 잘못한 것이 있으면 바로잡는 역할을 한다.

구분	채점 기준
상	감사원이라고 쓰고, 감사원의 지위와 역할을 정확히 서술한 경우
중	감사원이라고 쓰고, 감사원의 지위와 역할 중 한 가지만 서술한 경우
하	감사원이라고만 쓴 경우

12 **| 예시답안 |** 국회. 대통령의 권한 행사 시 국회의 동의가 필요한 이유는 대통령의 권한을 견제하여 권력의 남용을 막고 국민의 기본권을 보장하기 위해서이다.

구분	채점 기준
상	국회라고 쓰고, 대통령의 권한을 견제하여 권력 남용을 막고 국민의 기본권을 보장하기 위해서라고 정확히 서술한 경우
하	국회라고만 쓴 경우

03 법원과 헌법 재판소

개념 확인하기 p. 31

1 (1) 사법 (2) 헌법 재판소 (3) 사법권의 독립 2 (1) – ㉡ (2) – ㉢ (3) – ㉠ 3 (1) × (2) × (3) × (4) ○ (5) ○ 4 (1) ㄹ (2) ㄴ (3) ㄱ (4) ㄷ

내공 쌓는 족집게 문제 p. 32~33

1 법원(사법부) 2 ⑤ 3 ③ 4 ② 5 ④ 6 ② 7 ⑤ 8 ② 9 ⑤ **[서술형 문제 10~12]** 해설 참조

2 제시된 헌법 조항은 사법권의 독립과 관련된다. 사법권의 독립이란 재판이 법원 내부나 외부의 영향으로부터 완전히 독립하여 이루어져야 한다는 원칙이다. 사법권의 독립을 이루기 위해 우리 헌법에서는 법관의 임기와 신분을 보장하고, 헌법과 법률에 의거하여 법관이 독립하여 재판하도록 보장하고 있다.

3 우리나라 법원은 대법원, 고등 법원, 지방 법원, 특수 법원으로 구성되어 있다. 특수 법원에는 특허 법원, 가정 법원, 행정 법원, 군사 법원이 해당된다. ③ 행정 법원은 국가 기관의 잘못된 행정 작용에 대한 소송 사건을 재판하는 법원이다.
| 바로알기 | ① 가정 법원에 대한 설명이다. ② 지방 법원에 대한 설명이다. ④ 대법원에 대한 설명이다. ⑤ 헌법 재판소에 대한 설명이다.

4 ㉠ 특허 법원의 판결에 불복하여 상급 법원에 상고한 사건은 대법원이 담당한다. ㉡ 지방 법원 형사 합의부의 1심 판결에 불복하여 상급 법원에 항소한 사건은 고등 법원이 담당한다.

5 법원의 기능에는 재판, 위헌 법률 심판 제청, 위헌 명령·규칙 심사, 위헌 행정 처분 심사, 등기 업무, 가족 관계 등록, 재판 당사자 설득, 강제 집행 등이 있다.
| 바로알기 | ㄷ. 국가 기관이 만든 명령이나 규칙이 헌법과 법률에 위반되는지가 재판의 전제가 되는 경우에 대법원이 이를 최종적으로 심사한다.

6 헌법 재판소는 헌법 재판을 담당하는 기관으로 헌법을 수호하고, 국가 권력을 통제하며, 국민의 기본권을 보호한다. 따라서 헌법 재판소는 헌법 수호 기관이자 기본권 보장 기관이다.
| 바로알기 | ① 헌법 재판소는 주로 헌법의 위반과 관련된 사항만을 심판한다. ③ 대법원에 대한 설명이다. ④ 헌법 재판소는 헌법 재판을 담당하는 독립된 국가 기관이다. ⑤ 헌법 재판소의 결정은 재판의 당사자뿐만 아니라 모든 국가 기관이 따라야 한다.

7 ㄷ. 헌법 재판소장은 국회의 동의를 얻어 재판관 중에서 대통령이 임명한다. ㄹ. 헌법 재판소 재판관은 대통령과 대법원장이 각각 3명씩 지명하고, 국회에서 3명을 선출하여 대통령이 임명한다.
| 바로알기 | ㄱ. 헌법 재판소는 법관의 자격을 가진 9명의 재판관으로 구성된다. ㄴ. 헌법 재판소 재판관은 대통령이 임명한다.

8 제시된 내용에 해당하는 헌법 재판소의 역할은 권한 쟁의 심판이다. 권한 쟁의 심판은 국가 기관이나 지방 자치 단체 간의 권한 분쟁을 해결하기 위한 심판이다.
| 바로알기 | ① 탄핵 심판은 대통령, 장관, 법관 등 법률이 정한 공무원을 직무상 위법 행위를 한 이유로 공직에서 파면하도록 국회가 의결했을 때 그 탄핵의 타당성을 심판하는 것이다. ③ 위헌 법률 심판은 재판의 전제가 된 법률이 헌법에 위반되는지 여부가 문제가 될 경우에 법원이 헌법 재판소에 그 법률이 위헌인지 여부를 심사해 달라고 신청하면 헌법 재판소가 이를 심판하는 것이다. ④ 정당 해산 심판은 정당의 목적이나 활동이 헌법상의 민주적 기본 질서에 어긋날 때 정부가 해산을 제소하면 헌법 재판소가 이를 심판하는 것이다. ⑤ 헌법 소원 심판은 법률이나 공권력에 의해 권리를 침해당한 국민이 헌법 재판소에 구제를 신청했을 때 이를 심판하는 것이다.

9 헌법 재판소의 역할 중 (가)는 헌법 소원 심판, (나)는 위헌 법률 심판이다. 헌법 소원 심판과 위헌 법률 심판은 헌법 재판의 대부분을 차지하며, 국민의 기본권을 보호하는 중요한 심판이다.

서술형 문제

10 **| 예시답안 |** 대법원. 고등 법원의 판결에 불복해 상고한 사건의 재판과 특허 법원의 판결에 불복하여 상고한 사건의 재판을 담당한다. 또한 국가 기관이 만든 명령, 규칙, 처분이 헌법과 법률에 위반되는지가 재판의 전제가 될 경우에 이를 최종적으로 심사한다.

구분	채점 기준
상	대법원이라고 쓰고, 대법원의 기능을 두 가지 이상 정확히 서술한 경우
중	대법원이라고 쓰고, 대법원의 기능을 한 가지만 서술한 경우
하	대법원이라고만 쓴 경우

11 **| 예시답안 |** 법원(사법부)은 행정부가 제정한 명령·규칙·처분에 대한 심사권을 행사하여 행정부를 견제할 수 있다.

구분	채점 기준
상	사법부가 행정부를 견제할 수 있는 권한이라고 정확히 서술한 경우
하	국가 기관 간의 견제 수단이라고만 서술한 경우

12 **| 예시답안 |** 탄핵 심판. 대통령, 장관, 법관 등 법률이 정한 공무원을 직무상 위법 행위를 한 이유로 공직에서 파면하도록 국회가 의결했을 때 그 탄핵의 타당성을 심판하는 것이다.

구분	채점 기준
상	탄핵 심판이라고 쓰고, 그 의미를 정확히 서술한 경우
하	탄핵 심판이라고만 쓴 경우

III 경제생활과 선택

01 경제생활과 경제 문제

개념 확인하기 p. 35

1 경제 활동 2 (1) 이자 (2) 가계 (3) 생산 3 (1) ○ (2) × (3) ○ 4 (1) 기회비용 (2) 비용, 편익 5 (1) – ㉢ (2) – ㉠ (3) – ㉡ 6 (1) 시 (2) 계 (3) 시 (4) 계

내공 쌓는 족집게 문제 p. 36~37

1 ④ 2 ③ 3 ③ 4 ④ 5 ④ 6 ② 7 ② 8 ④ 9 ⑤ [서술형 문제 10~12] 해설 참조

1 ④ 선생님의 수업은 인간의 가치 있는 행위로 서비스에 해당한다.
| 바로알기 | ①, ② 의사의 진료, 가수의 공연은 인간의 가치 있는 행위로 서비스에 해당한다. ③, ⑤ 컴퓨터, 옷은 구체적인 형태가 있는 물건으로 재화에 해당한다.

2 **| 바로알기 |** ③ 생산에 대한 설명이다. 생산 활동에는 상품을 제조, 운반, 저장, 판매하는 활동이 포함된다.

3 ㈎는 가계, ㈏는 정부, ㈐는 기업이다.
| 바로알기 | ③ 경제 활동과 관련된 법이나 제도를 만들어 시장 경제 질서를 유지하는 역할을 하는 것은 정부이다.

4 ④ 시간이 지나면서 깨끗한 물을 원하는 사람이 많아져 깨끗한 물의 희소성이 커지면서 돈을 주고 생수를 사 먹는 사람들이 많아졌다.

5 합리적 선택은 가장 적은 비용으로 가장 큰 편익을 얻을 수 있는 대안을 선택하는 것이다. 똑같은 주말 여가 2시간을 투입한다면 편익이 가장 큰 ㈐를 선택하는 것이 가장 합리적이다. 한편 기회비용은 어떤 것을 선택함으로써 포기하게 되는 여러 대안 중에 가치가 가장 큰 것이다. ㈐를 선택함으로써 포기하게 되는 대안 중 ㈏의 가치가 가장 크므로 이에 해당하는 용돈 4만 원이 기회비용이 된다.

6 **| 바로알기 |** ㄴ. 선택으로 인한 편익이 기회비용보다 커야 합리적인 선택이다. ㄷ. 편익이 같다면 비용이 가장 적은 것을 선택하는 것이 합리적이다.

7 **| 바로알기 |** ② 직원에게 임금을 주는 것은 생산물의 분배와 관련된 문제이다. 이는 생산 활동에 참여한 사람들에게 생산된 가치를 어떻게 나눌 것인가와 관련된 문제인 ㈐에 해당한다.

8 시장 경제 체제에서는 경쟁이 활발하며, 경쟁에서 이기기 위해 적은 비용으로 많이 생산하려고 한다. 이는 희소한 자원의 효율적 사용과 생산의 증대로 이어져 풍족한 생활을 가능하게 한다.

9 계획 경제 체제는 국가가 모든 생산을 소유하며, 경제 문제가 국가의 계획과 명령을 통해 해결되는 경제 체제이다. 계획 경제 체제에서는 근로자가 일한 만큼 분배받지 못해 근로자의 근로 의욕이 저하된다.
| 바로알기 | ㄱ, ㄴ. 시장 경제 체제에 대한 설명이다.

서술형 문제

10 **| 예시답안 |** 분배. 생산 과정에서 노동, 자본, 토지 등과 같은 생산 요소를 제공한 사람들에게 그에 대한 대가인 임금, 이자, 지대 등을 나누는 활동이다.

구분	채점 기준
상	분배라고 쓰고, 그 의미를 정확히 서술한 경우
하	분배라고만 쓴 경우

11 **| 예시답안 |** 합리적 선택이다. 가장 큰 만족을 주는 테니스와 중국어 회화 중 비용이 더 적게 드는 테니스를 선택하여 결과적으로 가장 적은 비용으로 가장 큰 편익(만족감)을 주는 선택을 하였기 때문이다.

구분	채점 기준
상	합리적인 선택을 했다고 쓰고, 그 이유를 정확히 서술한 경우
하	합리적인 선택을 했다고만 쓴 경우

12 (1) 시장 경제 체제
(2) **| 예시답안 |** 사람들이 경쟁에서 이기기 위해 보다 적은 비용으로 많은 생산을 하기 위해 노력함으로써 개인의 창의성이 발휘되고 자원이 효율적으로 사용되어 생산이 증대된다는 장점이 있다. 하지만 빈부 격차가 발생할 수 있으며, 지나치게 이익을 추구하는 과정에서 환경 오염이 심해질 수 있다.

구분	채점 기준
상	시장 경제 체제의 장점과 단점을 모두 서술한 경우
하	시장 경제 체제의 장점과 단점 중 한 가지만 서술한 경우

02 기업의 역할과 사회적 책임

개념 확인하기 p. 39

1 생산 2 (1) 이윤 (2) 소득 (3) 세금 3 사회적 책임 4 (1) ○ (2) × (3) × (4) ○ 5 ㉠ 불확실성 ㉡ 혁신 6 ㄱ, ㄴ, ㄹ

내공 쌓는 족집게 문제 p. 40~41

1 ③ 2 ① 3 ④ 4 ④ 5 ② 6 ③ 7 ④ 8 ② 9 ② [서술형 문제 10~12] 해설 참조

1 ㉠은 기업, ㉡은 가계이다. 기업은 가계로부터 제공받은 생산 요소를 투입하여 재화나 서비스를 만들고 이를 시장에 판매한다.

2 **| 바로알기 |** ① 기업의 생산 활동의 결과 국민의 생활 수준 향상에 이바지하는 부분이 있지만 본질적으로 기업은 사회 복지의 증진이 아니라 이윤의 극대화를 추구한다.

3 **| 바로알기 |** ㄹ. 기업은 생산 활동을 통해 사회 전체의 고용과 소득을 높이는 역할을 하며, 이를 통해 경제 활성화에 이바지할 수 있다.

4 기업은 이윤 추구를 위해 생산 활동을 하지만, 그 과정에서 고용과 소득을 창출하고, 경제 성장을 촉진함으로써 국민 경제의 발전에도 큰 영향을 미친다.

5 **| 바로알기 |** ㄴ. 기업은 생산 활동으로 인해 발생하는 환경 파괴와 환경 오염을 최소화해야 한다. ㄹ. 기업은 노동자에게 정당한 임금과 안전한 작업 환경을 제공해야 한다.

6 **| 바로알기 |** ③ 기업은 생산 활동으로 발생하는 환경 오염을 최소화하고, 소비자에게 안전한 상품을 생산하는 윤리적 책임을 실천해야 한다.

7 슘페터는 기업가 정신을 기술 혁신을 통해 새로운 것을 창조하는 과정이라고 하였다.
| 바로알기 | ④ 기업가 정신이란 미래의 불확실성과 높은 위험을 무릅쓰고 기회를 잡으려는 기업가의 의지로, 새로운 환경과 위험을 회피하는 태도는 기업가 정신과 거리가 멀다.

8 ㄱ. 기업가 정신을 통해 새로운 상품과 기술이 개발되면 사람들은 우수한 제품을 싼 가격에 살 수 있어 삶이 더 풍요로워진다. ㄷ. 기업가 정신은 새로운 가치 창출에 이바지하여 기업의 이윤 획득은 물론 경제를 발전시키는 원동력이 된다.
| 바로알기 | ㄴ. 불확실한 미래에 과감히 도전하면서 신속하고 유연하게 의사 결정을 내리는 자세가 기업가에게 요구되는 것이지, 기업가 정신을 가진다고 해서 불확실한 미래를 정확히 예측할 수 있는 것은 아니다. ㄹ. 기업가 정신은 위험을 감수하고 불확실한 미래에 도전하는 것이므로 성공이 보장되지 않으며, 오히려 실패할 경우 큰 손실을 보기도 한다.

9 **| 바로알기 |** ② 다른 회사의 제품을 모방하여 생산하는 것은 이윤 추구에 도움이 될 수는 있지만, 기업가의 혁신적인 자세로 보기는 어렵다.

서술형 문제

10 **| 예시답안 |** 기업은 이윤을 얻기 위해 생산 활동을 한다. 그 과정에서 가계의 노동과 자본을 사용하고 임금과 이자를 지급함으로써 가계에 일자리와 소득을 제공한다. 이와 더불어 기업은 세금을 납부함으로써 정부의 재정에 이바지한다.

구분	채점 기준
상	생산 활동, 고용과 소득 창출, 세금 납부 세 가지를 모두 서술한 경우
중	생산 활동, 고용과 소득 창출, 세금 납부 중 두 가지만 서술한 경우
하	생산 활동, 고용과 소득 창출, 세금 납부 중 한 가지만 서술한 경우

11 **| 예시답안 |** 기업은 세금을 성실하게 납부하고, 회계를 투명하게 관리하는 등 사회 규범과 법률을 준수하면서 합법적으로 경제 활동을 해야 한다.

구분	채점 기준
상	성실한 세금 납부, 투명한 회계 관리 등 법적 책임을 다하면서 경제 활동을 해야 한다고 정확히 서술한 경우
하	법적 책임을 져야 한다고만 서술한 경우

12 **| 예시답안 |** 기업가 정신을 통해 새로운 상품과 기술을 개발하여 사람들의 삶을 더 풍요롭게 만들 수 있고, 기존에 없던 새로운 가치를 창출함으로써 이윤을 얻고 국가 경제 발전에 이바지할 수 있다.

구분	채점 기준
상	새로운 상품과 기술 개발, 새로운 가치 창출을 통한 경제 발전을 모두 포함하여 정확히 서술한 경우
하	새로운 상품과 기술 개발과 새로운 가치 창출을 통한 경제 발전 중 한 가지만 서술한 경우

03 금융 생활의 중요성

개념 확인하기 p. 43

1 (1) 유소년기 (2) 소비 (3) 소득 2 (1) ㄱ (2) ㄴ (3) ㄷ (4) ㄹ
3 (1) – ㉢ (2) – ㉡ (3) – ㉠ 4 신용 5 (1) × (2) ○ (3) ○

내공 쌓는 족집게 문제 p. 44~45

1 ① 2 ⑤ 3 ④ 4 ④ 5 자산 관리 6 ④ 7 ② 8 ④
9 ④ [서술형 문제 10~12] 해설 참조

1 생애 주기를 살펴보면 소비 생활은 평생에 걸쳐 이루어지지만, 소득을 얻을 수 있는 기간은 제한되어 있으므로 지속 가능한 소비 생활을 위하여 장기적 관점에서 재무 계획을 세워야 한다.
| 바로알기 | ㄷ. 소득이 소비보다 많은 시기에 저축을 통해 안정적이고 지속적인 경제생활을 준비해야 한다. ㄹ. 소득은 일반적으로 청년기에 증가하기 시작하여 중·장년기에 최고점에 도달한 후 점차 감소하기 시작한다.

2 ㈎는 중·장년기, ㈏는 청년기의 경제생활의 특징이다.

3 중·장년기에는 노후 대비를 위해 소비를 줄이고, 저축과 투자를 통한 재무 계획을 통해 노후 생활을 대비하는 자세가 필요하다.
| 바로알기 | ① 유소년기에는 경제적으로 자립하기가 어려워 부모의 소득에 의존하므로 이 시기에 바람직한 경제생활 태도를 형성해야 한다. ② 생애 주기 동안 모든 시기에 소득을 초과하는 소비는 자제해야 한다. ③ 중·장년기에는 자녀 양육 및 교육, 주택 마련, 은퇴 계획 수립 등으로 소비가 집중적으로 증가하는 시기이지만, 노후 대비를 위해 소비를 줄이고 저축해야 한다. ⑤ 노년기에는 은퇴로 인해 소득보다 소비가 많아지는 시기이므로 무리한 투자는 피하고 안정적으로 자산을 관리해야 한다.

4 ㈎는 소비 곡선, ㈏는 소득 곡선이다. ㈏ 곡선을 통해 소득을 얻을 수 있는 기간이 제한되어 있음을 알 수 있다. ㉠과 ㉢은 소비가 소득보다 많은 영역이고, ㉡은 소득이 소비보다 많은 영역이다.
| 바로알기 | ㄹ. ㉡ 부분의 저축을 통해 노후를 준비해야 한다.

5 지속 가능한 소비 생활을 위해 자신이 벌어들인 소득을 활용하여 유형·무형의 자산을 언제, 얼마나 구입하고 처분할지를 계획하고, 실천하는 것을 자산 관리라고 한다.

6 **| 바로알기 |** ④ 인간의 생애 주기에서 소득을 얻을 수 있는 기간은 제한되어 있으므로 평생의 소득과 소비를 고려하여 합리적으로 자산을 관리할 필요가 있다.

7 ㈎는 주식, ㈏는 채권이다. 주식은 수익성이 높지만, 안전성이 낮아 위험성이 크다.
| 바로알기 | ㄴ. 전문가를 통해 간접적으로 투자하는 자산은 펀드이다. ㄹ. 다양한 자산 중에서 예금과 적금이 가장 안전성이 높다. 예·적금에 비해 주식과 채권은 안전성이 낮다.

8 올바른 자산 관리를 하려면 자산을 늘리는 것뿐만 아니라 불필요한 낭비를 줄여야 한다. 그리고 자산의 특성, 투자의 목적과 기간 등을 살펴보아 자신에게 맞는 자산 관리 방법을 선택하고 다양한 유형의 자산에 적절하게 분산 투자해야 한다.
| 바로알기 | ㄱ. 투자 목적과 기간을 고려하고, 자신에게 맞는 자산 관리 방법을 스스로 선택하여 자산을 안정적으로 유지해야 한다. ㄷ. 수익성, 안전성, 유동성 등 자산의 특성을 고려하여 다양한 금융 상품에 분산 투자해야 한다.

9 **| 바로알기 |** ④ 신용도가 낮으면 금융 기관에서 돈을 빌리지 못하게 되거나, 빌리더라도 다른 사람들보다 더 높은 이자를 지불해야 한다.

서술형 문제

10 **| 예시답안 |** 소비 생활은 평생에 걸쳐 이루어지지만, 소득을 얻을 수 있는 기간은 한정적이다. 또한 소득이 소비보다 많은 시기가 있는 반면, 소비가 소득보다 많은 시기가 있다.

구분	채점 기준
상	생애 주기에 따른 소득과 소비의 특징을 정확히 서술한 경우
하	생애 주기에 따른 소득이나 소비의 특징 중 한 가지만 서술한 경우

11 **| 예시답안 |** 한 가지 금융 상품에 모든 자산을 투자하기보다 수익성, 안전성, 유동성 등 자산의 특성을 고려하여 분산 투자를 해야 어느 한 곳에서 손해를 보더라도 다른 곳에서 그 손해를 보충할 수 있어 안정적으로 자산을 운용할 수 있다.

구분	채점 기준
상	수익성, 안전성, 유동성 등을 고려하여 다양한 금융 상품에 분산 투자를 해야 한다고 정확히 서술한 경우
하	분산 투자를 해야 한다고만 서술한 경우

12 **| 예시답안 |** 신용도가 떨어져 신용 카드 발급 제한, 대출 거절, 취업 제한 등과 같은 불이익을 받을 수 있다.

구분	채점 기준
상	신용도가 떨어져 다양한 불이익을 받게 된다는 것을 정확히 서술한 경우
하	신용도가 떨어진다고만 서술한 경우

Ⅳ 시장 경제와 가격

01 시장의 의미와 종류 ~ 02 시장 가격의 결정

개념 확인하기 p. 47

1 (1) 시장 (2) 증가, 감소 (3) 균형 가격 2 (1) ㄱ, ㄴ, ㅁ (2) ㄷ, ㄹ, ㅂ 3 (1) ○ (2) × (3) × 4 (1) – ㉡ (2) – ㉠ (3) – ㉣ (4) – ㉢ 5 (1) 음(–) (2) 감소, 증가 (3) 우상향 (4) 공급, 하락

내공 쌓는 족집게 문제 p. 48~49

1 ③ 2 ⑤ 3 ③ 4 ④ 5 ③ 6 ② 7 ② 8 ③ 9 ① [서술형 문제 10~12] 해설 참조

1 재화나 서비스를 팔려는 사람과 사려는 사람이 만나 거래가 이루어지는 곳을 시장이라고 한다. 오늘날의 시장은 구체적인 장소뿐만 아니라 상품의 정보 교환과 거래가 이루어질 수 있는 모든 곳을 의미한다.
| 바로알기 | ① 공급은 일정한 가격에 어떤 상품을 판매하고자 하는 욕구이다. ② 수요는 일정한 가격에 어떤 상품을 구매하고자 하는 욕구이다. ④ 균형 가격은 수요 곡선과 공급 곡선이 만나는 지점에서 형성된 가격이다. ⑤ 생산 요소는 생산을 위해 필요한 모든 자본과 서비스를 말한다.

2 (가)는 재래시장, (나)는 전자 상거래 시장을 나타낸다. 두 유형의 시장 모두 수요자와 공급자가 만나 거래가 이루어진다.
| 바로알기 | ① (가)는 눈에 보이는 시장이다. ② 주식 시장, 외환 시장은 눈에 보이지 않는 시장으로, (나)와 같은 유형에 해당된다. ③ 최근 들어 정보 통신 기술과 인터넷의 발달로 전자 상거래 시장의 규모는 점점 더 커지고 있다. ④ (가), (나)는 모두 생산물 시장에 해당한다.

3 **| 바로알기 |** ③ 상품의 가격이 상승하면 수요량은 감소하고, 공급량은 증가한다.

4 ㄴ. 제시된 그래프는 가격과 공급량의 양(+)의 관계를 나타낸 공급 곡선이다. ㄹ. ⓑ는 상품의 가격이 올라가면 공급량이 증가함을 나타낸다.
| 바로알기 | ㄱ. 제시된 그래프는 공급 법칙을 나타낸 것이다. ㄷ. ⓐ는 가격 하락에 따른 공급량의 감소를 나타낸다.

5 수요량은 일정한 가격 수준에서 수요자가 구매하고자 하는 상품의 양으로, 상품의 가격이 상승하면 수요량은 감소하고 가격이 하락하면 수요량은 증가한다. 이를 수요 법칙이라고 한다. 수요 법칙에 따라 가격과 수요량은 음(–)의 관계에 있으며, 이를 그래프로 나타내면 우하향하는 모양이 된다.

6 가격이 200원일 때 공급량은 30개, 가격이 400원일 때 공급량은 60개이다. 따라서 가격이 200원에서 400원으로 상승하면 공급량은 30개 증가한다.

7 시장 가격은 수요량과 공급량이 일치하는 지점에서 형성되며, 이때의 시장 가격을 균형 가격, 이때의 거래량을 균형 거래량이라고 한다. 균형 가격 상태에서 수요자와 공급자는 자신이 원하는 양만큼 상품을 거래할 수 있게 되어 시장은 가장 효율적인 상태가 된다.
| 바로알기 | ② 균형 가격은 수요량이나 공급량이 변할 경우에 변동할 수 있다.

8 시장에서 수요량과 공급량이 일치하는 지점에서 균형 가격과 균형 거래량이 형성된다. 따라서 균형 가격은 300원, 균형 거래량은 600개이다.

9 연필의 가격이 450원일 때 수요량은 300개, 공급량은 900개이므로 600개의 초과 공급이 발생한다.
| 바로알기 | ② 연필의 가격이 균형 가격보다 높으므로 초과 수요는 발생하지 않는다. ③ 공급자들은 연필의 가격을 낮춰서라도 연필을 팔려고 할 것이다. ④ 공급자들끼리의 판매 경쟁으로 연필의 가격이 하락할 것이다. ⑤ 가격 하락 압력이 나타나 수요량과 공급량이 일치하는 300원에서 균형 가격을 형성할 것이다.

서술형 문제

10 **| 예시답안 |** 꽃 시장은 일상생활에 필요한 상품이 거래되는 생산물 시장이며, 구체적 장소가 존재하여 거래 모습이 눈에 보이는 시장이다.

구분	채점 기준
상	제시어 두 개를 모두 사용하여 정확히 서술한 경우
하	제시어 중 한 개만 사용하여 서술한 경우

11 **| 예시답안 |** 제시된 그래프는 수요 곡선이다. 수요 곡선은 수요 법칙을 나타내는 그래프로, 수요 법칙은 상품의 가격이 올라가면 수요량이 감소하고, 가격이 내려가면 수요량이 증가하는 것을 의미한다.

구분	채점 기준
상	수요 법칙의 의미를 정확히 서술한 경우
하	수요 법칙의 의미를 미흡하게 서술한 경우

12 (1) (가) 수요 법칙, (나) 공급 법칙
(2) **| 예시답안 |** 가격이 (다)일 때에는 초과 수요가 발생하므로 수요자들 간의 구매 경쟁이 일어나 상품의 가격이 상승할 것이다.

구분	채점 기준
상	초과 수요, 수요자들 간의 구매 경쟁, 상품의 가격 상승을 정확히 서술한 경우
중	초과 수요, 수요자들 간의 구매 경쟁, 상품의 가격 상승 중 두 가지만 서술한 경우
하	초과 수요, 수요자들 간의 구매 경쟁, 상품의 가격 상승 중 한 가지만 서술한 경우

03 시장 가격의 변동

개념 확인하기 p. 51

1 (1) × (2) × (3) ○ (4) ○ 2 (1) ㄱ, ㅁ, ㅂ (2) ㄴ, ㄷ, ㄹ
3 (1) 증가, 감소 (2) 오른쪽, 증가 (3) 감소, 하락 4 (1) – ⓒ
(2) – ⓛ (3) – ⓖ (4) – ⓔ 5 (1) 배분 (2) 하락 (3) 신호등

내공 쌓는 족집게 문제 p. 52~53

1 ③ 2 ④ 3 ② 4 ① 5 ④ 6 ① 7 ② 8 ④
9 ③ [서술형 문제 10~12] 해설 참조

1 상품 가격 이외의 요인이 변화하여 수요 자체가 증가하거나 감소하는 것을 수요의 변동이라고 하며, 수요 변동의 요인에는 소득의 변화, 소비자의 기호 변화, 대체재나 보완재 등 관련 상품의 가격 변화, 인구수의 변화, 미래 상품 가격에 대한 예상 등이 있다.
| 바로알기 | ③ 생산 요소의 가격 변화는 생산 비용에 영향을 주어 공급의 변동을 가져온다.

2 서로 용도가 비슷하여 한 상품을 대신해서 사용할 수 있는 경쟁 관계의 재화를 대체재라고 하고, 함께 소비할 때 만족도가 커지는 보완 관계의 재화를 보완재라고 한다. 삼겹살은 닭고기의 대체재이며, 상추는 삼겹살의 보완재이다. 삼겹살의 가격이 하락하면 삼겹살의 수요가 증가하여 상추의 수요도 증가할 것이다.
| 바로알기 | ④ 대체재의 가격이 상승하면 해당 상품의 수요는 증가한다. 따라서 삼겹살의 가격이 상승하면 닭고기의 수요는 증가할 것이다.

3 공급 곡선이 오른쪽으로 이동하는 것은 공급의 증가를 나타낸다. 생산 기술 발달과 생산 요소 가격 하락은 공급 증가 요인이다.
| 바로알기 | ㄴ, ㄹ. 공급자의 수 감소와 상품 가격 상승 예상은 공급 감소 요인으로, 공급 곡선을 왼쪽으로 이동시킨다.

4 소비자의 선호도 증가는 수요 증가 요인으로, 수요 곡선이 오른쪽으로 이동한다.
| 바로알기 | ② 수요 감소로 수요 곡선이 왼쪽한다. ③ 공급 증가로 공급 곡선이 오른쪽으로 이동한다. ④ 공급 감소로 공급 곡선이 왼쪽으로 이동한다. ⑤ 수요가 증가하고 공급이 감소하여 수요 곡선은 오른쪽으로, 공급 곡선은 왼쪽으로 이동한다.

5 ① 대체재의 가격 상승, ② 보완재의 가격 하락, ⑤ 선호도 증가 등은 수요를 증가시켜 균형 가격을 상승시킨다. ③ 쌀 수확량 감소는 공급을 감소시켜 균형 가격을 상승시킨다.
| 바로알기 | ④ 생산 기술이 발달하면 공급이 증가하고 이로 인해 균형 가격이 하락한다.

6 빵의 원료가 되는 밀가루와 옥수수 가루의 가격이 오름에 따라 빵의 공급이 감소하였으며, 이로 인해 균형 가격이 상승하고, 균형 거래량은 감소하였다.

7 대체재의 가격 하락, 소비자의 선호도 감소는 수요를 감소시키는 요인이다. 수요 감소는 수요 곡선을 왼쪽으로 이동시키고, 균형 가격 하락과 균형 거래량 감소를 가져온다.
| 바로알기 | ①, ④ 제시된 요인은 고구마의 수요 변화 요인이다. ③ 제시된 요인으로 인해 고구마의 수요가 감소하여 고구마의 균형 거래량이 감소할 것이다. ⑤ 제시된 요인은 고구마의 수요 감소를 가져와 수요 곡선이 왼쪽으로 이동한다.

8 그래프를 통해 공기 청정기의 수요와 공급이 모두 증가하였음을 알 수 있다. ㄴ. 소비자의 선호도 증가는 수요 증가 요인이다. ㄹ. 생산 요소의 가격 하락은 공급 증가 요인이다.
| 바로알기 | ㄱ. 언론의 공기 청정기 문제점 보도는 선호도 감소 효과를 가져와 수요를 감소시킨다. ㄷ. 공급자 수의 감소는 공급 감소 요인이다.

9 **| 바로알기 |** ③ 시장 가격은 시장에서 같은 상품을 가장 낮은 비용으로 생산하는 사람이 상품을 공급하게 한다. 소비자들은 상품의 질이 같을 경우 가격이 낮은 상품을 선택하려고 한다. 이에 따라 생산자들은 생산비를 절감하여 값싸고 질 좋은 상품을 생산하기 위해 노력한다.

서술형 문제

10 **| 예시답안 |** 과일과 채소에 대한 소비자의 선호도가 증가하면서 과일과 채소의 수요가 증가하여 수요 곡선이 오른쪽으로 이동할 것이다.

구분	채점 기준
상	수요 증가와 수요 곡선의 오른쪽 이동을 정확히 서술한 경우
하	수요 증가와 수요 곡선의 오른쪽 이동 중 한 가지만 서술한 경우

11 **| 예시답안 |** 라면을 생산하는 데 필요한 생산 요소의 가격이 상승하면 라면의 공급은 감소하게 된다. 공급의 감소로 인해 공급 곡선이 왼쪽으로 이동하면 균형 가격은 상승하고, 균형 거래량은 감소한다.

구분	채점 기준
상	균형 가격의 상승, 균형 거래량의 감소를 정확히 서술한 경우
하	균형 가격의 상승, 균형 거래량의 감소 중 한 가지만 서술한 경우

12 **| 예시답안 |** 시장 가격은 소비자와 생산자에게 경제 활동을 어떻게 조절할 것인지 알려 주는 시장 경제의 신호등과 같은 기능을 한다.

구분	채점 기준
상	시장 가격은 시장 경제의 신호등과 같은 기능을 한다고 정확히 서술한 경우
하	소비자는 소비를 줄이고 생산자는 생산을 늘린다고만 서술한 경우

01 국내 총생산과 경제 성장

개념 확인하기 p. 55

1 국내 총생산 2 (1) ○ (2) × (3) × 3 (1) 부가 가치 (2) 국내 총생산 (3) 삶의 질 4 경제 성장 5 (1) 물가 (2) 빈부 격차 (3) 삶의 질 6 (1) ㄱ, ㄷ (2) ㄴ, ㄹ

내공 쌓는 족집게 문제 p. 56~57

1 ③ 2 ③ 3 ④ 4 ⑤ 5 ② 6 ② 7 ③ 8 ⑤
9 ④ [서술형 문제 10~12] 해설 참조

1 국내 총생산은 영토를 기준으로 계산한 경제 지표로, 한 나라의 경제 규모와 생산 능력, 국민 전체의 소득 수준을 보여 준다.

2 **| 바로알기 |** ㄱ. 우리나라 국경 안에서 창출된 소득이 아니므로 우리나라의 국내 총생산에 포함되지 않는다. ㄹ. 국내 총생산의 가치는 시장 가격으로 측정되므로 시장에서 거래되지 않는 것은 포함되지 않는다.

3 국내 총생산은 최종 생산물의 시장 가치이므로 책상(5만 원)과 빵(3만 원)의 가치를 더한 8만 원이 A 국의 국내 총생산이 된다. 다른 방법으로 각 생산 단계마다 더해진 부가 가치를 모두 합하여(1만 원+1만 원+3만 원+1만 원+1만 원+1만 원=8만 원) 계산할 수도 있다.

4 빈칸에 들어갈 말은 1인당 국내 총생산이다. 1인당 국내 총생산은 국내 총생산(GDP)을 그 나라의 인구수로 나눈 것으로 한 나라 국민의 평균 소득과 생활 수준을 파악할 수 있어 국가 간 국민들의 경제생활 수준을 비교하기에 유용하다.

5 **| 바로알기 |** ㄱ, ㄹ. 가사 노동, 봉사 활동과 같이 시장에서 거래되지 않거나 대가를 받지 않는 활동은 국내 총생산에 포함되지 않는다.

6 환경 오염이나 교통사고는 삶의 질을 떨어뜨리지만, 이에 대한 처리 비용이 국내 총생산에 반영되면 국내 총생산이 증가하는 결과가 나타난다. 이처럼 국내 총생산은 국민의 삶의 질 수준을 정확하게 파악하기 어렵다는 한계가 있다.

7 **| 바로알기 |** ③ 경제 성장은 한 나라 안에서 생산하는 재화와 서비스의 총량이 늘어나는 것, 즉 한 나라의 실제 생산 능력과 경제 규모가 커지는 현상이다. 따라서 경제 성장률이 높아지면 그 나라의 경제 규모는 확대된다.

8 경제가 성장하면 일자리가 늘어나고 실업이 감소하며, 국민 소득이 증가한다. 이로 인해 사람들은 더 많은 재화와 서비스를 소비할 수 있게 되어 물질적 풍요를 누릴 수 있다. 또한 질 높은 교육과 의료 혜택, 다양한 문화생활과 복지 혜택을 누릴 수 있게 되어 삶의 질이 향상된다.
| 바로알기 | ⑤ 경제가 성장하는 과정에서 자원이 고갈되거나 환경이 파괴되어 국민이 쾌적한 생활을 하는 데 방해가 될 수 있다.

9 경제가 성장하는 과정에서 자원 고갈과 환경 오염을 일으킬 수 있고, 경제 활동 시간이 늘어나 여가 생활이 부족해질 수 있으며, 경제 성장의 혜택이 적절하게 분배되지 않는 문제가 발생할 수 있다.

서술형 문제

10 **| 예시답안 |** ㉠ 국내 총생산은 생산에서 사용된 중간 생산물(중간재)의 가치는 제외하고, 최종적으로 생산된 재화와 서비스의 가치만을 측정한다. ㉡ 국내 총생산은 그해에 새롭게 생산된 것만 포함하며, 그 전에 생산된 중고품은 제외된다.

구분	채점 기준
상	㉠, ㉡의 가치가 국내 총생산에 포함되지 않는 이유를 모두 서술한 경우
하	㉠, ㉡ 중 한 가지에 대해서만 서술한 경우

11 (1) 을국
(2) **| 예시답안 |** 갑국. 한 나라 국민의 평균적인 소득 수준을 평가하는 척도인 1인당 국내 총생산은 갑국이 을국보다 높기 때문이다.

구분	채점 기준
상	갑국이라고 쓰고, 1인당 국내 총생산의 의미를 통해 을국과의 차이점을 비교하여 정확히 서술한 경우
하	갑국이라고만 쓴 경우

12 **| 예시답안 |** 국내 총생산은 재화와 서비스의 총생산량이 전년도에 비해 늘어나지 않고 물가만 오를 때도 증가할 수 있으므로 물가 변동을 제거하고, 기준이 되는 연도의 가격을 적용하여 실질 국내 총생산이 얼마나 증가했는지를 측정해야 경제 성장률을 정확히 파악할 수 있기 때문이다.

구분	채점 기준
상	물가 변동을 제거하여 실질 국내 총생산의 증가율을 측정해야 경제 성장 정도를 제대로 파악할 수 있다는 점을 정확히 서술한 경우
하	경제 성장 정도를 파악하기 위해서라고만 서술한 경우

02 물가와 실업

개념 확인하기 p. 59

1 인플레이션 2 (1) × (2) ○ (3) ○ 3 (1) 하락 (2) 감소 (3) 불리 4 실업 5 (1) – ㉡ (2) – ㉠ (3) – ㉣ (4) – ㉢ 6 (1) 비경제 활동 인구 (2) 인적 자원 (3) 재정

내공 쌓는 족집게 문제 p. 60~61

1 ② 2 ④ 3 ① 4 ③ 5 ④ 6 ④ 7 ④ 8 ① 9 ④ **[서술형 문제 10~12]** 해설 참조

1 ㉠ 시장에서 거래되는 상품 가격의 전반적인 수준을 물가라고 하고, ㉡ 일정 기간 동안 물가가 지속적으로 상승하는 현상을 인플레이션이라고 한다.

2 가계의 소비, 기업의 투자, 정부의 재정 지출과 같은 총수요가 총공급보다 많은 경우, 원자재 가격이 상승하여 생산비가 오르는 경우, 시중에 공급되는 통화량이 많아지는 경우 소비나 투자가 활발해지고, 화폐의 가치가 하락하며 물가가 상승한다.

3 물가가 상승하면 일정한 금액으로 살 수 있는 재화와 서비스의 수량과 질이 감소한다. 즉 물가가 상승하면 화폐의 가치가 하락한다.
| 바로알기 | ② 물가가 상승하면 부동산 투기와 같은 불건전한 거래 행위가 증가한다. ③ 물가 상승으로 생산비가 오르면 기업은 생산을 줄이게 되고, 이로 인해 고용이 줄어들 수 있다. ④ 물가가 상승하면 자국 상품이 비싸져 수출이 감소하고 수입이 증가한다. ⑤ 물가가 상승하면 봉급생활자는 어려워지고, 실물 소유자는 유리해져 부와 소득의 불평등 현상이 심화한다.

4 **| 바로알기 |** ③ 인플레이션은 화폐 가치의 하락, 상품 가격의 상승으로 이어진다. 따라서 예금 등 금융 자산을 소유한 사람, 수출업자, 채권자는 불리해지고, 건물, 토지와 같이 실물 자산을 소유한 사람, 수입업자, 채무자, 임금을 지급하는 기업가는 유리해진다.

5 ④ 정부는 재정 지출을 줄이고 조세를 늘리며, 공공요금과 생활필수품의 가격 인상을 억제함으로써 물가를 안정시킬 수 있다.

6 학생이나 전업주부, 직업 구하기를 포기한 구직 단념자 등은 비경제 활동 인구로, 실업자에 포함되지 않는다.
| 바로알기 | ④ 실업률은 (나) 경제 활동 인구 중에서 (마) 실업자가 차지하는 비율이다.

7 (가)는 새로운 기술의 도입으로 기존의 기술이나 생산 방법이 필요 없어지면서 발생하는 구조적 실업, (나)는 새로운 일자리를 찾는 과정에서 발생하는 마찰적 실업이다.

8 **| 바로알기 |** ① 경기 침체로 경제 상황이 나빠지면 기업은 신규 채용을 줄이거나 고용 인원을 줄이는데, 이때 발생하는 실업을 경기적 실업이라고 한다. 마찰적 실업은 기존에 다니던 직장을 그만두고 더 나은 조건의 일자리를 구하기 위해 일시적으로 실업 상태가 된 것을 말한다.

9 **| 바로알기 |** ㄹ. 정부는 재정 지출을 늘려 투자와 소비를 활성화함으로써 새로운 일자리를 창출하기 위해 노력해야 한다.

서술형 문제

10 **| 예시답안 |** 인플레이션. 시중에 유통되는 통화량이 증가하여 물가가 급격하게 상승하였다.

구분	채점 기준
상	인플레이션이라고 쓰고, 통화량 증가가 원인임을 정확히 서술한 경우
하	인플레이션, 통화량 증가 중 한 가지만 서술한 경우

11 (1) ㉠ 경제 활동 인구, ㉡ 실업자
(2) **| 예시답안 |** 일할 능력이 있는 사람들이 경제 활동에 참여하지 못하게 되어 인적 자원이 낭비되며, 가계의 소비 감소로 기업의 생산 활동이 위축되어 경기가 침체된다. 또한 실업 문제를 해결하기 위해 정부의 재정 부담이 증가하고, 빈곤 확산, 생계형 범죄 증가 등으로 사회 불안이 커진다.

구분	채점 기준
상	실업이 끼치는 사회적 영향을 두 가지 이상 서술한 경우
하	실업이 끼치는 사회적 영향을 한 가지만 서술한 경우

12 **| 예시답안 |** (가) 재정 지출을 줄이고 조세를 늘리며, 공공요금과 생활필수품 가격의 인상을 억제한다. (나) 재정 지출을 확대하고 직업 훈련, 취업 정보 제공 등을 통해 실업자들이 새로운 일자리를 얻을 수 있도록 지원하며, 실업 급여를 지급하여 실업자의 생활 안정을 돕는다.

구분	채점 기준
상	(가) 물가 안정, (나) 고용 안정을 위한 정부의 역할을 모두 서술한 경우
하	(가) 물가 안정, (나) 고용 안정을 위한 정부의 역할 중 한 가지만 서술한 경우

03 국제 거래와 환율

개념 확인하기 p. 64

1 국제 거래 2 (1) 관세 (2) 환율 3 (1) ○ (2) ○ (3) × 4 (1) ㄷ (2) ㄱ (3) ㄴ 5 (1) 하락 (2) 상승 (3) 수요 6 (1) 하 (2) 상 (3) 상

내공 쌓는 족집게 문제 p. 64~67

1 ① 2 ③ 3 ④ 4 ⑤ 5 ④ 6 ④ 7 ③ 8 ②
9 ④ 10 ⑤ 11 ③ 12 ⑤ 13 ③ 14 ② 15 ⑤
16 ③ 17 ④ 18 ⑤ [서술형 문제 19~21] 해설 참조

1 국제 거래는 국가 간에 생산물이나 생산 요소 등이 국경을 넘어 상업적으로 거래되는 것이다. 국제 거래는 전 세계를 대상으로 하므로 그 규모가 매우 크며, 국제 거래를 통해 각국은 자국 내에서 생산되지 않거나 부족한 재화, 자원, 기술, 서비스 등을 얻을 수 있어 국가 간에 상호 이익이 된다.
| 바로알기 | ① 국제 거래는 거래 과정에서 관세와 환율 등을 고려해야 하고, 거래 국가의 법률, 제도, 문화 등도 고려해야 하므로 국내 거래에 비해 복잡하고 제약도 많은 편이다.

2 제시문은 종교와 문화, 관습의 차이로 인해 국제 거래에 제약이 발생할 수 있음을 보여 준다. 이처럼 국가 간의 종교나 문화의 차이로 인해 국내에서는 자유롭게 거래되는 상품이 다른 나라에서는 거래가 금지되거나 제한될 수 있다.

3 국가마다 자연환경, 생산 요소, 기술 수준 등과 같은 생산 여건이 달라 같은 상품을 생산하더라도 생산비가 서로 다르다. 따라서 각국은 생산에 유리한 상품을 특화하여 생산하고, 이를 서로 교역함으로써 상호 간에 이익을 얻는다.
| 바로알기 | ㄹ. 각국은 국제 거래를 통해 생산에 유리한 품목을 특화하여 수출하고, 생산에 불리한 품목은 수입하여 사용하는 것이 유리하다.

4 국제 거래를 통해 각 나라가 생산에 유리한 상품을 특화하여 수출하고, 생산에 불리한 품목은 수입하여 사용하면 상품의 생산 단가가 낮아져 재화의 생산량이 많아지고, 각 나라에서 소비할 수 있는 재화의 양이 늘어난다. 이렇게 국가 간 상호 이익이 되기 때문에 국제 거래가 이루어진다. 국제 거래를 통해 소비자는 상품 선택의 기회가 확대되어 풍요로운 소비 생활을 할 수 있고, 기업은 넓은 해외 시장을 확보하여 많은 이윤을 얻을 수 있으며, 외국 기업과 경쟁하면서 기술 혁신을 이룰 수 있다.
| 바로알기 | ⑤ 각국은 자연환경, 생산 요소, 기술 수준 등의 생산 여건이 서로 다르다. 이로 인해 같은 상품을 생산하더라도 나라마다 생산 비용이 달라진다.

5 모든 품목을 독자적으로 생산하는 것보다 무역을 하는 것이 더 적은 비용으로 많은 재화와 서비스를 생산하고 소비할 수 있는 방법이다.
| 바로알기 | ④ 각 나라는 생산에 유리한 조건을 갖춘 품목을 특화하여 수출하고, 생산에 불리한 품목은 수입하여 사용한다.

6 제시된 내용에서 우리나라가 반도체와 옷을 모두 생산할 수 있지만, 반도체를 생산하여 수출하고 옷을 수입하여 입는 것은 비교 우위가 있는 부분을 특화하여 교역을 하는 것이 더 많은 이익을 얻을 수 있는 방법이기 때문이다.

7 **| 바로알기 |** ㄱ. 각국은 공동의 이익을 위해 경제 협력을 강화하고 있다. ㄹ. 오늘날 재화뿐만 아니라 서비스, 자본과 노동 등과 같은 생산 요소, 기술, 문화 창작물 및 특허권 등과 같은 지적 재산권에 이르기까지 국제 거래의 대상이 확대되고 있다.

8 제시된 그래프는 전 세계 무역 규모가 지속적으로 증가하고 있음을 보여 준다. 오늘날에는 지리적으로 가까운 국가 간에 지역 경제 협력체를 구성하거나 자유 무역 협정(FTA) 체결 등을 통해 국가 간 관세나 비관세 무역 장벽을 없애 상호 경제적 이익을 높이기 위해 협력하고 있다.
| 바로알기 | ② 관세는 국제 거래를 방해하는 무역 장벽으로 작용하여 국제 거래가 확대되는 데 걸림돌이 될 수 있다.

9 밑줄 친 협력체는 지역 경제 협력체이다. 지역 경제 협력체는 지리적으로 가깝고 경제적으로 상호 의존도가 높은 국가끼리 구성한 경제 협력체로서 회원국 간에 자유 무역을 촉진하고, 비회원국에는 무역 장벽을 쌓아 회원국 상호 간의 경제적 이익을 추구한다. 유럽 연합(EU), 아시아·태평양 경제 협력체(APEC), 동남아시아 국가 연합(ASEAN) 등이 있다.
| 바로알기 | ㄴ. 세계 무역 기구(WTO)는 국가 간 무역 장벽을 제거하고 자유 무역을 확대하기 위해 설립된 국제기구이다.

10 ① 환율은 자국 화폐와 외국 화폐의 교환 비율로서 외화의 가격을 의미한다. 환율은 외국 화폐 1단위와 교환되는 자국 화폐의 가격으로 표시한다. ② 환율은 외화의 수요와 공급에 의해 결정된다. ③ 외화의 수요가 공급보다 많으면 환율이 높아지고, 외화의 공급이 수요보다 많으면 환율이 낮아진다. ④ 환율의 상승은 원화 가치의 하락, 외화 가격의 상승을 의미한다.
| 바로알기 | ⑤ 환율의 하락은 원화 가치의 상승을 의미한다.

11 외화의 수요는 외화가 해외로 나가는 것으로 수입, 자국민의 해외여행, 해외 투자, 유학, 외채 상환 시 발생한다. 반면 외화의 공급은 외화가 국내로 들어오는 것으로 수출, 외국인 관광객 유치, 외국인의 국내 투자, 차관 도입 시 발생한다.

12 ㄷ. 수입 증가로 외화의 수요가 증가하는 경우, ㄹ. 수출 감소로 외화의 공급이 감소하는 경우 환율이 상승할 수 있다.
| 바로알기 | ㄱ. 해외여행 감소로 외화의 수요가 감소하는 경우, ㄴ. 외국인의 국내 유학 증가로 외화의 공급이 증가하는 경우 환율이 하락할 수 있다.

13 그래프에서 우하향하는 곡선이 외화의 수요 곡선이다. 수요 곡선이 오른쪽으로 이동한 것은 외화의 수요가 증가했음을 의미한다. 외화의 수요가 증가하면 환율이 상승한다.

14 환율이 상승하면 같은 양의 원화로 교환할 수 있는 달러의 양이 줄어들게 된다. 이는 1달러를 환전할 때 원화가 기존보다 더 필요하게 되는 것으로 원화 가치의 하락을 의미한다.

15 환율이 하락하면 원화의 가치가 상승하고 외화의 가치가 하락한다. 따라서 외화로 표시되는 수출품 가격이 상승하여 수출이 감소하고 수입이 증가한다. 그리고 수입 원자재 가격이 하락하여 국내 물가가 안정된다. 또한 외국인 관광객이 감소하고 자국민의 해외여행과 유학은 증가하며 외채 상환에 대한 부담은 감소한다.

| 바로알기 | ①, ②, ③, ④ 환율 상승이 우리 경제에 미치는 영향이다.

16 제시문은 환율이 상승하고 있는 경제 상황을 설명하고 있다. ㄴ, ㄷ. 환율이 상승하면 수입품의 국내 가격이 상승하여 수입이 감소하고, 수입 원자재 가격이 상승하여 국내 물가가 상승한다.

| 바로알기 | ㄱ, ㄹ. 환율의 하락이 우리 경제에 미치는 영향이다.

17 환율이 상승하면 원화의 가치가 하락하고 외화의 가치가 상승한다. 따라서 환율이 상승하면 달러로 표시되는 수출품 가격이 하락하여 수출업자는 유리해지는 반면, 수입품의 국내 가격이 상승하여 수입업자는 불리해진다. 또 한국에서 송금받아 공부해야 하는 한국인 유학생은 원화로 기존보다 많은 액수를 송금해야 하므로 불리해지고, 우리나라로 오는 외국인 관광객은 여행 경비를 절약할 수 있어 유리해진다.

18 **| 바로알기 |** ⑤ 환율이 하락하면 외화로 빚을 진 경우에 갚아야 할 빚이 줄어드는 긍정적인 효과가 발생한다.

서술형 문제

19 **| 예시답안 |** 재화와 서비스의 수출과 수입 과정에서 통관 절차를 거치고 관세를 내야 하며, 국제 거래 시 환율을 고려해야 한다. 또한 나라마다 법과 제도, 문화 등이 다르므로 재화나 서비스의 수입이 금지되거나 제한될 수 있다.

구분	채점 기준
상	국제 거래의 특징을 두 가지 이상 서술한 경우
하	국제 거래의 특징을 한 가지만 서술한 경우

20 **| 예시답안 |** ㈎ 자국민의 해외여행이 늘어나고, 수입이 증가하면 외화가 해외로 나가므로 외화의 수요가 증가한다. ㈏ 수출이 증가하고 외국인 관광객이 증가하면 외화가 국내로 들어오므로 외화의 공급이 증가한다.

구분	채점 기준
상	㈎ 외화의 수요 증가, ㈏ 외화의 공급 증가를 모두 서술한 경우
하	㈎ 외화의 수요 증가, ㈏ 외화의 공급 증가 중 한 가지만 서술한 경우

21 **| 예시답안 |** ㉠ 환율이 상승하면 외화로 표시되는 우리나라 상품의 가격이 하락하므로 수출이 증가한다. 한편, ㉡ 환율이 상승하면 수입품의 국내 가격이 상승하므로 수입이 감소한다.

구분	채점 기준
상	수출품과 수입품의 가격 변동을 언급하면서 수출이 증가하고 수입이 감소한다고 정확히 서술한 경우
하	수출이 증가하고 수입이 감소한다고만 서술한 경우

01 국제 사회의 이해 ~ 02 국제 사회의 모습과 공존 노력

개념 확인하기 p. 70

1 국제 사회 2 (1) ○ (2) ○ (3) × 3 (1) ㄴ (2) ㄱ (3) ㄹ (4) ㄷ 4 (1) 경쟁 (2) 확대, 증가 5 외교 6 (1) × (2) ○

내공 쌓는 족집게 문제 p. 70~73

1 ① 2 ② 3 ① 4 ④ 5 ④ 6 ③ 7 ⑤ 8 ③ 9 ② 10 ① 11 ② 12 ③ 13 ④ 14 ② 15 ⑤ 16 ② 17 ③ 18 ④ [서술형 문제 19~21] 해설 참조

1 ㄱ. 국제 사회는 동등한 주권을 가진 국가를 기본 단위로 하여 구성된다. ㄴ. 국제 사회는 힘의 논리가 작용하여 군사력과 경제력이 큰 강대국이 약소국보다 더 많은 영향력을 행사한다.
| 바로알기 | ㄷ. 국제 사회에서 국가 간 갈등이 발생하면 이를 해결해 줄 강력한 중앙 정부가 존재하지 않고, 국제기구도 일정한 제약을 줄 뿐이지 강제력을 행사할 수 없다. ㄹ. 오늘날 국제 사회는 세계화·정보화로 인해 정치, 경제, 문화 등 다양한 분야에서 폭넓은 교류가 이루어지고 있다.

2 국제 사회는 동등한 주권을 가진 국가를 기본 단위로 하여 구성된다. 국제 사회에서는 힘의 논리가 작용하며, 각국은 자국의 이익을 최우선으로 추구한다. 국제 사회에는 강제성을 가진 중앙 정부가 존재하지 않지만, 국제법, 국제기구, 국제 여론 등을 통해 국제 사회의 질서를 유지한다.
| 바로알기 | ② 오늘날 국제 사회에서 국가 간의 상호 의존성이 깊어지고, 국제 사회의 문제에 공동으로 대처해야 할 필요성이 커지면서 국제 협력이 점차 강화되고 있다.

3 밑줄 친 부분에서 몇몇 선진국이 지구 온난화라는 전 지구적인 문제의 해결보다 자국의 이익을 중시하는 모습을 보여 주고 있다. 이처럼 국제 사회에서 각국은 자국의 이익을 최우선으로 추구한다.

4 밑줄 친 '이것'은 국제법, 국제기구의 결정, 국제 여론 등이다. ㄱ, ㄴ, ㄷ. 국제 사회에서 세계 여러 국가는 국가 간 합의에 의해 만들어진 국제 규범인 국제법을 준수하고, 국제기구의 결정과 국제 여론을 존중하며 국제 사회의 질서를 유지하려고 노력한다.

5 빈칸에 들어갈 국제 사회의 행위 주체는 국가이다. 국가는 국제 사회의 가장 기본적이고 대표적인 행위 주체로서, 자국의 안전 보장과 국력의 확장을 위해 여러 가지 활동을 수행한다.
| 바로알기 | ㄱ. 국제 비정부 기구에 대한 설명이다. ㄷ. 국제기구에 대한 설명이다. 국제기구에는 정부 간 국제기구와 국제 비정부 기구가 있다.

6 **| 바로알기 |** ①, ⑤는 정부 간 국제기구, ②는 국가, ④는 다국적 기업에 대한 설명이다.

7 제시된 단체들은 정부 간 국제기구이다. 정부 간 국제기구는 각국 정부를 회원으로 하는 국제기구로서 협상을 통해 회원국들의 이익을 조화롭게 달성하기 위해 노력한다.
| 바로알기 | ①은 다국적 기업, ②는 국가, ③은 소수 인종, 소수 민족, 지방 정부 등과 같은 국가 내부적 행위체, ④는 국제 비정부 기구에 대한 설명이다.

8 세계 여러 나라에 자회사와 공장을 두고 생산과 판매 활동을 하는 국제 사회의 행위 주체는 다국적 기업이다. 다국적 기업은 오늘날 경제력을 바탕으로 정치, 경제, 문화 전반에 큰 영향력을 끼치는 국제 사회의 행위 주체로 활동하고 있다.

9 ㄱ. 다국적 기업은 국제 사회의 상호 의존성을 심화시킨다. ㄹ. 다국적 기업은 경제력을 바탕으로 개별 국가의 정책이나 국제 관계 등 정치, 경제, 사회 전반에 영향력을 행사한다.
| 바로알기 | ㄴ. 국제기구에 대한 설명이다. 다국적 기업은 이윤 추구를 위해 노력한다. ㄷ. 세계화의 진전으로 인해 다국적 기업들의 수와 규모는 점점 확대되고 있다.

10 전쟁 방지와 평화 유지, 국가 간 협력을 위해 활동하는 대표적인 정부 간 국제기구는 국제 연합(UN)이다.

11 제시된 내용은 국제 비정부 기구에 대한 설명이다.
| 바로알기 | ㄴ, ㄷ은 정부 간 국제기구에 해당하는 사례이다. 정부 간 국제기구는 각국의 정부를 회원으로 하며 국제 사회에서 공동의 목적을 달성하기 위해 활동한다.

12 **| 바로알기 |** ③ 한 국가의 국경 내에서 생산하고 판매하는 기업은 국제 사회의 행위 주체로 볼 수 없다. 한 국가의 범위를 넘어 세계적인 규모로 영업을 하는 기업인 다국적 기업이 국제 사회의 행위 주체에 해당한다.

13 **| 바로알기 |** ④ 국제 사회에서 국가 간의 경쟁이 과열되면 갈등이 발생하기도 하는데, 이를 방지하기 위해 지리적으로 가까운 국가끼리 경제 협력체를 구성하거나 협정을 맺어 상호 간의 이익을 증진하기 위해 노력하기도 한다.

14 (가)는 민족의 차이로 인한 갈등, (나)는 자원과 영토를 둘러싸고 일어난 갈등이다. 이러한 갈등은 평화적으로 해결하지 못하면 국제 문제나 국제 분쟁으로 이어질 수 있어 국제 사회의 행위 주체들은 이를 해결하기 위해 노력해야 한다.
| 바로알기 | ② (가)는 국가 간 경쟁의 과열이 아니라 민족에서 비롯한 가치관 등의 차이로 인해 나타난 갈등이다.

15 **| 바로알기 |** ⑤ 국제 사회의 공존을 위해 국가 간에 협력이 필요하지만, 현실적으로 국제 관계에서 각국은 자국의 이익을 최우선으로 고려한다.

16 **| 바로알기 |** ② 오늘날의 외교는 대사의 교환, 정상회담, 정부 간 협상 등 정부 차원의 공식적 외교 활동뿐만 아니라 경제, 사회, 문화, 스포츠 교류, 국제 문제 해결을 위한 봉사 활동 등 다양한 민간 차원의 외교 활동을 포함한다.

17 오늘날 세계화에 따라 국가 간의 교류가 활발해지고 상호 의존성이 높아지면서 개별 국가나 일부 강대국의 힘만으로 해결할 수 없는 문제가 늘어나고 있다. 따라서 국제 사회의 다양한 문제를 함께 해결하기 위한 외교 정책의 중요성이 커지고 있다.

18 **| 바로알기 |** ㄴ. 국제 사회의 행위 주체들이 경제적 이해관계를 우선시하면 갈등과 분쟁이 발생할 수 있다. 국제 사회의 공존을 위해서는 공동체 의식을 바탕으로 국제 사회의 문제에 관심을 갖고, 이를 해결하기 위해 적극적으로 노력해야 한다.

서술형 문제

19 **| 예시답안 |** 국제 사회에서는 원칙적으로 각국이 평등한 주권을 가지고 있지만 실제로는 힘의 논리가 작용한다. 따라서 군사력과 경제력이 큰 강대국이 약소국보다 국제 사회에서 많은 영향력을 행사한다.

구분	채점 기준
상	힘의 논리가 작용함, 강대국들이 많은 영향력을 행사한다는 내용을 정확히 서술한 경우
하	힘의 논리가 작용한다고만 서술한 경우

20 (1) 국제기구
(2) **| 예시답안 |** 국제기구는 각국 정부를 회원으로 하는 정부 간 국제기구와 국경을 넘어 활동하는 개인과 민간단체가 중심이 되어 만들어진 국제 비정부 기구로 구분할 수 있다.

구분	채점 기준
상	국제기구의 종류를 참여 주체에 따라 구분하여 정확히 서술한 경우
하	정부 간 국제기구와 국제 비정부 기구가 있다고만 서술한 경우

21 **| 예시답안 |** 외교를 통해 국가적 차원에서는 각국의 정치적·경제적 이익을 실현할 수 있으며 자국의 위상을 강화할 수 있다. 또한 국제적 차원에서는 국가 간의 분쟁을 해결하고 예방할 수 있으며, 국가 간 우호를 증진할 수 있다.

구분	채점 기준
상	외교 활동의 목적을 국가적, 국제적 차원에서 정확히 서술한 경우
하	외교 활동의 목적을 국가적, 국제적 차원 중 한 가지만 서술한 경우

03 우리나라의 국가 간 갈등 문제

개념 확인하기 p. 75

1 독도 2 (1) ○ (2) ○ (3) × 3 (1) 방지 (2) 동해 (3) 일본 (4) 조업 4 동북공정 5 (1) – ㉠ (2) – ㉡ 6 ㄱ, ㄴ, ㄷ

내공 쌓는 족집게 문제 p. 76~78

1 ⑤ 2 ② 3 ④ 4 ② 5 ⑤ 6 ② 7 ④ 8 ②
9 ⑤ 10 ④ 11 ⑤ 12 ④ 13 ② 14 ④ 15 ④
[서술형 문제 16~18] 해설 참조

1 일본은 대외적으로 독도를 분쟁 지역으로 인식시키고, 국제 사회에서의 힘의 논리를 이용하여 유리한 입장을 확보하기 위해 국제 사법 재판소에서 독도 문제를 해결하려 하고 있다.
| 바로알기 | ⑤ 일본은 세계 지도에 동해를 일본해로 표기하여 홍보하고 있다.

2 일본은 독도의 해양 자원을 선점하고 그 주변 지역을 군사적 거점으로 활용할 목적으로 독도에 대한 영유권을 주장하고 있다.

3 빈칸에 들어갈 국제기구는 국제 사법 재판소이다. 일본은 독도 문제를 국제 사법 재판소에 제소하여 독도를 분쟁 지역으로 만들고, 국제 사회에서 힘의 논리를 이용하여 유리한 입장을 확보하려고 한다.

4 ㄱ. 일본은 세계 지도의 동해 부분에 '일본해' 표기만을 고집하고 있다. ㄹ. 일본은 과거 침략 전쟁 당시 일본 정부와 일본군에 의해 강제로 동원되었던 일본군 '위안부' 문제에 대해 진심 어린 사과를 하고 있지 않다.
| 바로알기 | ㄴ, ㄷ. 어선의 배타적 경제 수역 침범 문제, 왜곡된 역사 연구인 동북공정과 관련된 문제는 우리나라와 중국 간의 갈등에 해당한다.

5 ⑤ 독도는 명백한 우리의 고유 영토이지만 일본은 독도를 자국의 영토라고 주장하며 영유권 문제를 국제 사법 재판소에 제소함으로써 독도를 분쟁 지역으로 인식시키려 하고 있다.

6 야스쿠니 신사에는 제2차 세계 대전을 일으킨 전쟁 범죄자들의 위패가 합사되어 있다. 일본 정치인들이 이를 참배하는 것은 침략 전쟁을 미화하고 식민지 지배에 대해 반성하지 않는 모습을 보여 주는 행위이다.

7 **| 바로알기 |** ㄱ. 영토 분쟁을 해결하려는 것이 아니라 왜곡된 역사 연구를 통해 자신들의 입장을 정당화하는 근거를 마련함으로써 영토 분쟁의 소지를 줄이려는 것이다. ㄷ. 중국은 동북공정을 통해 중국 내 여러 소수 민족의 독립과 이탈을 막고자 한다.

8 중국은 중국 내 여러 소수 민족의 이탈을 막고, 한반도 통일 이후에 나타날 수 있는 영토 분쟁의 가능성에 대비하기 위해 중국 동북 지방을 연구하는 동북공정을 펼쳤다.
| 바로알기 | ② 중국은 동북공정을 통해 오히려 역사를 왜곡하였다.

9 제시된 자료와 같이 중국은 고조선, 고구려, 발해 등 우리의 역사를 고대 중국의 지방 정부였다고 왜곡하고 있다. 이는 현재의 중국 영토에 속하는 과거사를 모두 중국의 역사로 편입시키고자 하는 중국의 의도를 보여 준다.

10 **| 바로알기 |** ④ 중국의 역사 왜곡은 우리나라와의 갈등을 지속시키고, 영토 분쟁으로 이어질 수 있으므로 중국의 역사 왜곡 문제에 지속적인 관심을 가지고 고대사 연구를 통해 대응 논리를 마련하는 한편, 외교적 노력을 꾸준히 해 나가야 한다.

11 우리나라는 중국의 동북공정을 통한 고대사 왜곡과 우리나라의 배타적 경제 수역 내에 있는 해양 자원에 대한 중국 어선의 불법 조업 등을 둘러싸고 중국과 갈등을 겪고 있다.
| 바로알기 | ㄱ. 우리나라와 갈등을 일으키는 일본의 행위에 해당한다. 일본은 야스쿠니 신사 참배 등을 통해 침략 전쟁을 미화하고 과거 식민지 지배에 대해 반성하지 않는 모습을 보임으로써 우리나라와 갈등을 겪고 있다.

12 중국 어선의 불법 조업 문제를 해결하기 위해 우리 정부는 정당한 주권 행사를 통해 국민의 권익을 보호하는 한편, 중국 정부와의 대화와 협상을 통해 불필요한 갈등이 발생하지 않도록 해야 한다.

13 **| 바로알기 |** ② 우리나라의 갈등 문제를 외교 활동을 통해 세계 각국에 알려 공감대를 이끌어 내는 것이 중요하다. 이때 우호적 관계에 있는 국가뿐만 아니라 적대적 관계에 있는 국가에 대해서도 적절한 외교적 대응이 필요하다.

14 **| 바로알기 |** ④ 개인은 국가 간 갈등 문제에 관심을 갖고 해결 방안을 함께 고민하며 갈등 해결을 위한 다양한 활동에 자발적으로 참여해야 한다.

15 **| 바로알기 |** ㄴ. 국가 간 갈등의 해결을 위해서는 정부와 민간 차원에서 지속적인 연구 및 외교 활동과 홍보 활동을 통해 우리의 입장을 세계에 알리고, 국제 사회의 공감대를 이끌어 내는 것이 중요하다.

서술형 문제

16 **| 예시답안 |** 독도를 분쟁 지역으로 인식시킨 후 국제 사회에서의 힘의 논리를 이용하여 일본에 유리한 입장을 확보하려는 의도를 갖고 있기 때문이다.

구분	채점 기준
상	분쟁 지역으로 인식, 일본에 유리한 입장 확보 등을 정확히 서술한 경우
하	분쟁 지역으로 인식, 일본에 유리한 입장 확보 중 한 가지만 서술한 경우

17 (1) 동북공정
(2) **| 예시답안 |** 중국 내 여러 소수 민족의 독립을 막고 만주 지역에서의 영향력을 강화하고자 하며, 한반도 통일 이후에 발생할 수 있는 한·중 간 영토 분쟁의 소지를 줄이기 위한 것이다.

구분	채점 기준
상	소수 민족의 독립 방지, 영토 분쟁 가능성 대비를 모두 정확히 서술한 경우
하	소수 민족의 독립 방지, 영토 분쟁 가능성 대비 중 한 가지만 서술한 경우

18 **| 예시답안 |** 시민 단체는 다양한 홍보와 교육을 통해 우리나라가 직면한 다양한 갈등 문제를 국민과 전 세계에 알리는 노력을 하고 있다.

구분	채점 기준
상	국내와 국제 사회를 상대로 홍보와 교육 활동 등을 하고 있다는 점을 정확히 서술한 경우
하	갈등 상황을 알린다고만 서술한 경우

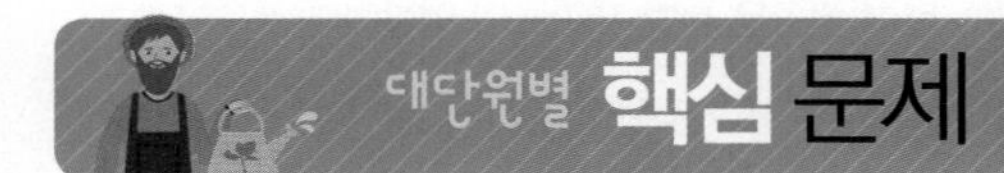

Ⅰ. 인권과 헌법 p. 80~81

1 ⑤ 2 ③ 3 ④ 4 ② 5 ④ 6 ③ 7 ③ 8 ③ 9 ⑤ 10 ① 11 ③ 12 ②

1 인권은 자연권, 천부 인권, 불가침의 권리, 보편적 권리이다. 불가침의 권리는 국가 권력이 함부로 침해할 수 없는 권리라는 의미이고, 보편적 권리는 인종, 성별, 신분 등에 관계없이 모든 사람이 동등하게 누릴 수 있는 권리라는 의미이다.
| 바로알기 | ㄱ. 인권은 국가에서 법이나 제도로 보장하기 이전에 인간에게 자연적으로 부여된 권리이다. ㄴ. 인권은 인간이 태어날 때부터 본래 지닌 권리이다.

2 제시된 헌법 조항은 인간의 존엄과 가치 및 행복 추구권을 명시한 것으로, 우리 헌법의 근본이념을 나타내고 있다.

3 제시된 내용은 사회권에 대한 설명이다. 사회권은 최소한의 인간다운 생활의 보장을 국가에 요구할 수 있는 권리로서 근로의 권리, 교육을 받을 권리, 인간다운 생활을 할 권리, 쾌적한 환경에서 생활할 권리 등이 있다.
| 바로알기 | ④ 공무 담임권은 참정권에 해당한다.

4 ① 어린이집에 폐회로 텔레비전 설치, ③ 군사 시설 보호 구역 내의 사진 촬영 금지, ④ 개발 제한 구역 안에서의 토지 이용이나 건축 제한, ⑤ 유흥업소에 청소년 야간 출입 금지 등은 국가 안전 보장, 질서 유지, 공공복리를 위해 국민의 자유와 권리를 제한한 사례이다.
| 바로알기 | ② 모든 집회와 시위를 전면적으로 금지하는 것은 기본권(자유권)에 대한 과도한 제한이다.

5 ① 임신을 이유로 한 해고, ② 남성이라는 이유로 간호사 채용 배제, ③ 시험 결과 발표 시 수험 번호와 이름 공개, ⑤ 버스나 지하철에서 같은 높이로 설치된 손잡이 등은 인권 침해 사례에 해당한다.
| 바로알기 | ④ 동일한 수준의 노동에 동일한 임금을 지급하는 것은 인권 침해에 해당하지 않는다.

6 인권 침해는 일상생활에서 광범위하게 일어나기 때문에 인권 침해 문제에 관심을 갖고, 다른 사람의 인권도 소중히 생각해야 한다. 인권이 침해되었을 때는 법에 정해진 절차와 방법에 따라 적극적으로 해결하려는 자세가 필요하다.
| 바로알기 | ③ 헌법에 규정된 기본권이 아니라도 개인의 인권은 존중되어야 한다.

7 국가 인권 위원회는 독립적인 기관으로, 진정을 받아 인권 침해 행위에 대해 조사하고, 국가 기관에 시정을 권고하는 역할을 한다.

8 세로 열쇠인 ⓐ는 재판 청구권, ⓑ는 법원이다. 가로 열쇠인 ㉠은 헌법 재판소로, 위헌 법률 심판과 헌법 소원 심판 등을 담당한다.
| 바로알기 | ①, ②는 법원의 역할이다. ④는 국민 권익 위원회의 역할이다. ⑤는 국가 인권 위원회의 역할이다.

9 우리 헌법에서는 모든 국민은 근로의 권리를 가지고 있고, 국가는 이를 보장할 책임이 있다고 명시하고 있다. 이에 따라 국가는 최저 임금을 보장하고 있으며, 근로 조건의 기준을 「근로기준법」으로 정하고 있다.
| 바로알기 | ⑤ 외국인이라고 해도 우리나라에서 일한다면 「근로기준법」에 따라 노동권을 보호받을 수 있다.

10 노동 삼권은 법이 보장하는 노동자의 권리로, 근로 조건의 개선을 위해 단결할 수 있는 단결권, 노동자가 노동조합을 통해 근로 조건에 관하여 사용자와 협상할 수 있는 단체 교섭권, 단체 교섭이 원만하게 이루어지지 않을 경우 근로자가 쟁의 행위를 할 수 있는 단체 행동권을 말한다.
| 바로알기 | ㄷ. 단체 행동권은 노동 삼권에 해당된다. ㄹ. 근로 조건과 임금에 관련된 것이 아닌 경영 문제는 사용자 고유의 권리로 단체 교섭의 대상이 되지 않는다.

11 ㄴ. 청소년은 하루 7시간, 일주일에 35시간 이상 노동할 수 없으며, 유해한 작업 환경에서 일할 수 없다. ㄷ. 만 15세 이상의 청소년만 근로할 수 있다.
| 바로알기 | ㄱ. 청소년도 임금은 본인이 직접 수령해야 한다. ㄹ. 청소년도 최저 임금의 적용을 받는다.

12 ㈎는 임금 체불에 해당하며, 체불된 임금은 고용 노동부의 시정 조치를 통해서나 근로자가 민사 소송을 제기하여 받을 수 있다. ㈏는 부당 노동 행위에 해당하며, 근로자는 노동 위원회에 권리 구제를 요청할 수 있다.
| 바로알기 | ② 임금 체불은 고용 노동부에 진정을 하거나 민사 소송을 통해 구제받을 수 있다.

Ⅱ. 헌법과 국가 기관 p. 82~83

1 ④ 2 ② 3 ④ 4 ⑤ 5 ⑤ 6 ⑤ 7 ② 8 ②
9 ④ 10 ③ 11 ③ 12 ④

1 국회는 법률을 제정·개정하는 입법 기관으로, 국민의 다양한 의견을 반영하고 이익을 대변하는 국민의 대표 기관이다.
| 바로알기 | ㄱ. 법을 해석하여 적용하는 국가 기관은 사법부이다. ㄷ. 정책을 세우고 법률을 집행하는 국가 기관은 행정부이다.

2 우리나라 국회는 각 지역구에서 선출된 지역구 국회 의원과 정당별 투표율에 의해 선출된 비례 대표 국회 의원으로 구성되어 있다. 법률안은 국회 의원 외에도 정부가 제출할 수 있다.

3 ④ 국회는 국무총리, 대법원장, 헌법 재판소장 등 법률이 정한 중요 공무원의 임명에 대한 동의권을 가진다.
| 바로알기 | ① 정책의 집행은 행정부의 역할이다. ② 국회는 대통령이 체결한 조약에 대해 동의권을 행사한다. ③ 국회는 예산안을 심의·확정하고 결산을 심사한다. ⑤ 탄핵 심판권은 헌법 재판소의 권한이고, 국회는 탄핵 소추 의결권을 갖는다.

4 **| 바로알기 |** ⑤ 공무원의 직무에 대한 감찰은 감사원의 역할이다. 국정 감사 및 국정 조사는 행정부의 법 집행을 견제·감시하기 위하여 국정과 관련된 사항을 조사하고 심사하는 것이다.

5 ㉠에 들어갈 개념은 행정이다. 도로 정비, 건강 검진 지원, 환경 정책 수립은 행정의 사례이다.
| 바로알기 | ㄱ. 정당 해산 심판은 헌법 재판소의 역할이다.

6 **| 바로알기 |** ⑤ 국무 회의의 의장은 대통령이며, 국무총리는 부의장으로서 참석한다.

7 빈칸에 들어갈 국가 기관은 감사원이다. 감사원은 국가의 모든 수입과 지출을 검사하며, 행정 기관이나 공무원의 직무를 감찰하는 기능을 한다.

8 제시된 권한을 가진 국가 기관은 대통령이다. 대통령은 국가 원수로서 대법원장, 헌법 재판소장, 감사원장 등을 임명하여 헌법 기관을 구성하는 권한을 갖는다.
| 바로알기 | ① 우리나라 대통령의 임기는 5년이며, 중임할 수 없다. ③ 대통령은 국민의 직접 선거에 의해 선출된다. ④ 법을 제정하는 입법권은 국회에, 법을 적용하는 사법권은 법원에 속한다. ⑤ 대통령은 행정부의 최고 책임자로서 행정부의 일을 최종적으로 결정한다.

9 ㄴ, ㄹ. 국군의 지휘·통솔, 대통령령 제정은 대통령의 행정부 수반으로서의 권한이다.
| 바로알기 | ㄱ, ㄷ. 외교 사절의 파견 및 접견, 헌법 기관의 구성원 임명 권한은 대통령의 국가 원수로서의 권한이다.

10 법원은 법을 해석하여 분쟁을 해결하는 역할을 하며, 가족 관계 등록이나 등기 업무, 강제 집행 등을 담당한다. 또한 위헌 행정 처분을 심사하여 취소하거나 변경할 수 있고, 헌법 재판소에 위헌 법률 심판을 제청할 수 있다.
| 바로알기 | ③ 탄핵 심판은 헌법 재판소의 역할이다.

11 ㉠에 들어갈 개념은 헌법 재판이다. 헌법 재판의 대상이 되는 것은 위헌 법률 심판, 헌법 소원 심판, 탄핵 심판, 권한 쟁의 심판, 정당 해산 심판 등이 있다.
| 바로알기 | ③ 국가 기관이 만든 명령이나 규칙이 헌법과 법률에 위반되는지가 재판의 전제가 되는 경우에는 대법원이 이를 심사할 수 있다.

12 헌법 재판소 재판관은 9명으로 구성되는데, 정치적 중립을 지키기 위해 대통령과 대법원장이 각각 3명씩 지명하고, 국회에서 3명을 선출하여 대통령이 임명한다. 헌법 재판소장은 국회의 동의를 얻어 대통령이 임명한다.
| 바로알기 | ④ 대통령이 헌법 재판소 재판관 3명을 지명한다.

Ⅲ. 경제생활과 선택 p. 84~85

1 ② 2 ④ 3 ⑤ 4 ③ 5 ④ 6 ⑤ 7 ① 8 ③
9 ⑤ 10 ② 11 ⑤ 12 ④

1 **| 바로알기 |** ② 영화는 인간의 욕구를 충족해 주는 서비스이다. 따라서 영화를 보는 것은 서비스를 소비하는 행위에 해당한다.

2 (가)는 가계, (나)는 기업, (다)는 정부이다.
| 바로알기 | ㄹ. 최소의 비용으로 최대의 이윤을 얻고자 하는 경제 주체는 기업이다.

3 자원의 희소성이란 인간의 욕구는 무한한 데 비해 이를 충족해 줄 자원이 한정되어 있는 것을 말한다. 희소성이 큰 자원은 높은 가격에 거래되므로 자원의 희소성은 자원의 가격을 결정하는 중요한 요인이 된다. 이러한 희소성으로 인해 경제 활동을 할 때 무엇을, 얼마나 생산하고 소비해야 할 것인지 등을 결정해야 하는 선택의 문제가 발생한다.
| 바로알기 | ⑤ 자원의 양이 적더라도 원하는 사람이 없으면 그 자원은 희소하다고 볼 수 없다. 이처럼 자원의 희소성은 자원의 절대적인 양의 많고 적음이 아니라 인간의 필요와 욕구, 시대나 장소에 따라 달라진다.

4 같은 편익을 얻는 일이라면 비용이 가장 적은 것을 선택하는 것이 합리적이므로, 가격이 가장 싼 떡볶이를 먹는 것이 합리적인 선택이라고 할 수 있다.

5 **| 바로알기 |** ④ 시장 경제 체제에서는 개인의 자유로운 이익 추구를 보장하므로 자원이 효율적으로 사용되어 경제적 효율성이 높다. 반면, 계획 경제 체제에서는 근로자가 일한 만큼 분배받지 못하고, 사유 재산의 소유가 제한되어 근로 의욕이 저하되고 경제적 효율성이 떨어진다.

6 **| 바로알기 |** ⑤ 정부는 가계와 기업이 낸 세금으로 공공재, 사회 간접 자본을 생산하여 공급하고, 기업이 생산한 재화와 서비스를 소비한다.

7 기업에게는 사회 구성원으로서 단순한 이윤 추구를 넘어 법령과 윤리를 준수하면서 사회 전체의 이익에 부합하도록 행위해야 할 책임이 있다. 여기에는 경제적 책임, 법적 책임, 윤리적 책임, 자선적 책임 등이 있다. 그중 법적 책임에는 사회 규범과 법률을 준수하면서 합법적으로 경제 활동을 하는 것(예 성실한 세금 납부, 투명한 회계 관리 등), 다른 기업과 공정한 경쟁을 하는 것, 소비자의 권익을 보호하는 것, 노동자의 권리를 보호하고, 거래 업체와 공정하게 거래하는 것 등이 있다.
| 바로알기 | ㄷ은 윤리적인 책임, ㄹ은 자선적인 책임과 관련된 내용이다.

8 빈칸에 들어갈 개념은 기업가 정신이다. 기업가 정신은 불확실한 미래를 예측하여 새로운 것에 과감히 도전하는 혁신적이고 창의적인 기업가의 자세이다.
| 바로알기 | ③ 기존에 인기 있는 상품에 대해 생산량을 늘리는 것은 기업가 정신이 의미하는 혁신적인 자세로 보기 어렵다.

9 **| 바로알기 |** ①은 중·장년기, ②는 청년기, ③은 유소년기, ④는 노년기의 경제생활과 관련된 내용이다.

10 **| 바로알기 |** ② 자산을 관리할 때에는 수익성, 안전성, 유동성 등을 모두 고려하여 저축과 투자의 목적과 기간에 맞는 적절한 자산을 선택하여 운용해야 한다.

11 주식과 펀드는 수익성이 높지만, 안전성이 낮아 위험성이 높은 금융 상품이고, 예금과 적금은 안전성이 높아 위험성이 낮지만, 수익성이 낮은 금융 상품이다.

12 **| 바로알기 |** ㄱ. 신용이 없으면 다른 사람보다 높은 이자를 지불해야 한다. ㄷ. 신용을 이용하는 것은 결국 언젠가는 갚아야 할 빚이 늘어나는 것이므로 미래의 소득과 지불 능력을 고려하여 신용을 이용해야 한다.

Ⅳ. 시장 경제와 가격 p. 86~87

1 ③ 2 ⑤ 3 ⑤ 4 ② 5 ③ 6 ② 7 ② 8 ①
9 ③ 10 ⑤ 11 ⑤ 12 ④

1 과거에는 필요한 물건을 스스로 만들어 사용하는 자급자족 경제였다. 농사를 짓게 되면서 잉여 생산물을 교환하는 물물 교환이 이루어졌으며, 효율적인 교환을 위해 일정한 시기와 장소에 모여 거래를 하는 시장이 형성되었다. 이를 시장의 형성 과정 순서대로 나열하면 (나)–(다)–(라)–(가)이다.

2 시장은 분업을 촉진하여 생산성을 증대시킨다. 사람들은 시장에서 거래되는 다양한 상품을 소비할 수 있고, 상품에 관한 정보를 쉽게 얻을 수 있다.
| 바로알기 | ㄱ. 시장은 물건을 사려는 사람과 팔려는 사람을 연결해 주어 거래에 드는 시간과 비용을 줄이는 역할을 한다. 하지만 거래 비용이 완전히 사라지는 것은 아니다.

3 시장은 거래 모습이 구체적으로 드러나는지 아닌지에 따라 보이는 시장과 보이지 않는 시장으로 구분할 수 있다. ㄷ, ㄹ. 외환 시장과 주식 시장은 보이지 않는 시장에 해당한다.
| 바로알기 | ㄱ, ㄴ. 백화점과 재래시장은 보이는 시장에 해당한다.

4 제시된 내용은 공급 법칙을 나타내며, 공급 법칙을 나타낸 공급 곡선은 일반적으로 우상향하는 형태를 띤다.
| 바로알기 | ① 우하향하는 형태의 곡선은 수요 법칙을 나타낸 수요 곡선이다.

5 시장에서 수요량과 공급량이 일치할 때 균형 가격과 균형 거래량이 결정된다. 따라서 균형 가격은 30,000원, 균형 거래량은 120개이다.

6 ㄱ. 가방의 가격이 20,000원일 때 수요량은 160개, 공급량은 80개이므로 80개의 초과 수요가 발생한다. ㄷ. 초과 수요 상태에서는 수요자 간에 경쟁이 벌어져 가방의 가격이 상승할 것이다.
| 바로알기 | ㄴ. 가격이 균형 가격보다 낮으면 초과 수요가 발생한다. ㄹ. 수요자들 간의 구매 경쟁으로 가방의 가격이 상승할 것이다.

7 공급자는 상품을 판매하고자 하는 사람으로, 공급자가 일정한 가격에 어떤 상품을 판매하고자 하는 욕구를 공급이라고 한다. 수요량은 일정한 가격 수준에서 수요자가 구매하고자 하는 상품의 양으로, 수요 곡선은 가격과 수요량의 관계인 수요 법칙을 나타낸 그래프이다.
| 바로알기 | ② 공급 법칙은 상품의 가격이 올라가면 공급량이 증가하고, 가격이 내려가면 공급량이 감소하는 것으로, 가격과 공급량이 양(+)의 관계에 있음을 나타낸다.

8 수요량과 공급량이 일치하는 지점에서 균형 가격과 균형 거래량이 결정된다. 따라서 제시된 그래프에서 (나)가 균형 가격, (라)가 균형 거래량이다.
| 바로알기 | ② (나)는 균형 가격 또는 시장 가격이다. ③ 가격이 (다)일 때 수요량이 공급량보다 많은 초과 수요가 발생한다. ④ ㉠은 초과 공급 상태, ㉡은 초과 수요 상태이다. ⑤ 가격이 (가)일 때 공급자들 간의 경쟁으로 가격이 하락한다.

9 ㉠은 보완재, ㉡은 대체재에 대한 설명이다.

10 ①, ② 소득 증가, 인구 증가는 수요 증가 요인으로 수요 곡선이 오른쪽으로 이동하여 균형 가격이 상승한다. ③, ④ 선호도 감소, 대체재의 가격 하락은 수요 감소 요인으로 수요 곡선이 왼쪽으로 이동하여 균형 가격이 하락한다.
| 바로알기 | ⑤ 보완재의 가격 하락은 수요 증가 요인으로 수요 곡선이 오른쪽으로 이동하여 균형 가격이 상승한다.

11 공급 곡선이 왼쪽으로 이동하는 것은 공급의 감소를 나타낸다. 공급 감소 요인에는 생산 요소의 가격 상승, 공급자 수의 감소, 상품 가격 상승 예상 등이 있다.
| 바로알기 | ⑤ 상품을 생산하는 기업의 수가 증가하면 공급이 증가하여 공급 곡선이 오른쪽으로 이동한다.

12 시장 가격은 사회에 필요한 적당한 양의 상품을 가장 효율적인 방법으로 생산하게 하고, 이를 효율적으로 배분하는 기능을 한다.

Ⅴ. 국민 경제와 국제 거래 p. 88~89

1 ③ 2 ④ 3 ① 4 ④ 5 ④ 6 ② 7 ⑤ 8 ③
9 ④ 10 ① 11 ② 12 ①

1 | 바로알기 | ③ 국내 총생산은 그해에 새롭게 생산된 것의 가치만 포함하므로 전년도에 생산되어 이미 사용하고 있던 중고품은 계산에서 제외된다.

2 국내 총생산(GDP)은 일정 기간(보통 1년) 동안 한 나라 안에서 새롭게 생산된 최종 생산물의 가치를 시장 가격으로 환산한 것이다.
| 바로알기 | ㉢, ㉤ 자가소비를 위해 생산한 재화, 가사 노동과 같이 시장에서 거래되지 않는 재화나 서비스는 국내 총생산에 포함되지 않는다.

3 국내 총생산은 시장에서 거래되는 재화와 서비스의 가치만을 측정하고, 가사 노동, 봉사 활동 등 대가를 받지 않는 활동은 포함하지 않으며 밀수, 사채 등 지하 경제는 포함하지 않는다. 또한 국내 총생산으로는 국민의 삶의 질 수준, 소득 분배와 빈부 격차의 상태를 파악하기 어렵다는 한계가 있다.
| 바로알기 | ① 국내 총생산(GDP)의 계산에 중간 생산물(중간재)의 가치를 포함하지 않는 이유는 국내 총생산을 정확하게 측정하기 위한 것으로, 국내 총생산의 한계는 아니다.

4 | 바로알기 | ㄱ. 경제 성장률만을 통해 각국의 경제 규모를 비교할 수는 없다. ㄷ. 갑국의 경제 성장률은 계속 양(+)의 값을 가지므로 국내 총생산은 2018년에 가장 크다.

5 원유는 모든 공업 생산에 필요한 원자재에 해당한다. 이처럼 재화와 서비스를 생산하는 데 필요한 국내외 원자재 가격이 상승하여 생산비가 오르면 물가가 상승한다.

6 ㄱ. 물가가 상승하면 자국의 상품이 비싸져 수출이 감소하고 상대적으로 싼 외국 상품의 수입이 증가한다. ㄹ. 물가가 상승하면 화폐의 가치가 하락하므로 현금을 보유한 사람들이 부동산이나 물건을 보유한 사람들에 비해 불리해진다. 이로 인해 사람들은 저축을 기피하고 부동산 투기와 같은 불건전한 거래에 집중하게 된다.
| 바로알기 | ㄴ, ㄷ. 물가가 상승하면 화폐의 가치가 하락하여 일정한 금액으로 살 수 있는 재화와 서비스의 수량과 질이 감소한다. 이로 인해 은행에 예금을 한 사람은 불리해지므로 가계의 저축은 감소한다.

7 | 바로알기 | ⑤ 실업이 발생하면 가계의 소득이 감소하여 소비 활동이 줄어들게 된다. 이로 인해 기업의 생산 활동과 투자가 위축되어 경기가 침체되는 문제가 나타날 수 있다.

8 | 바로알기 | ③ 시간제 근무와 임시 고용은 고용의 안정성을 떨어뜨리므로 바람직한 실업 대책이라고 할 수 없다.

9 ㄴ. 국제 거래를 하려면 수출, 수입 과정에서 통관 절차를 거치며 관세를 내야 한다. ㄹ. 국제 거래는 오늘날 세계화·개방화 흐름 속에서 그 대상과 규모가 점차 확대되고 있다.
| 바로알기 | ㄱ. 국가마다 가지고 있는 생산 요소나 기술 수준 등의 생산 여건이 다르기 때문에 생산비에 차이가 있다. 이로 인해 동일한 상품이라도 가격 차이가 발생한다. ㄷ. 국가마다 법률과 제도, 종교나 문화 등이 다르기 때문에 재화나 서비스의 거래가 국내 거래에 비해 자유롭지 못하다.

10 | 바로알기 | ① 환율은 자국 화폐와 외국 화폐의 교환 비율이다. 환율은 생산 여건이 아니라 국제 거래에 영향을 끼치는 요인이다.

11 그래프는 외화의 공급이 증가한 모습을 보여 주고 있다. ㄱ, ㄹ. 수출이 증가하고, 외국인 관광객을 유치하는 것은 외화가 국내로 들어오는 것이므로 외화의 공급을 증가시킨다.
| 바로알기 | ㄴ, ㄷ. 외채 상환과 해외 투자의 증가는 외화의 수요를 증가시킨다.

12 환율이 하락하면 수입 원자재 가격이 하락하여 국내 물가가 안정된다.
| 바로알기 | ② 외국인 관광객 증가, ③ 해외여행과 유학 감소, ④ 수출 증가 및 수입 감소, ⑤ 외채 상환 부담 증가는 환율이 상승하면 나타날 수 있는 현상이다.

Ⅵ. 국제 사회와 국제 정치 p. 90~91

1 ⑤ 2 ④ 3 ② 4 ④ 5 ④ 6 ④ 7 ⑤ 8 ①
9 ⑤ 10 ② 11 ① 12 ④

1 국제 사회의 구성원인 각국은 국제 관계에서 자국의 이익을 최우선으로 추구하는 경향이 있다.
| 바로알기 | ① 주권을 가진 국가를 기본 단위로 하여 구성된다. ② 국제 사회에서는 군사력과 경제력이 큰 강대국이 약소국보다 더 큰 영향력을 행사한다. ③ 오늘날 세계화·정보화로 국가 간 상호 의존과 국제 협력이 확대되고 있다. ④ 국제 사회에는 국가 간 분쟁과 갈등을 조정할 강력한 중앙 정부가 존재하지 않는다.

2 최근 국제 사회의 상호 의존성이 높아지고, 환경, 빈곤, 인권, 난민 등 전 지구적인 문제에 공동으로 대응할 필요성이 커지면서 국제 사회에서 협력이 점차 강화되고 있다.

3 빈칸에 들어갈 말은 국가이다. 국가는 국제 사회에서 가장 기본적이고 대표적인 행위 주체로서, 국제법상 독립적인 주권을 행사한다.
| 바로알기 | ①, ③은 다국적 기업, ④는 국제 비정부 기구, ⑤는 정부 간 국제기구인 국제 연합(UN)에 대한 설명이다.

4 ㈎는 정부 간 국제기구, ㈏는 국제 비정부 기구(NGO)에 대한 설명이다. 정부 간 국제기구에는 국제 연합(UN), 유럽 연합(EU), 경제 협력 개발 기구(OECD), 국제 통화 기금(IMF), 세계 무역 기구(WTO) 등이 있고, 국제 비정부 기구에는 그린피스, 국제 사면 위원회, 국경 없는 의사회, 국제 적십자사 등이 있다.

5 제시문에서 다국적 기업의 국제적인 영업 활동으로 인해 전 세계인의 식량이 되는 씨앗 시장이 잠식되자 각국이 씨앗 주권을 지키기 위하여 노력하는 모습을 통해 다국적 기업의 활동이 개별 국가의 정책에 영향을 준다는 것을 알 수 있다.

6 국제 사회에서는 각국이 자국의 이익 실현을 위해 끊임없이 경쟁하는데, 이 과정에서 경쟁이 심화하면서 자원이나 영토를 둘러싸고 갈등이 발생하기도 한다.

7 ㄷ, ㄹ. 경제 협력체를 구성하는 것과 인권이나 환경 보호 등을 위한 협정을 체결하는 것은 각국이 협력하여 상호 이익을 증진하려는 행위이다.
| 바로알기 | ㄱ은 무역 분쟁이고, ㄴ은 경제적 이익 추구를 둘러싸고 벌어지는 갈등 사례에 해당한다.

8 외교의 목적은 자국의 정치적·경제적 이익 실현, 자국의 국제적 위상 강화, 국가 간 분쟁의 해결과 예방, 국가 간 우호 증진 등이다.
| 바로알기 | ① 한 국가가 다른 국가의 영토를 정복하는 것은 외교의 목적과는 거리가 멀다.

9 국제 사회의 공존을 위해서는 각국이 외교 활동을 통해 자국의 이익을 평화적으로 달성하려고 노력하며 국제법을 준수하는 한편, 국가와 단체, 개인이 모두 세계 시민 의식을 가지고 국제 문제 해결을 위해 협력해야 한다.
| 바로알기 | ① 전쟁이 아니라 외교를 통해 문제를 해결해야 한다. ② 헌법은 국내법이다. 국제 사회의 질서 유지를 위해서는 국제법을 준수해야 한다. ③ 정상 회의, 조약 체결, 국제기구의 활동 등을 통해 국제 협력이 이루어진다. ④ 개인이 참여할 수 있는 국제기구는 국제 비정부 기구이다.

10 **| 바로알기 |** ② 독도는 역사적, 지리적, 국제법적으로 명백한 우리의 고유 영토로, 우리 주민이 독도에 살고 있고, 우리 경찰이 독도를 경비하면서 영토 주권을 행사하고 있다.

11 중국의 동북공정 작업은 우리나라의 역사를 중국의 역사로 통합하려는 역사 왜곡으로, 우리나라와 중국 간 갈등의 원인이 되고 있다.

12 국가 간 갈등 문제 해결을 위해 시민 단체는 영토 주권과 역사 갈등 등 우리나라가 직면한 갈등 문제를 국내외에 알리는 다양한 홍보와 교육 활동을 하고 있다.

대단원별 서술형 문제

I 인권과 헌법 p. 92~93

1 | 예시답안 | ㉠ 국가에서 법이나 제도로 보장하기 이전에 인간에게 자연적으로 부여된 권리, ㉡ 천부 인권

구분	채점 기준
상	자연권의 의미와 천부 인권을 정확히 서술한 경우
중	천부 인권은 썼으나, 자연권의 의미는 미흡하게 서술한 경우
하	자연권의 의미와 천부 인권 중 하나만 쓴 경우

2 | 예시답안 | 국가 권력이 개인의 기본적 인권을 침해할 수 없도록 하는 법적 장치로서의 역할을 위해 국가의 최고 법인 헌법에 인권을 기본권으로 규정하고 있다.

구분	채점 기준
상	헌법은 인권을 보장하는 법적 장치로서의 역할을 한다고 정확히 서술한 경우
하	헌법이 국가의 최고 법이기 때문이라고만 서술한 경우

3 | 예시답안 | (가)는 참정권으로 선거권, 공무 담임권, 국민 투표권 등이 있다. (나)는 청구권으로 청원권, 재판 청구권, 국가 배상 청구권 등이 있다.

구분	채점 기준
상	참정권과 청구권을 쓰고, 권리를 두 가지 이상 정확히 서술한 경우
중	참정권과 청구권을 썼으나, 권리를 한 가지만 서술한 경우
하	참정권과 청구권만 쓴 경우

4 | 예시답안 | 헌법 재판소가 「집회 및 시위에 관한 법률」 제10조에 대해 위헌 결정을 내린 이유는 야간 집회 금지의 목적은 정당하나 이로 인한 국민의 피해를 최소화하고, 국민이 가진 자유권을 본질적으로 침해하지 않도록 하기 위해서이다.

구분	채점 기준
상	기본권 제한으로 인한 피해를 최소화하고, 국민의 자유와 권리의 본질적인 내용을 침해하지 않기 위해서라고 정확히 서술한 경우
하	기본권 제한의 한계만 서술한 경우

5 (1) 인권 침해

(2) | 예시답안 | 사회 구성원의 편견이나 고정 관념, 사회의 잘못된 관습이나 관행, 불합리한 법률과 제도 때문에 발생한다.

구분	채점 기준
상	인권 침해의 원인을 두 가지 이상 정확히 서술한 경우
하	인권 침해의 원인을 한 가지만 서술한 경우

(3) | 예시답안 | 인권 침해가 발생했을 때는 법에 정해진 여러 가지 방법과 절차에 따라 권리를 구제받기 위해 적극적으로 노력해야 하며, 국가 기관에 도움을 요청해야 한다.

구분	채점 기준
상	적극적인 대응 자세와 국가 기관에 도움 요청을 정확히 서술한 경우
하	적극적인 대응 자세와 국가 기관에 도움 요청 중 하나만 서술한 경우

6 (1) 헌법 재판소

(2) | 예시답안 | 국가의 공권력이 국민의 기본권을 침해하는지 여부를 판단하는 헌법 소원 심판을 담당한다.

구분	채점 기준
상	헌법 소원 심판의 의미를 정확히 서술한 경우
하	헌법 소원 심판이라고만 쓴 경우

7 | 예시답안 | 국가 인권 위원회. 인권 침해 관련 법령이나 제도의 개선을 권고하고, 인권 침해 사례를 조사하여 구제한다.

구분	채점 기준
상	국가 인권 위원회라고 쓰고, 그 역할을 정확히 서술한 경우
하	국가 인권 위원회라고만 쓴 경우

8 | 예시답안 | 잘못된 행정이나 법 집행으로 피해를 입은 경우이므로 국민 권익 위원회에 고충 민원을 제기하거나 행정 심판을 제기한다. 또한 법원에 행정 소송을 제기하여 권리를 구제받는다.

구분	채점 기준
상	국민 권익 위원회에 고충 민원 제기나 행정 심판 제기, 법원에 행정 소송 제기를 정확히 서술한 경우
하	국민 권익 위원회에 고충 민원 제기나 행정 심판 제기, 법원에 행정 소송 제기 중 한 가지만 서술한 경우

9 | 예시답안 | 노동 삼권에는 근로자들이 노동조합을 만들고 그에 가입하여 활동할 수 있는 단결권, 노동조합을 통해 근로 조건에 관하여 사용자와 협상할 수 있는 단체 교섭권, 단체 교섭이 원만하게 이루어지지 않을 경우 쟁의 행위를 할 수 있는 단체 행동권이 있다.

구분	채점 기준
상	노동 삼권의 종류와 의미 세 가지를 정확히 서술한 경우
중	노동 삼권의 종류와 의미를 두 가지만 서술한 경우
하	노동 삼권의 종류와 의미를 한 가지만 서술한 경우

10 | 예시답안 | 부당 해고에 해당하므로 노동 위원회에 권리 구제를 요청할 수 있고, 법원에 소를 제기할 수 있다.

구분	채점 기준
상	노동 위원회에 권리 구제 요청과 법원에 소 제기를 정확히 서술한 경우
하	노동 위원회에 권리 구제 요청과 법원에 소 제기 중 한 가지만 서술한 경우

11 (1) 부당 노동 행위, 단결권

(2) | 예시답안 | 부당 노동 행위에 대하여 노동 위원회에 구제를 요청할 수 있고, 법원에 소를 제기할 수 있다.

구분	채점 기준
상	노동 위원회에 권리 구제 요청과 법원에 소 제기를 정확히 서술한 경우
하	노동 위원회에 권리 구제 요청과 법원에 소 제기 중 한 가지만 서술한 경우

Ⅱ 헌법과 국가 기관 p. 94~95

1 **| 예시답안 |** 국회는 국가 조직과 통치의 기초가 되는 법률을 만들거나 고치는 입법 기관이고, 국민이 직접 뽑은 대표들로 구성된 국민의 대표 기관이다.

구분	채점 기준
상	입법 기관, 국민의 대표 기관을 정확히 서술한 경우
하	입법 기관이나 국민의 대표 기관 중 한 가지만 서술한 경우

2 **| 예시답안 |** 상임 위원회. 본회의에 앞서 각 전문 분야에 속하는 안건 등을 조사하고 심의한다.

구분	채점 기준
상	상임 위원회라고 쓰고, 그 역할을 정확히 서술한 경우
중	상임 위원회라고 썼으나, 그 역할을 효율적인 의사 진행이라고 서술한 경우
하	상임 위원회라고만 쓴 경우

3 **| 예시답안 |** 국가 재정에 관한 권한. 국가 예산을 결정하는 데 국민의 의사를 반영하고, 국민이 낸 세금이 제대로 사용되는지 심사하여 국민의 재산과 권리를 보호하기 위해서이다.

구분	채점 기준
상	국가 재정에 관한 권한이라고 쓰고, 그 이유를 정확히 서술한 경우
중	국가 재정에 관한 권한이라고 썼으나, 그 이유를 행정부 견제라고 서술한 경우
하	국가 재정에 관한 권한이라고만 쓴 경우

4 **| 예시답안 |** 국정 감사나 국정 조사를 통해 국가 정책의 잘못된 부분을 조사하여 바로잡는다. 대통령, 국무총리, 국무 위원 등 행정부의 고위 공무원이 법률을 위반했을 때 탄핵 소추를 의결할 수 있다. 또한 정부가 마련한 예산안을 심의·확정한다.

구분	채점 기준
상	국회가 행정부를 견제할 수 있는 권한을 두 가지 이상 정확히 서술한 경우
하	국회가 행정부를 견제할 수 있는 권한을 한 가지만 서술한 경우

5 **| 예시답안 |** 현대 국가에서 빈곤, 질병, 노동 문제 등 여러 가지 사회 문제를 국가가 해결해야 한다는 복지 국가 사상이 강조되기 때문이다.

구분	채점 기준
상	현대 국가에서 복지 국가 사상이 강조되기 때문이라고 정확히 서술한 경우
하	복지에 대한 요구가 증가했다고만 서술한 경우

6 **| 예시답안 |** 국무 회의. 국무 회의는 대통령, 국무총리, 행정 각부의 장을 비롯한 국무 위원으로 구성되며, 정부의 중요한 정책을 심사하고 논의하는 행정부의 최고 심의 기관이다.

구분	채점 기준
상	국무 회의라고 쓰고, 구성 방식과 역할을 정확히 서술한 경우
중	국무 회의라고 쓰고, 구성 방식과 역할 중 한 가지만 서술한 경우
하	국무 회의라고만 쓴 경우

7 **| 예시답안 |** 장기 집권에 따른 독재로 국민의 자유와 권리가 침해되는 것을 막기 위해서이다.

구분	채점 기준
상	독재를 방지하여 국민의 자유와 권리를 보호하기 위해서라고 정확히 서술한 경우
하	독재를 방지하기 위해서라고 서술한 경우

8 **| 예시답안 |** 대통령은 국가의 원수로서 다른 나라와 조약을 맺고, 국회에 출석하여 발언할 수 있으며, 헌법 개정 또는 국가의 중요 정책 결정 시 국민 투표에 부칠 수 있다. 또한 국회의 동의를 얻어 국가 기관의 장을 임명하여 헌법 기관을 구성하며, 국가 안전 보장을 위해 긴급 명령을 내리거나 계엄을 선포할 수 있다.

구분	채점 기준
상	대통령의 국가 원수로서의 권한을 세 가지 이상 정확히 서술한 경우
중	대통령의 국가 원수로서의 권한을 두 가지만 서술한 경우
하	대통령의 국가 원수로서의 권한을 한 가지만 서술한 경우

9 **| 예시답안 |** 사법권의 독립. 재판이 법원 내부나 외부의 영향으로부터 완전히 독립하여 이루어져야 한다는 원칙이다.

구분	채점 기준
상	사법권의 독립이라고 쓰고, 그 의미를 정확히 서술한 경우
중	사법권의 독립이라고 썼으나, 그 의미를 미흡하게 서술한 경우
하	사법권의 독립이라고만 쓴 경우

10 **| 예시답안 |** 헌법 소원 심판. 법률이나 공권력이 국민의 기본권을 침해하였는지를 심판하는 것이다.

구분	채점 기준
상	헌법 소원 심판이라고 쓰고, 그 의미를 정확히 서술한 경우
중	헌법 소원 심판이라고 썼으나, 그 의미를 미흡하게 서술한 경우
하	헌법 소원 심판이라고만 쓴 경우

11 (1) 헌법 재판소

(2) **| 예시답안 |** 헌법 재판소는 헌법 수호 기관이며, 기본권 보장 기관이다.

구분	채점 기준
상	헌법 수호 기관, 기본권 보장 기관을 정확히 서술한 경우
하	헌법 수호 기관, 기본권 보장 기관 중 한 가지만 서술한 경우

(3) **| 예시답안 |** 헌법 재판소는 위헌 법률 심판, 헌법 소원 심판, 탄핵 심판, 권한 쟁의 심판, 정당 해산 심판 등을 담당한다.

구분	채점 기준
상	헌법 재판소의 역할을 세 가지 이상 정확히 서술한 경우
중	헌법 재판소의 역할을 두 가지만 서술한 경우
하	헌법 재판소의 역할을 한 가지만 서술한 경우

Ⅲ 경제생활과 선택 p. 96~97

1 (1) ㉠ 생산, ㉡ 소비
(2) **| 예시답안 |** ㉠ 생산은 생활에 필요한 재화와 서비스를 만들어 내거나 기존에 있던 재화의 가치를 높이는 활동이다. ㉡ 소비는 생활에 필요한 재화와 서비스를 구입하여 사용하는 활동이다.

구분	채점 기준
상	생산과 소비의 개념을 모두 정확히 서술한 경우
하	생산과 소비의 개념 중 한 가지만 서술한 경우

2 **| 예시답안 |** (가) 가계, (나) 기업. 가계는 소비 활동의 주체로 기업에 생산 요소를 제공한 대가로 소득을 얻어 재화와 서비스를 구입하여 소비한다. 기업은 생산 활동의 주체로, 재화나 서비스를 생산하여 공급하며, 생산 요소에 대한 대가를 가계에 지불한다.

구분	채점 기준
상	(가), (나)의 명칭을 쓰고, 담당하는 경제 활동을 정확히 서술한 경우
하	(가), (나)의 명칭을 쓰고, 담당하는 경제 활동을 포괄적으로 서술한 경우

3 **| 예시답안 |** 자원의 절대적인 양이 많더라도 이를 원하는 사람이 더 많으면 그 자원은 희소성이 있고, 자원의 양이 적더라도 이를 원하는 사람이 더 적으면 그 자원은 희소성이 없다. 이처럼 자원의 희소성은 인간의 욕구 정도에 따라 달라진다.

구분	채점 기준
상	자원의 희소성이 인간의 욕구 정도에 따라 달라진다고 정확히 서술한 경우
하	희소성의 의미만을 서술한 경우

4 (1) 놀이공원 가기
(2) 시험공부를 하면 얻을 수 있었던 높은 성적
(3) **| 예시답안 |** 같은 비용이 들어간다면 편익이 가장 큰 것을 선택하는 것이 합리적이다. 가람이는 가장 큰 만족감을 얻을 수 있는 놀이공원 가기를 선택했다. 그리고 그 만족감은 기회비용보다 크므로 가람이는 합리적인 선택을 했다고 할 수 있다.

구분	채점 기준
상	같은 비용이 드는 일이라면 편익이 가장 큰 것, 선택으로 인한 만족감이 기회비용보다 큰 것을 선택했다고 정확히 서술한 경우
하	만족감이 가장 큰 것을 선택했다고만 서술한 경우

5 (1) 계획 경제 체제
(2) 부와 소득의 불평등 완화
(3) **| 예시답안 |** 계획 경제 체제에서는 국가의 경제적 목표와 계획을 신속히 달성할 수 있다는 장점이 있지만, 근로자의 근로 의욕이 저하되고 경제적 효율성과 개인의 창의적인 경제 활동이 제한된다는 단점이 있다.

구분	채점 기준
상	계획 경제 체제의 장점과 단점을 모두 서술한 경우
하	계획 경제 체제의 장점과 단점 중 한 가지만 서술한 경우

6 **| 예시답안 |** 기업은 다양하고 질 좋은 상품을 생산하여 소비자에게 만족감을 주고, 가계에 일자리를 제공하여 소득을 창출하게 한다. 또 국가에 세금을 납부하여 재정 활동에 기여하며 다양한 기술 혁신과 연구 개발을 통해 기업의 이윤 추구와 발전뿐만 아니라 경제 성장에 이바지한다.

구분	채점 기준
상	기업의 역할을 두 가지 이상 서술한 경우
하	기업의 역할을 한 가지만 서술한 경우

7 **| 예시답안 |** ○○ 자동차 회사는 생산 활동을 하면서 이윤과 효율성만을 추구하며 윤리적 책임 의식이 부족하다. 기업은 생산 활동으로 인해 발생하는 환경 오염을 최소화하고 소비자에게 안전한 상품을 생산해야 한다.

구분	채점 기준
상	윤리적 책임 의식 결여를 지적하고, 환경을 고려하며 안전한 제품을 생산해야 함을 정확히 서술한 경우
하	위의 내용 중 한 가지만 포함하여 서술한 경우

8 (1) 기업가 정신
(2) **| 예시답안 |** 새로운 제품을 개발하고, 기존의 생산 기술이나 방법을 새로운 것으로 대체하며, 새로운 시장을 개척하고, 새로운 경영 조직을 만든다.

구분	채점 기준
상	기업가 정신을 발휘하는 자세를 두 가지 이상 서술한 경우
하	기업가 정신을 발휘하는 자세를 한 가지만 서술한 경우

9 **| 예시답안 |** 중·장년기에는 ㉠과 같이 소득이 소비보다 많고, 노년기에는 은퇴로 인해 ㉡과 같이 소득보다 소비가 많아진다. 따라서 중·장년기에 노후 대비를 위해 소비를 줄이고 소득을 저축해야 한다.

구분	채점 기준
상	중장년기와 노년기의 소득과 소비를 비교하여 노후 대비를 위한 저축이 필요함을 정확히 서술한 경우
하	노후 대비가 필요하다는 내용만을 서술한 경우

10 **| 예시답안 |** ㉠ 예금은 원금을 보장하므로 안전성이 높지만, 일정한 이자만 받게 되므로 수익성이 낮다. ㉡ 주식은 수익성이 높지만 원금이 손실될 가능성이 있어 안전성이 낮다.

구분	채점 기준
상	예금과 주식의 특징을 안전성, 수익성 측면에서 정확히 서술한 경우
하	예금과 주식 중 한 가지만 서술하거나 안전성, 수익성 측면 중 한 가지에 대해서만 서술한 경우

11 (1) 신용
(2) **| 예시답안 |** 소득을 초과하는 소비를 자제하고, 미래의 소득과 지불 능력을 고려하여 갚을 수 있는 범위 내에서 신용을 이용하며, 돈을 갚기로 하거나 상품 대금을 지불하기로 한 약속을 잘 지킨다.

구분	채점 기준
상	신용을 관리하는 바람직한 자세를 두 가지 서술한 경우
하	신용을 관리하는 바람직한 자세를 한 가지만 서술한 경우

Ⅳ 시장 경제와 가격 p. 98~99

1 **| 예시답안 |** 시장. 시장은 재화나 서비스를 팔려는 사람과 사려는 사람이 만나 거래가 이루어지는 곳이다.

구분	채점 기준
상	시장이라고 쓰고, 시장의 의미를 정확히 서술한 경우
중	시장이라고 썼으나 그 의미를 미흡하게 서술한 경우
하	시장이라고만 쓴 경우

2 **| 예시답안 |** 시장은 특정 분야를 여러 부문으로 나누어 전문화하여 생산하는 분업과 특화를 촉진함으로써 사회 전체의 생산성을 증대시켰고, 이를 통해 교환이 더욱 활발해졌다.

구분	채점 기준
상	분업과 특화를 촉진해 생산성이 증대된다고 정확히 서술한 경우
하	생산성이 증대된다고만 서술한 경우

3 **| 예시답안 |** 전자 상가와 인터넷 쇼핑몰은 공통적으로 일상생활에 필요한 재화와 서비스가 거래되는 생산물 시장이다. 그러나 전자 상가는 거래 모습이 눈에 보이는 시장이고, 인터넷 쇼핑몰은 거래 모습이 눈에 보이지 않는 시장이다.

구분	채점 기준
상	전자 상가와 인터넷 쇼핑몰의 공통점과 차이점을 정확히 서술한 경우
하	전자 상가와 인터넷 쇼핑몰의 공통점과 차이점 중 한 가지만 서술한 경우

4 **| 예시답안 |** 그래프에서 상품의 가격이 올라가면 공급량이 증가하고, 상품의 가격이 내려가면 공급량이 감소한다.

구분	채점 기준
상	상품의 가격이 올라가면 공급량이 증가하고, 상품의 가격이 내려가면 공급량이 감소한다고 정확히 서술한 경우
하	상품의 가격과 공급량이 양(+)의 관계라고만 서술한 경우

5 **| 예시답안 |** 가격이 1,000원일 때 수요량은 40개이고, 가격이 2,000원으로 오를 경우 수요량은 20개이다. 따라서 수요량이 20개 감소한다.

구분	채점 기준
상	수요량이 20개가 감소한다고 정확히 서술한 경우
하	수요량이 감소한다고만 서술한 경우

6 **| 예시답안 |** 균형 가격(시장 가격)이란 시장에서 수요자와 공급자 사이에 자유로운 경쟁이 이루어지면서 수요량과 공급량이 일치하여 균형을 이루는 지점에서 형성되는 가격을 의미한다.

구분	채점 기준
상	균형 가격의 의미를 제시어를 모두 사용하여 정확히 서술한 경우
중	균형 가격의 의미를 제시어 3~4개만 사용하여 서술한 경우
하	균형 가격의 의미를 제시어 1~2개만 사용하여 서술한 경우

7 (1) 균형 가격 2,000원, 균형 거래량 50개

(2) **| 예시답안 |** 오렌지의 가격이 4,000원일 때 수요량은 20개, 공급량은 100개로 80개의 초과 공급이 발생한다. 따라서 공급자들 간의 판매 경쟁이 발생하여 오렌지의 가격은 하락할 것이다.

구분	채점 기준
상	수요량과 공급량을 쓰고, 초과 공급으로 인해 오렌지의 가격이 하락할 것이라고 정확히 서술한 경우
중	수요량과 공급량을 쓰고, 초과 공급이 발생했다고만 서술한 경우
하	수요량과 공급량만 쓴 경우

8 **| 예시답안 |** (가)는 휘발유의 상품 가격이 내릴 것을 예측하여 수요를 줄인 사례이고, (나)는 신제품 출시 소식에 따라 기존 상품의 수요를 줄인 사례로, 모두 미래 가격의 하락에 대한 예상을 통해 수요가 감소하였다.

구분	채점 기준
상	(가), (나)에서 수요를 줄인 이유를 설명하고, 두 사례의 공통점으로 수요가 감소했다고 정확히 서술한 경우
하	수요가 감소한 사례라고만 서술한 경우

9 **| 예시답안 |** 대체재. 대체재는 서로 용도가 비슷하여 한 상품을 대신해서 사용할 수 있는 경쟁 관계의 재화를 말한다.

구분	채점 기준
상	대체재라고 쓰고, 그 의미를 정확히 서술한 경우
중	대체재라고 썼으나, 그 의미를 미흡하게 서술한 경우
하	대체재라고만 쓴 경우

10 **| 예시답안 |** 그래프에서 수요 곡선이 왼쪽으로 이동했으므로 수요가 감소한 것이다. 수요 감소 요인으로는 소득 감소, 선호도 감소, 대체재의 가격 하락, 보완재의 가격 상승, 인구 감소 등이 있으며, 수요 감소로 인해 균형 가격은 하락한다.

구분	채점 기준
상	수요 감소 요인을 세 가지 이상 쓰고, 균형 가격이 하락한다고 정확히 서술한 경우
중	수요 감소 요인을 한두 가지만 쓰고, 균형 가격이 하락한다고 서술한 경우
하	균형 가격이 하락한다고만 서술한 경우

11 (1) 공급

(2) **| 예시답안 |** 공급이 증가하면 공급 곡선이 오른쪽으로 이동하며, 균형 가격은 하락하고, 균형 거래량은 증가한다.

구분	채점 기준
상	공급이 증가하여 균형 가격이 하락하고 균형 거래량은 증가한다고 정확히 서술한 경우
하	공급이 증가했을 때 나타나는 균형 가격 하락이나 균형 거래량 증가 중 한 가지만 서술한 경우

12 **| 예시답안 |** 시장 가격은 사회에 필요한 적당한 양의 상품을 가장 효율적인 방법으로 생산하게 하고, 이를 소비자에게 효율적으로 배분하는 기능을 한다.

구분	채점 기준
상	시장 가격이 자원을 효율적으로 배분한다고 정확히 서술한 경우
하	재화와 서비스를 그 상품에 대한 만족감이 큰 소비자에게 돌아가게 한다고만 서술한 경우

V 국민 경제와 국제 거래 p. 100~101

1 **| 예시답안 |** 국내 총생산(GDP)은 일정 기간 동안 한 나라 안에서 새롭게 생산된 최종 생산물의 가치를 시장 가격으로 환산한 것이다.

구분	채점 기준
상	국내 총생산의 의미를 정확히 서술한 경우
하	국내 총생산의 의미를 포괄적으로 서술한 경우

2 **| 예시답안 |** (나), (라). (나) 가사 노동, 육아, 봉사 활동, 자가소비를 위한 생산 등과 같이 시장에서 거래되지 않는 것은 국내 총생산 계산에 포함되지 않는다. (라) 국내 총생산은 국내에서 생산된 것만 포함하고, 국외에서 생산된 것은 제외한다.

구분	채점 기준
상	(나), (라)가 국내 총생산에 해당하지 않는 이유를 모두 서술한 경우
하	(나), (라) 중 한 가지에 대해서만 서술한 경우

3 **| 예시답안 |** 삶의 질을 떨어뜨리는 활동은 국내 총생산 계산에 포함되고, 삶의 질을 높이는 활동은 포함되지 않아 삶의 질이나 복지 수준을 정확하게 파악하기 어렵다는 한계가 있다.

구분	채점 기준
상	삶의 질이나 복지 수준을 정확히 파악하기 어렵다고 서술한 경우
하	삶의 질을 떨어뜨리는 활동은 국내 총생산에 포함되고, 삶의 질을 높이는 활동은 포함되지 않을 수 있다고만 서술한 경우

4 **| 예시답안 |** 경제가 성장하면 일자리가 늘어나고 국민 소득이 증가하므로 더 많은 재화와 서비스를 소비할 수 있게 되어 물질적으로 풍요로운 생활을 누릴 수 있다. 또한 질 높은 교육과 의료 혜택을 받을 수 있고, 다양한 문화생활을 할 수 있게 되어 삶의 질이 향상될 수 있다.

구분	채점 기준
상	경제 성장의 긍정적인 영향을 두 가지 모두 서술한 경우
하	경제 성장의 긍정적인 영향을 한 가지만 서술한 경우

5 (1) 인플레이션
(2) **| 예시답안 |** 총수요가 총공급보다 큰 경우, 임금이나 임대료, 국내외 원자재 가격이 상승하여 생산비가 오른 경우, 시중에 공급되는 통화량이 많아져 소비나 투자가 활발해지고 화폐 가치가 하락하는 경우 물가가 상승하는데, 이러한 현상이 지속되면 인플레이션이 발생한다.

구분	채점 기준
상	인플레이션의 발생 요인을 두 가지 이상 서술한 경우
하	인플레이션의 발생 요인을 한 가지만 서술한 경우

6 **| 예시답안 |** ㄱ. 채무자, ㄹ. 부동산 소유자. 인플레이션이 발생하면 화폐의 가치가 떨어지기 때문에 채무자는 갚아야 할 빚의 가치가 하락하므로 유리해지고, 건물과 같은 부동산 소유자는 물가와 함께 자산 가치 역시 상승하여 유리해진다.

구분	채점 기준
상	ㄱ, ㄹ을 고르고 그 이유를 정확히 서술한 경우
하	ㄱ, ㄹ 중 한 가지만 고르고 그 이유를 서술한 경우

7 **| 예시답안 |** 구조적 실업. 구조적 실업은 미래에 유망한 직업이나 기술에 요구되는 인력을 개발하거나 직업 훈련을 시행하여 해결할 수 있다.

구분	채점 기준
상	구조적 실업이라고 쓰고, 그에 대한 해결 방안을 정확히 서술한 경우
하	구조적 실업이라고만 쓰거나, 해결 방안만을 서술한 경우

8 (1) 실업자
(2) **| 예시답안 |** 개인적 측면에서 실업으로 일자리를 잃은 사람은 소득이 감소하여 생계유지가 어려워지는 경제적 고통을 겪는 한편, 직업 생활을 통한 자아실현의 기회를 잃고 자아 존중감을 상실할 수 있으며 불확실한 미래에 대한 불안감이 커지는 등 심리적 고통을 겪을 수 있다.

구분	채점 기준
상	실업으로 인한 개인적 측면에서의 영향을 두 가지 서술한 경우
하	실업으로 인한 개인적 측면에서의 영향을 한 가지만 서술한 경우

9 **| 예시답안 |** 나라마다 사용하는 화폐가 다르므로 국제 거래 시 화폐의 교환 비율인 환율을 고려해야 한다.

구분	채점 기준
상	나라마다 화폐가 다르므로 화폐의 교환 비율인 환율을 고려해야 한다고 정확히 서술한 경우
하	환율을 고려해야 한다고만 쓴 경우

10 **| 예시답안 |** 지역 경제 협력체는 국제 사회에서의 경쟁력을 강화하고, 무역 증진을 통해 공동의 이익을 추구하는 것을 목적으로 한다. 지역 경제 협력체는 회원국 간에는 자유 무역을 촉진하지만, 비회원국에 대해서는 차별을 한다는 특징이 있다.

구분	채점 기준
상	지역 경제 협력체의 목적과 특징을 모두 서술한 경우
하	지역 경제 협력체의 목적과 특징 중 한 가지만 서술한 경우

11 **| 예시답안 |** 외국 상품의 수입이 증가하였다. 자국민의 해외여행과 해외 투자, 유학이 증가하였다. 외채를 상환하였다.

구분	채점 기준
상	외화의 수요가 증가하는 요인을 두 가지 이상 서술한 경우
하	외화의 수요가 증가하는 요인을 한 가지만 서술한 경우

12 (1) 환율 하락
(2) **| 예시답안 |** 환율이 하락하면 외화로 표시되는 우리나라 상품 가격이 상승하여 수출이 감소하고, 수입품의 국내 가격이 하락하여 수입이 증가한다. 또한 수입 원자재의 가격이 하락하여 국내 물가가 안정된다.

구분	채점 기준
상	환율 하락이 수출입과 국내 물가에 미치는 영향을 정확히 서술한 경우
하	환율 하락이 수출입과 국내 물가에 미치는 영향 중 한 가지만 서술한 경우

Ⅵ 국제 사회와 국제 정치 p. 102~103

1 | 예시답안 | 국제 사회는 세계 여러 나라가 서로 교류하고 의존하면서 국제적으로 공존하는 사회이다.

구분	채점 기준
상	국제 사회의 의미를 정확히 서술한 경우
하	한 국가 바깥의 범주라는 의미로만 서술한 경우

2 | 예시답안 | 국제 사회에서 국가 간의 합의에 근거한 국제법, 국제기구의 결정과 국제 여론 등이 국가들의 행위에 일정한 제약으로 작용하기 때문이야.

구분	채점 기준
상	국제법, 국제기구, 국제 여론 등이 국가들의 행위에 일정한 제약을 준다고 정확히 서술한 경우
중	국제법, 국제기구, 국제 여론 중 두 가지를 포함하여 서술한 경우
하	국제법, 국제기구, 국제 여론 중 한 가지만 포함하여 서술한 경우

3 (1) ㈎ 정부 간 국제기구, ㈏ 국제 비정부 기구

(2) | 예시답안 | ㈎는 각국 정부를 회원으로 하며 국제 연합(UN), 유럽 연합(EU), 세계 무역 기구(WTO) 등이 있다. ㈏는 국경을 넘어 활동하는 개인과 민간단체가 중심이 되어 만들어지며 국제 사면 위원회, 국제 적십자사, 그린피스 등이 있다.

구분	채점 기준
상	㈎, ㈏의 참여 주체를 쓰고, 사례를 두 가지 이상 서술한 경우
중	㈎, ㈏의 참여 주체를 쓰고, 사례를 한 가지 서술한 경우
하	㈎, ㈏의 참여 주체와 사례 중 한 가지만 서술한 경우

4 | 예시답안 | 국가는 국제 사회의 가장 기본적이고 대표적인 행위 주체로서, 주권을 가진 국가는 국제법상 평등하고 독립된 지위를 인정받으며 국제 사회에 참여한다.

구분	채점 기준
상	국제 사회의 대표적 행위 주체, 평등하고 독립된 지위를 가지고 있음을 정확히 서술한 경우
하	위의 특징 중 한 가지만 포함하여 서술한 경우

5 (1) 다국적 기업

(2) | 예시답안 | 국가 간 교류를 확대하여 국제 사회의 상호 의존성을 높이며, 경제력을 바탕으로 개별 국가의 정책이나 국제 관계 등 정치, 경제, 사회 전반에 영향력을 행사한다.

구분	채점 기준
상	국가 간 교류와 상호 의존성 확대, 국제 사회에 폭넓은 영향력 행사를 정확히 서술한 경우
하	국가 간 교류와 상호 의존성 확대, 국제 사회에 영향력 행사 중 한 가지만 서술한 경우

6 | 예시답안 | 국제 사회의 문제는 국경을 초월하여 발생하며, 전 세계에 걸쳐 영향을 미치므로 국제 사회의 행위 주체들이 협력하여 문제를 해결해 나갈 필요가 있기 때문이다.

구분	채점 기준
상	국제 사회 문제가 국경을 초월하여 발생하므로 국제적인 협력이 필요하다고 정확히 서술한 경우
하	국제 사회의 공존을 위해 협력이 필요하다고만 서술한 경우

7 | 예시답안 | ㈎는 환경 문제를 둘러싼 국제기구와 다국적 기업 간의 갈등이고, ㈏는 자원과 영토를 둘러싼 여러 국가 간의 갈등이다.

구분	채점 기준
상	㈎, ㈏와 같은 국제 갈등의 원인과 양상을 정확히 서술한 경우
하	㈎, ㈏와 같은 국제 갈등의 원인과 양상 중 한 가지만 서술한 경우

8 | 예시답안 | 외교, 외교는 각 국가가 자국의 이익을 추구하기 위해 필요하다. 이와 함께 국제 사회의 평화와 공존의 실현을 위해서도 중요하다.

구분	채점 기준
상	외교라고 쓰고, 외교 활동의 중요성을 정확히 서술한 경우
중	외교라고 썼으나 외교 활동의 중요성을 한 가지만 서술한 경우
하	외교라고만 쓴 경우

9 | 예시답안 | 오늘날 정치나 군사 분야에서 국가 원수, 외교관이 수행하는 공식적인 외교 활동뿐만 아니라 스포츠나 문화 등 다양한 분야에서 민간 외교 활동도 활발히 이루어지고 있다.

구분	채점 기준
상	외교 주체의 변화, 외교 분야의 확대를 모두 서술한 경우
하	민간 외교 활동이 중요한 역할을 한다고만 서술한 경우

10 | 예시답안 | 일본은 독도의 해양 자원을 선점하고, 독도와 그 주변 지역을 군사적 거점으로 활용하기 위해 독도의 영유권을 주장하고 있다.

구분	채점 기준
상	해양 자원 선점, 군사적 거점 활용을 정확히 서술한 경우
하	해양 자원 선점, 군사적 거점 활용 중 한 가지만 서술한 경우

11 | 예시답안 | 중국은 고조선, 고구려, 발해 등 우리나라의 역사를 중국 고대 소수 민족의 지방 정권으로 규정함으로써 중국 영토 안에서 나타난 모든 역사를 중국의 역사로 편입하려는 역사 왜곡을 하고 있다.

구분	채점 기준
상	우리나라의 고대사를 중국 역사에 포함시키고, 중국 영토 안에서 나타난 모든 역사를 중국의 역사로 편입하려고 시도하였다고 정확히 서술한 경우
하	우리나라의 역사를 중국의 역사에 포함시키려고 시도했다고만 서술한 경우

12 | 예시답안 | 관련 분야의 학자들이 모여 국가 간 공동 연구를 함으로써 한·중·일 3국의 역사 갈등 상황의 사실 관계를 밝히고, 상호 간의 이해를 넓히는 데 이바지할 수 있다.

구분	채점 기준
상	학자들의 참여를 통한 국가 간 공동 연구, 상호 간의 이해 증진 등을 정확히 서술한 경우
하	국가 간 공동 연구, 상호 간의 이해 증진 중 한 가지만 서술한 경우

내·공·의·힘·시·리·즈 단기간에 핵심만 빠르게, 내신 만점을 위한 공부법을 제시합니다.

대표전화 1544-0554
주소 서울특별시 구로구 디지털로33길 48 대륭포스트타워 7차 20층